Jade

II
BEU
18

Frédérique Deghelt

Jade

Vertaald uit het Frans door
Marijke Scholts

DE GEUS

30. 12. 2011

Het motto is afkomstig uit *Ecrire* (1993) van Marguerite Duras;
vertaling Marianne Kaas, *Schrijven* (Van Gennep, 1994)

De vertaling van het citaat uit *Cyrano de Bergerac* (1897,
Edmond Rostand) op p. 50 is van de hand van Laurens Spoor
(Uitgeverij Bert Bakker, 2003)

Oorspronkelijke titel *La grand-mère de Jade*, verschenen bij Actes Sud
Oorspronkelijke tekst © Actes Sud, 2009
This book is published by arrangement with Literary Agency
Wandel Cruse, Paris
Nederlandse vertaling © Marijke Scholts en De Geus BV, Breda 2011
Omslagontwerp Diny van Rosmalen
Omslagillustratie © Jonathan Viner
ISBN 978 90 445 1548 0
NUR 302

Wilt u het magazine *Geuzennieuws*, met informatie over onze nieuwe
uitgaven, gratis ontvangen, ga dan naar www.degeus.nl en meld u aan.

Het geschrevene komt aan als de wind, het is naakt, het is inkt, het is het geschrevene, en het is vergankelijker dan al het andere vergankelijke in het leven, niets is vergankelijker, behalve dat ene, het leven.

MARGUERITE DURAS

Meteen toen ze het nieuws hoorde, besloot Jade haar te gaan halen. Haar grootmoeder Jeanne, haar Mamoune, had het bewustzijn verloren. Ze was de volgende dag pas gevonden, liggend op de grond in de keuken van de Savoyaanse boerderij, waar ze alleen woonde. Toen Jade zich 's avonds klaarmaakte om met vrienden uit te gaan, rinkelde de telefoon ... Elf uur. Jade deinsde even terug. Om deze tijd was het vast Julien, die een melancholieke bui had en ernaar verlangde haar te zien. Ze aarzelde, nam zuchtend op en hoorde de stem van haar vader, die al een jaar of twaalf in Polynesië woonde. Hij vertelde haar van Mamounes flauwte en had ook nog een ander slecht bericht: zijn zusters, Jades tantes, wilden niet afwachten of deze zwakte misschien van voorbijgaande aard was. Het kon opnieuw gebeuren en dat was voldoende voor de drie dochters van Jeanne, die op een steenworp bij haar vandaan woonden maar nooit bij haar op bezoek gingen. Ze hadden besloten op zeker te spelen. Mamoune had geen stem gehad in het kapittel en ook familie die te ver weg woonde, werd niet gekend in de beslissing. Serge, Jades vader, wist dat het uitgesloten zou zijn om zijn moeder van tachtig uit haar omgeving weg te halen en te vragen of ze bij hem op zijn verre eiland kwam wonen. En niemand had hem trouwens om zijn mening gevraagd. Het besluit om haar in het verzorgingshuis te laten opnemen was al getekend en zijn zusters hadden hem alleen meegedeeld hoe de stand van zaken was. Probeer erachter te komen wat ze daar in hun schild voeren, had hij die avond tegen zijn dochter gezegd. Ze zeggen wel dat het tijdelijk is … Maar op haar leeftijd …

Terwijl ze naar de ongeruste stem van haar vader luisterde, vroeg Jade zich af waarom haar tantes hun moeder, die altijd voor iedereen had klaargestaan, zo snel kwijt wilden, zonder haar zelfs maar een kans te geven, of, liever nog, hulp. Jades gevoel van onbehagen nam toe naarmate ze meer hoorde over dit complot tegen Mamoune. Een van de zussen was arts. Dat maakte het eenvoudig om Mamoune met een doktersverklaring in een tehuis te laten opnemen, alleen maar omdat haar leven even had gehaperd, zei Jade bij zichzelf.

Het was natuurlijk gekkenwerk, maar zonder er verder over na te denken besloot ze om meteen de volgende dag in haar auto te stappen en gehoor te geven aan de grote verontwaardiging, die haar buikpijn bezorgde. Ze wist dat ze de hele weg, al naar gelang het aantal kilometers dat haar nog van Mamoune scheidde, argumenten voor en tegen zou verzinnen. Zo ging het altijd bij beslissingen die overijld waren genomen.

In een vlaag van onbezonnenheid had ze pasgeleden Julien aan de kant gezet, die ze vijf jaar lang als de man van haar leven had beschouwd. Sinds twee maanden woonde ze alleen in haar appartement. En wilde ze nu, terwijl ze vond dat ze niet met een man kon samenleven, haar dagen gaan slijten met een tachtigjarige? Nee, nee, dat was volkomen belachelijk en onvergelijkbaar. Jade wist dat haar alter ego, dat altijd spaken in het wiel stak zodra ze toegaf aan haar onbesuisde kant, haar vervolgens met vragen zou bestoken. De andere

Jade, de redeneerster, zou met overtuigende argumenten komen, waardoor haar boosheid zou afnemen. Ze zou bijvoorbeeld zeggen dat ze de hele dag moest werken en dat ze er niet zeker van kon zijn dat alles goed ging met Mamoune. Of, als haar tantes gelijk hadden, als haar grootmoeder werkelijk voortdurend medische zorg nodig had, dan zou zij geen verpleegkundige, geen ziekenverzorgende kunnen betalen van haar miezerige journalistensalaris.

Maar er dienden zich nog andere, verwarrender vragen aan. Wat wist Jade eigenlijk van Mamoune? Niet veel. Sinds haar prilste kindertijd aanbad ze deze grootmoeder, die, afhankelijk van de dag en haar stemming, naar rozen of viooltjes geurde. Met haar grijze vlechten opgestoken in een knot en haar heldere ogen leek ze op de goede fee uit een sprookje. Klein, een beetje rond. Mamoune had altijd op kinderen gepast, altijd geweten hoe ze met hen moest praten, hoe ze hen met haar zachte stem kon bereiken zonder de gebruikelijke vragen van volwassenen te stellen: Doe je goed je best op school? Wat wil je later worden als je groot bent? Bij haar bestond er geen kloof tussen de wereld van de kleine en die van de veel te grote mensen. Ze was moederlijk, met een warme liefde, en haar lach was als een gezang, die uitnodigde om met haar mee te lachen.

Jade herinnerde zich dat haar grootmoeder de dochter was van een landbouwer en een vroedvrouw. Mamoune had haar een foto laten zien van haar ouders op hun trouwdag en Jade vond toen dat ze oude gezichten hadden, hoewel ze eruitzagen als vijftienjarigen. Hij met een snorretje zoals de boeren dat aan het begin van de eeuw hadden, zij met een knot en een ernstige blik. Toentertijd lachte men niet op foto's. Hun dochter Jeanne was arbeidster aan de lopende band geweest toen ze een jong meisje was. Maar waarom wilde Jade zich zo graag herinneren wie Mamoune, of liever Jeanne was? Het enige wat belangrijk zou moeten zijn, was de wens om haar voor haar lot te behoeden. Tenzij ...

Jeanne had haar man Jean ontmoet in de fabriek waar ze beiden werkten. Ze was toen erg jong. Met al haar zestien jaren voelde ze zich onweerstaanbaar aangetrokken tot de donkerharige jongeman met zijn hoekige gezicht, die de bergen zo goed kende en zich niet voor meisjes leek te interesseren. Desondanks had hij haar het hof gemaakt. Eenmaal getrouwd, wijdde Jeanne zich aan haar kinderen en daarna aan die van anderen. Er liep altijd een hele stoet in huis rond en ze wist haar troepje te leiden zonder boos te hoeven worden. De kinderen waren nooit ongehoorzaam, want daar was Mamoune – dat was de naam die de kinderen haar hadden gegeven – veel te lief voor. Jeanne had haar eigen manier om de wispelturige kinderen in bedwang te houden: met geruststellende en liefdevolle blikken. Haar ogen waren als een blauwe glimlach met grijze glittertjes, die elk kind dat het gewaagd had haar iets te weigeren onmiddellijk in een soort schaamte dompelden. Jean kwam laat thuis, moest hard ploeteren en spoorde zijn nakomelingen aan hun uiterste best te doen op school, zodat ze het arbeidersmilieu achter zich konden laten en toegang kregen tot het hoger onderwijs. Hij was er trots op dat hij ten aanzien van zijn drie dochters, van wie er twee advocaat waren en de derde arts, de taak die hij zichzelf had opgelegd tot een goed einde had gebracht. Zijn enige zoon, Serge, de vader van Jade, had in zekere zin de rol van rebel gespeeld. Hij was kunstschilder geworden. Hij woonde op een afgelegen eiland, buiten de gevestigde orde, samen met Jades moeder, een bohémienne die net zo onvoorspelbaar was als hij.

Mamounes man was drie jaar geleden overleden aan een hartaanval en had zijn vrouw ontredderd achtergelaten. Zo zelfstandig aan zijn zijde, leek zij een deel van zichzelf samen met Jean begraven te hebben.

Haar verhuizing naar het verzorgingshuis stond gepland voor de zaterdag en Jade had bedacht dat ze vrijdag rond het middaguur, de volgende dag dus, onverwacht bij Mamoune op de stoep zou staan. Dat liet haar niet veel tijd om na te denken … Na het telefoontje van haar vader had Jade haar grootmoeder het liefst wakker willen bellen om haar, als een geheim, in te fluisteren: ik kom je halen. In die aangekondigde ontvoering zou ze de bevestiging horen van wat ze al had vermoed. Haar dochters hadden haar met wat gladde praatjes een proeftijd 'verkocht', omdat ze het inpakken van haar lievelingsspullen moesten verklaren. Het was om een poosje te herstellen, hadden ze haar verteld, een tijdelijke verhuizing, en Mamoune was slim genoeg om te doen alsof ze het geloofde. Maar er was haast geboden, en als ze dan toch haar huis uit moest, dan maar liever om naar dat van Jade te gaan. Je komt een poosje bij mij wonen in Parijs, zou ze tegen haar zeggen, en daarna bekijken we samen of je wilt blijven of naar huis wilt gaan, en onder welke voorwaarden. Op die manier zou Jade het gevoel hebben dat ze tegenover haar niets zou verzwijgen over haar toestand, die zo ernstig was dat ze eigenlijk in een tehuis moest worden opgenomen, en kon ze toch alle vragen bespreken die bij haar leefden. Die transparantie en die openhartigheid zouden in haar voordeel werken. Mamoune, die al jarenlang niet meer naar Parijs wilde komen, zou zich niet laten bidden. Dat hoopte Jade tenminste … Ze was de dochter van haar grootmoeders geliefde zoon en, gezien de omstandigheden, zou ze haar kant kiezen.

Jade wist al wat Mamoune zou zeggen. Wat ik erg vind aan die huizen – ze zou ze niet bij naam noemen – is dat ze vol zitten met oude mensen. Ik ben ook niet jong meer, zou ze eraan toevoegen, maar volgens mij word je minder snel oud als er meerdere generaties bij elkaar wonen ... Ze zou even zwijgen om na te denken ... Misschien zou ik je zelfs ergens mee kunnen helpen ... Die laatste zin was net iets voor haar, en zou Jade tot tranen toe bewegen. Ze zag Mamoune voor zich, met al haar rondingen in haar blauwe jurk, zich met gefronste wenkbrauwen afvragend waar haar eenvoudige bestaan nog goed voor kon zijn, alsof ze een voorwerp was dat je in alle ernst kon afdanken.

Mamoune

Ik ben zo bang dat ik vergeetachtig word en niet meer in staat zal zijn mijn eigen leventje te leiden. Tot op heden heeft het leven me niet alles gegeven, maar me wel het wezenlijke verleend. Iets waar ik niet om had gevraagd, maar wat een ontdekkingslust in me heeft gestild waarvan ik het bestaan niet kende. Ik weet zeker dat er mensen zijn die zullen zeggen dat ik alles wat me nu overkomt had kunnen verwachten.

Toen ik nog op de fabriek werkte, was er een Afrikaanse die tegen alle moeders zei: 'Slaap bij je kinderen zolang ze klein zijn, anders zullen ze niet voor je zorgen als je oud bent.' Ik had toen nog geen kinderen. Ik moet haar raadgevingen vergeten zijn. Ik heb niet genoeg bij mijn dochters geslapen. Daar kom ik nu achter.

Ik neem het hun niet kwalijk. Ik geloof zelfs dat ik hen begrijp. Wat moeten ze met mij aanvangen? Op mijn leeftijd ben ik een last en ik vind het erg genoeg dat het zo ver heeft kunnen komen. Ik ben te oud, te moe en kan nu ook nog zomaar flauwvallen. En morgen …?

Ik hou van het uitzicht op de tuin vanuit mijn keukenraam. Hij is niet meer hetzelfde sinds Jean dood is, maar ik word het nooit moe om naar de vogels te kijken als ik met de afwas bezig ben. Wij vulden elkaar zo goed aan in ons zwijgen. Hij bewerkte de grond, tot de stille tijd aanbrak. In de winter keek ik 's ochtends bij mijn eerste kop koffie naar de kale struiken en stelde me de kleuren voor waarmee ik onze tuin in het voorjaar zou kunnen tooien. Elke ochtend fluisterde de zwarte aarde me weer een ander schouwspel in: gele of rode tulpen, forsythia's, clematis, primula's ... Een schouwspel van kleuren en vormen, en daarna brak de grote dag aan waarop de zaden werden gekocht. Enkele weken later wachtte ik vol ongeduld op het moment waarop de tuin Jean de kleuren zou onthullen die ik had uitgekozen. Ik hield alleen nooit rekening met de wind, die mijn ontwerp altijd weer in de war stuurde. In de bloeitijd zorgde hij steeds voor verrassingen. Voor de vorm schold ik een beetje, maar eigenlijk beviel het me wel dat een onverwacht briesje mijn tuin een verwilderde aanblik gaf.

We staan aan het begin van de lente. Alsof ik wist dat ik uit mijn huis gehaald zou worden, heb ik dit jaar niets gezaaid. Toch heb ik de tuin niet verwaarloosd na Jeans dood. Elke aprilmaand, er zijn er nog maar drie geweest, kreeg onze tuin zijn kleurenpracht weer terug. Het was alsof het een speciaal eerbetoon aan hem was, alsof de aarde zich erop toelegde het beste van zichzelf te geven. De buurvrouwen die bij mij langskwamen, waren gerustgesteld de oude tuinierster weer terug te vinden. Ze complimenteerden me met mijn groene vingers. Niemand zag er de boodschap in die degene die ontbrak me stuurde: dat ik de schoonheid van onze tuin voortaan alleen moest bewonderen.

We hadden zo'n goede band met elkaar. In de loop van de jaren was zijn mond veranderd in een kleurloze streep, waarin alle ingehouden emoties tot uitdrukking kwamen. De mijne daarentegen was nog steeds zinnelijk gewelfd, in vorm gebleven door de vluchtige gesprekjes die nergens toe leidden. De babyhuidjes, de warme omhelzingen van de kinderen hadden hem een zachtheid gegeven die als vruchtvlees uiteenspatte op de ruwe wang van deze hardwerkende man, die mijn dagelijkse liefkozingen met begripvolle glimlachjes beantwoordde.

Ik geloof dat ik van hem droomde toen ik die flauwte kreeg, die men me lijkt te verwijten. Nee, zo was het niet precies. Ik had net wat afval naar buiten gebracht. Het was waterkoud aan het eind van deze winter en ik nam me voor om warme melk te maken. Daarna ging ik terug naar de keuken. Maar ik realiseer me dat ik niet helemaal eerlijk ben: mijn geheugen verzint een samenhang waar alleen maar leegte heerst. In werkelijkheid ben ik de volgende dag gevonden, op de grond voor de koelkast. Ik zou graag zeggen dat ik iets gemerkt heb. Ik zal vroeger ook weleens in eendere omstandigheden flauwgevallen zijn, alleen schonk niemand daar aandacht aan … Maar op mijn leeftijd hoef ik niet meer op begrip te rekenen, zelfs niet op medelijden. Men laat niets meer passeren. Zo gaat dat.

Voor het ogenblik verheug ik me erop dat dat kind me komt halen. Het is een teken van de hemel, dat ik moet doorgaan. Ik heb niet de energie om me te verzetten. Die heb ik nooit gehad. Dat is waarschijnlijk ook de reden waarom ik nooit verdacht werd toen ik in het Savoyaanse verzet zat. De blik van de anderen gleed langs mij af. Ik was onzichtbaar, had er niets mee te maken. Ik ben oud en berustend geboren, een en al vriendelijkheid en rechtschapenheid.

Volgzaam als ik altijd ben geweest, voel ik geen wrok jegens mijn dochters. Ze hebben gezien dat Jean en ik, toen wij de zestig naderden, veel ouder waren dan zij nu op dezelfde leeftijd. Ze willen niet accepteren dat de tijd voorbijgaat, zijn bereid me te verstoten alsof ik zijn handlanger ben.

Mijn mooie Denise heeft haar neus recht laten maken. Ze wendde haar hoofd af om mijn verbaasde blik te ontwijken.

Ze dacht dat ik het niet zou zien! Hoe zou een moeder, de schepper van het origineel, zich voor de gek kunnen laten houden door een neus die is gefabriceerd door een chirurg? Hoe vaak heb ik niet met mijn vingers over dat uitsteeksel gestreken, dat haar het profiel gaf van een Egyptisch standbeeld. Ik heb niets gezegd, maar de bevalligheid die ze uitstraalde vanwege de schaamte over haar neus, een soort jeugdige schuchterheid, is opgelost in het zekere gevoel eindelijk van een gebrek verlost te zijn.

Waarom zou je je gezicht veranderen? Volgens mij kwam je vroeger gewoon als een mooi meisje of jongetje op de wereld, of als lief of flink ... Als een kind levenslustiger was dan knap, roddelden de buurvrouwen over de onvolkomenheden van zijn gezicht of lichaam. Maar eigenlijk accepteerde iedereen zijn lot. Lelijk of knap, jong of oud, je mocht lachen en er zijn zonder dat het iemand hinderde. Misschien dat ik door deze herinnering aan de tolerantie van vroeger beter de onrechtvaardigheid inzie van mijn situatie nu, waartegen ik me niet durf te verzetten.

Zij hebben hun leven ... En ... Nu ben ik alweer excuses voor hen aan het zoeken. Dat die kleine me komt halen, bewijst dat mijn dochters niets hebben ondernomen om me te helpen. Ze leek me erg zelfverzekerd aan de telefoon en ik weet niet hoe ik nee had kunnen zeggen tegen datgene waar ik zo op hoopte: dat een goed gesternte mag waken over de vrijheid van een oude vrouw ...

Het was een vreemde angst die me beving toen Denise, de eerste arts in onze familie, over rust nemen sprak en over een tijdelijke situatie. Een kinderlijke angst, met een gevoel van onrechtvaardige machteloosheid, waarbij mijn maag in een soort bankschroef werd samengeknepen. Voordien was de gedachte dat mijn leven anderen kon toebehoren nog nooit bij me opgekomen.

Hun overhaaste vlucht zou aan deze dag een bijzondere kleur verlenen. Toen Jade haar vroeg alleen de allernoodzakelijkste kleding mee te nemen en de rest achter te laten, voelde ze een lichte aarzeling, die ze, omdat ze inzag dat het onvermijdelijk was, al snel ter zijde schoof. Met haar heimelijke vertrek van de boerderij, vlak voor de geplande verhuizing naar het verzorgingshuis de volgende dag, verklaarde Mamoune haar dochters de oorlog. Vooral ook omdat ze geen enkele discussie met hen was aangegaan om te zeggen dat ze het niet eens was met de genomen beslissing. Haar hele leven was altijd het tegendeel geweest van deze onverwachte, onaangekondigde rebellie. Jade vreesde dat ze haar meesleepte in een wereld die niet de hare was. Onzekerheid knaagde aan haar. Jade kende haar grootmoeder alleen als een evenwichtige, rustige vrouw, maar had zij niet ook eens gezegd dat elke mens een onvermoede kant in zich heeft, dat elke mens in staat is zich als een vreemde, ja zelfs als een vreemdeling te manifesteren?

Dat alles speelde door Jades hoofd, terwijl ze onophoudelijk tegen haar bleef praten: Zijn dat je wollen spulletjes aan die kant van het bed? Wil je dat ik ze inpak? Het is hier veel vochtiger dan in Parijs. Wil je misschien je bedlampje meenemen? Ik weet dat je er erg aan gehecht bent. Voel je niet bezwaard, er is ruimte genoeg in de auto, ik wil dat je je thuis voelt in mijn huis. Neem alles mee waar je van houdt. Uit angst dat haar grootmoeder een stilte zou aangrijpen om te zeggen dat ze er toch maar van afzag, bleef Jade maar door-praten. Mamoune trippelde van de ene kamer naar de andere en bracht kleren en voorwerpen mee die in haar koffers ge-pakt moesten worden. Ze verzamelde haar spullen met een ijver alsof ze een spel speelde waarin ze in recordtijd aanwij-zingen bij elkaar moest zoeken. Ze schrok op toen de tele-foon ging. Jade keek haar vragend aan. Ze namen niet op, wachtten tot het gerinkel ophield, terwijl ze elkaar angstig aanstaarden. Mamoune profiteerde van de weergekeerde stilte door haar schuldbewust te bekennen dat ze had geprobeerd stilletjes te vertrekken, nog voordat Jade had gebeld om haar te komen halen. Nadat haar dochter haar had meegedeeld dat ze in overleg met de arts had besloten dat ze werd opgenomen in dat tehuis in Annecy, dat zo comfortabel was, door bomen omringd en met alle medische voorzieningen voorhanden, wat toch veel beter voor haar was ...

Het klonk een beetje verdacht, weet je, de manier waarop ze me geruststelde. Ik heb toen snel een koffer gepakt. Ik vertrok door het hekje achter in de tuin, dat op het kerkhof uitkomt. Ik had geen idee waar ik naartoe ging, maar ik stak dat veld met graven over naar de verlaten straat die achter langs het dorp loopt. Met mijn koffer op wieltjes liep ik over het stenen pad en het leek net alsof de kraaien de spot met me dreven. In hun gekras hoorde ik de stem van de doden: 'Neemt u hier uw intrek, mevrouw? Bent u niet wat te vroeg? U hebt uw koffer niet nodig; bij ons laten de bezoekers hun bagage achter bij de ingang.' Al die grafzuilen waarop de data van geboorte en sterven zich aaneenregen, monterden me op. Ik zei tegen mezelf dat ik in ieder geval nog leefde en dat mijn dochters alleen om mijn bestwil handelden. Ben je van gedachten veranderd? vroeg Jade. Als antwoord legde Mamoune haar bijbel boven op de spullen in de koffer en deed hem dicht.

Ook al zou haar tante pas de volgende dag komen, Jade wilde zo snel mogelijk op weg gaan. Ondanks haar vermoeidheid zouden ze Mamounes huis al gauw een eind achter zich hebben gelaten. En als ze eenmaal vertrokken waren, zouden eventuele vervelende ontmoetingen, van die familieruzies die Jade bij voorkeur wilde voorkomen, hun bespaard blijven. Met tranen in haar ogen keek Mamoune nog eenmaal liefkozend de kamer rond, volgde toen haar kleindochter en vroeg haar de luiken en de deur te sluiten, terwijl zij op het bankje waarop ze altijd rustte en peinzend naar haar bloemen keek, op haar wachtte.

De eerste kilometers verliepen in stilte. Mamoune zat te dommelen. Ze was vermoeid door de gebeurtenissen. Jade wierp zo nu en dan een vluchtige blik op haar en moest zichzelf steeds weer voorhouden dat ze al tachtig was, hoewel ze het nauwelijks kon geloven. Haar leeftijd leek te zijn opgelost in de liefde die ze uitstraalde. Mamoune was tijdloos. Ze had rimpels, natuurlijk, maar in elk jaargetijde had ze een gezonde bruine kleur en ze zag er nooit zo grauw en ziekelijk uit als sommige ouderen die Jade in Parijs op straat tegenkwam. Zelfs wanneer ze boos was – wat zelden het geval was – had Jade nooit meegemaakt dat ze haar zachte, bijna omfloerste stem, die zo karakteristiek voor haar was, verhief. Ze had een licht Savoyaans accent, dat sterker werd wanneer ze over haar huis, haar tuin of over degenen die ze liefhad sprak.

Toen Jade over haar leeftijd nadacht, en de band die er tussen hen bestond buiten beschouwing liet, werd ze bang. Bang een vergissing te begaan door haar mee te nemen, bang niet voor haar te kunnen zorgen, bang haar bedrogen te hebben met de belofte dat ze haar zou redden. Meer dan eens meende

19

ze in de achteruitkijkspiegel de auto van haar tante Denise te zien, die de achtervolging had ingezet.

En als haar tantes zouden besluiten om Mamoune terug te komen halen? Wat zou ze dan zeggen en hoe zou ze hun kunnen verhinderen om haar mee te nemen? Tot nu toe was ze gewoon een aardig nichtje geweest met wie ze over literatuur of over haar studie spraken en ze wist niet wat haar tantes zouden denken van deze nieuwe kant van haar, waarin ze de rol van bestrijdster van het onrecht speelde en hun moeder ontvoerde ...

Hoewel ze gesteund werd door haar vader, maakte Jade zich geen enkele illusie, Polynesië was ver weg; de gevolgen van deze ontvoering zou ze alleen moeten dragen. En dan was er nog die kwestie van curatele waar ze maar een vaag idee van had. Hoe stelde je iemand onder curatele? Wie mocht zo iemand onderzoeken, en vaststellen dat hij niet langer in staat was zijn eigen zaken te beheren? Zouden haar dochters dit middel kunnen aangrijpen om hun moeder terug te halen? Nu al nam ze zichzelf deze niet-gewilde oorlog kwalijk, die haar dwong haar tantes als vijandinnen te beschouwen.

Ze hadden zo'n honderd kilometer afgelegd van de weg die ze 's ochtends ook al in de omgekeerde richting had gereden en de vermoeidheid begon zijn tol te eisen. Ze besloot de autoweg te verlaten en een hotelletje voor de nacht te zoeken. Als ze zou doorrijden, zou ze in slaap kunnen vallen. Ze voelde zich plotseling verantwoordelijk voor haar grootmoeder en zei tegen zichzelf dat niets meer hetzelfde zou zijn als voorheen, dat ze haar leven niet langer met dezelfde zorgeloosheid zou kunnen leiden. Ze voelde dat ze niet meer het recht had zichzelf in gevaar te brengen.

Door het verhaal van Mamoune ontdekte Jade dat je erg eenzaam kon worden, ook al had je een man en vier kinderen gehad: zes personen die zo veel jaren hadden samengewoond, samen gegeten en elkaar waren tegengekomen in een huis dat bruiste van vrolijkheid.

Mamounes verhaal maakte haar bang. Jade kon de gedachte niet verdragen dat haar grootmoeder, die zo veel liefde had gegeven, in de steek werd gelaten. Maar was het dan nodig om een reddingsactie op touw te zetten om van die negatieve gevoelens af te komen? Ze wilde niet dat haar grootmoeder nog langer eenzaam was, maar in hoeverre speelde haar eigen eenzaamheid daarin mee? En dan nog, als ze Mamoune uit haar eigen wereld losrukte en in die van haar overplantte, zou ze dan minder eenzaam zijn?

In het hotel, dat aan de rand van een beek lag en vroeger een molen was geweest volgens de eigenaresse, die hen rondleidde, was nog maar één kamer vrij. Ze hadden beiden een eigen bed op de zolder, waarvan het enige raam uitkeek op een bos. Jade zag dat Mamoune ondanks haar vermoeidheid rechtop probeerde te staan.

'Herinner je je nog dat je als kind altijd in mijn kamer wilde slapen?'

Ja, ze herinnerde zich nog hoe ze had gebedeld om tijdens de siësta in haar bed te mogen slapen, haar gezicht in haar kussen te begraven en er haar rozen- en viooltjesgeur op te snuiven. En als ze weleens een nachtje bleef slapen in haar huis van hout en steen, werd ze tegen vijf uur 's ochtends wakker en nestelde ze zich nog even tegen Mamoune aan voordat die opstond. Om haar dromen met die van haar geliefde grootmoeder te verbinden, had het kleine meisje geen andere mogelijkheid dan bij haar in bed te kruipen. Dat uur dicht tegen haar aan was gevuld met betoverende beelden. Hoe zou ze dat kunnen vergeten?

Als antwoord had Jade haar een zoen op haar voorhoofd gegeven en haar meegedeeld dat ze in haar kleine, zestig vierkante meter tellende woning in Parijs haar eigen kamer zou krijgen en dat ze haar niet elke dag lastig zou vallen. Eén keer per twee dagen maar, had Jade tegen haar gezegd, met een zogenaamd smekend gezicht. Mamoune had gelachen. Je zult het wel zien, jouw kamer is aan de achterkant en kijkt uit op de tuintjes. Ik heb twee balkons. Een aan de keuken en een aan de kant van de eetkamer. Vlak bij mijn huis is een kleine wilde tuin, hij hoort bij een museum. Jade wist hoe belangrijk de natuur was voor Mamoune, die haar zo vaak had meegenomen de bergen in, waar ze zonder aarzelen elke plant bij naam noemde en haar nauwgezet het culinaire en het geneeskrachtige gebruik ervan uitlegde. Haar groene vingers en haar kennis hadden haar veranderd in een soort toverheks die de geheime kennis bezat om magische drankjes te bereiden, waarvoor ze de ingrediënten in haar tuin kweekte.

Ze keek naar Mamoune, die er verloren uitzag in de toch gezellige kamer.

'Heb je honger?'

Mamoune

Ik heb slecht geslapen. Ik zag hoe de deur openging en Denise ineens in onze kamer verscheen om me te komen halen. Ze liep in het donker, zodat Jade niet wakker werd, en sleepte me mee. Er kwam geen geluid over mijn lippen. Wat een idiote droom! Waarom voel ik me zo schuldig? Vanochtend zijn we vroeg vertrokken in de mist en ik heb Jade niets over mijn nacht verteld. In de auto heb ik een dutje gedaan. Ze zal me nog voor een marmot aanzien.

Ligt het aan het heuvelachtige landschap of aan de ochtendmist dat mijn gedachten zulke melancholieke wegen bewandelen? Ik zie mijn moeder, op weg naar een bevalling. Ze stopte een paar kaarsen onder haar cape als ze wist dat het gezin waarin het nieuwe kind werd verwacht, arm was en bij zonsondergang naar bed ging, zodat er geen licht gemaakt hoefde te worden. Ik denk aan mijn grootvader, aan zijn wagen en aan de dood van zijn enige paard, waardoor de familie in een isolement raakte, dat voor het kleine meisje dat ik toen was moeilijk verborgen kon blijven ... Zo volgden gedurende de rit de verschillende gebeurtenissen van mijn leven elkaar op, zonder dat ik ze een halt kon toeroepen. Nu trekken ze onophoudelijk in mijn gedachten voorbij.

We zijn bijna in het hart van Parijs aangekomen. In de verkeersdrukte moet Jade haar aandacht bij het rijden houden en ik, oude vrouw die ik ben, begin te piekeren. Ze heeft me verteld dat ze in een straat achter Pigalle woont en dat haar buurt tegelijk een dorp en een stukje van de grote stad is. Ik vraag me af hoe dat mogelijk is.

Ik had ruimschoots de tijd om na te denken terwijl ik de bomen telde, en tot aan de poorten van de hoofdstad leek de reis naar haar huis op een vlucht. Nadat we de ringweg achter ons hadden gelaten, doken we een andere wereld in. Ik richt mijn aandacht op de indrukwekkende monumenten en probeer ze te identificeren. De stad, die ik in de jaren vijftig voor het laatst heb gezien, herken ik niet meer. De gebouwen staan er nog, maar lijken op te gaan in een eindeloze stroom van verkeer, geluid en misselijkmakende stank. De voorbijgangers zien eruit alsof ze naast hun eigen lichaam lopen. Ik observeer heimelijk het mooie ovale gezicht van mijn dertigjarige kleindochter. Ik weet nog dat ze haar lange blonde haar tijdens een van haar eerste reizen had afgeknipt. Als journaliste moet een meisje haar uiterlijk aanpassen aan de eisen van een praktisch beroep, zei ze. Nu raken ze nauwelijks haar schouders als ze plotseling haar hoofd omdraait om ons door het drukke verkeer aan het eind van de dag te loodsen. Haar blik kruist de mijne. Haar grote, hazelnootbruine ogen lachen me toe. Bevrijd van ik-weet-niet-welke last rijdt ze behendig tussen de auto's door. Ze straalt een aangename zorgeloosheid uit. Ik merk hoe gelukkig ze is dat ze weer terug is in haar stad. Alsof mijn ontvoering nu een feit is en we niet meer ingehaald kunnen worden. Maar we moeten bedacht zijn op de woede van mijn jongste dochter, die zeker zal proberen naar Parijs te komen om me terug te halen ...

Onkundig van mijn gedachten laat mijn kleindochter haar handige gemanoeuvreer aan het stuur vergezeld gaan van commentaar op de zeden en gewoonten van de Parijzenaars.

Het lijkt wel of ze een volk van nauwelijks getemde barbaren beschrijft. Er is geen samenhang meer tussen wat ik zie en wat zij me vertelt. Op deze namiddag is het druk op straat en er is veel verkeer. Ik ben moe, vol twijfel. Misschien heb ik de leeftijd niet meer voor dit soort avonturen. Ik geloof dat ik in een wereld leef waarin ik niet meer thuishoor. Ik zie ertegen op om mijn persoonlijke bezittingen, die we inderhaast hebben meegenomen, te moeten opbergen. Waarom maken mensen van mijn leeftijd toch overal zo'n probleem van? We hebben toch wel voor hetere vuren gestaan ...

Het is de eerste keer dat ik vlucht ... Zelfs in de oorlog hoefde ik niet onder te duiken of uit het dorp weg te gaan. Ik bracht berichten over en weer tussen de verzetsstrijders die zich schuilhielden in de Alpen en de leiders van de Résistance van Annecy. Bijna een wandelingetje. Ik ben oud en daar is niets aan te doen. Ik ga terug in mijn herinneringen. Jade heeft de auto geparkeerd op een pleintje met bomen, een voetgangerszone, zei ze ... Ze wurmt zich uit de auto, richt haar een meter vijfenzeventig op en rekt zich met gefronste wenkbrauwen uit. Ze schat haar kansen om er zonder bekeuring van af te komen. De klokken luiden, alsof ze ons welkom willen heten. Ze glimlacht. Ze zijn gemaakt door iemand bij jou uit de buurt. Het zijn de klokken van Montmartre die we horen. Het zal net zijn of je hier thuis bent, dat zul je zien. Je naam staat zelfs al op mijn brievenbus. J. Coudray, want onze voornaam begint immers met dezelfde letter. Trots denk ik bij mezelf dat het dochtertje van mijn Serge een knappe en slanke jonge vrouw is geworden. Door de vreugde dat we eindelijk gearriveerd zijn, is de vermoeidheid van haar gezicht verdwenen. Dat is het voorrecht van de jeugd ... Bij mij daarentegen ...

Nu ik met haar ga samenwonen, zal ik elke dag met dit verschil geconfronteerd worden. Een mens went eraan om alleen te wonen. Toen Jean doodging, dacht ik dat de wereld zou instorten. Dat ik zichtbaar zou worden, omdat hij er niet meer was om mijn fouten en mijn gebreken te verbergen, mij niet meer kon beschermen. Maar niets van dat alles gebeurde. Ik ontdekte alleen dat ik oud was geworden. Door mijn leven met Jean was die waarheid voor mij verborgen gebleven. Ik zag mezelf door zijn ogen, de ogen van onze jeugd, want ook ik zag hem niet voortschrijden op de weg van de tijd.

Tegelijkertijd ben ik gaan observeren. Niemand interesseert zich voor de ouderdom. Hoe meer ouderen er zijn, hoe jonger ze worden. Ik herinner me de tijd waarin ik iemand oud mocht noemen zonder het gevoel te hebben een flater te begaan ... Tegenwoordig zegt men niet meer 'oud', men zegt 'derde leeftijd', als een vierde dimensie. Men zegt 'tachtigjarigen' of 'tachtigers', de nieuwste koketterie van een nieuw ras, dat ik op laffe wijze medeschuldig vind aan deze verbale opsmuk. Succesvol oud worden betekent een tweede jeugd vinden. Wat een ontwapenende paradox! Verjongen of verdwijnen, een andere keus is er niet. Ik neem het ze niet kwalijk. Zo is het nu eenmaal. Toen ik jong was, waren de oude mensen oud, en nu ik oud ben zijn oude mensen het aan zichzelf verplicht om jong te zijn. We moeten ons erbij neerleggen dat we in een wereld leven waarin we hoger worden aangeslagen naarmate we onze leeftijd minder tonen. En in steeds groteren getale verstoppen we ons in leeftijdsgroepen die niet de onze zijn. Het zal wel een soort oorlog van de levenden zijn. En de rest, degenen die niet vals kunnen spelen, die moffelen we zo veel mogelijk weg ...

Ik weet dat deze waanzin, deze vlucht, me in een afhankelijke positie brengt en ik wil dit kind in geen geval tot last zijn. Vanochtend in het hotel begreep Jade mijn zorgen en fluisterde me meteen in dat ik haar moest laten betalen en dat we bij aankomst de financiën wel zouden regelen. Ik zie nu pas goed in hoe ongerijmd mijn situatie is. Ik ben er als een dievegge vandoor gegaan. De post wordt niet nagestuurd. Waar denk je aan bij een vlucht? Dat je het er levend van af wilt brengen. Maar waar wilde ik eigenlijk voor vluchten? Voor de opsluiting of voor de ouderdom? En alles goed en wel, maar wat moet ik aanvangen in deze stad en in het leven van Jade?

Ik zou je misschien kunnen helpen ... Het zinnetje dat haar grootmoeder uitsprak, was nauwelijks hoorbaar, maar het was toch de oorzaak van de grote ontdekking die Jade die zondag deed. Ze kende Mamoune al haar hele leven en sinds een week woonden ze samen. Maar die dag pas leerde Jade Jeanne kennen.

In het begin begreep ze het aanbod van haar grootmoeder niet, die zich er verlegen mee voelde dat ze Jades telefoongesprek met een vriend had gehoord. Het ging over een roman die Jade had geschreven en die ze graag wilde publiceren. Omdat ze niemand kende, stuurde ze het manuscript op goed geluk weg, in de veronderstelling dat als het goed genoeg was, het wel geaccepteerd zou worden. Ze kreeg alleen maar afwijzingen en zelfs als uitgevers zich gunstig uitlieten over haar roman, miste hij kennelijk toch steeds die éne vonk die haar manuscript in een echt boek met bladzijden en een omslag had kunnen veranderen. Ze schreven dat ze een verhaal kon vertellen, dat sommige passages goed gelukt waren, dat sommige lezers geboeid waren door haar beschrijvingen ... Kortom, doorgaans kreeg ze kort en bondig te horen dat haar roman niet paste in het fonds van de uitgeverij, maar anders was het prima in orde geweest. Omdat de contactpersonen altijd verscholen bleven achter de nietszeggende naam 'leescomité', stelde Jade zich een gezelschap voor van oude mannen met een brilletje, achter hoge stapels manuscripten waar zij liever vanaf wilden dan er datgene uit te zoeken dat ze wilden publiceren. Ontmoedigd had ze niets meer weggestuurd, haar droom om uitgegeven te worden naar later verschoven en haar oorspronkelijke beroep weer opgepakt.

Ze was freelancejournaliste voor de schrijvende pers, ervaren en betrouwbaar, had hart voor haar werk en beschikte over een netwerk dat haar min of meer regelmatig inhuurde en steeds meer onderzoek voor minder geld van haar verlangde.

En nu stond Mamoune klaar om haar te helpen! Maar hoe? Ze was bang om het haar te vragen, bang haar te kwetsen als ze haar liet merken dat ze haar beschouwde als een vrouw die veraf stond van de literatuur. Maar ze zou graag willen weten hoe Mamoune haar kon laten zien wat er aan haar roman ontbrak. Met haar gezond verstand en haar instinct misschien? Jade dacht na. Mamoune had de laatste zestig jaar waarschijnlijk niets anders gelezen dan de plaatselijke krant. O ja, en ze had een tijdje, om een helpende hand te bieden, als onbezoldigd bibliothecaresse gewerkt. Ondanks deze ervaring betwijfelde Jade echter of ze in staat was een afgewezen manuscript te beoordelen.

Haar grootmoeder keek haar licht geamuseerd aan, met een blik die leek te zeggen dat ze Jades gedachten kon lezen en dat ze het buitengewoon vermakelijk vond wat ze daar ontdekte. Als je nu eens thee ging zetten, dan kom ik bij je zitten en zal ik je uitleggen waarom ik je mijn hulp aanbied.

Met trillende handen zette Jade het water op, alsof ze voelde dat de onthullingen van Mamoune niet alledaags zouden zijn. Terwijl ze werktuiglijk de theepot omspoelde met kokend water en er een paar schepjes thee in deed, herinnerde ze zich dat zijzelf Mamoune met deze drank vertrouwd had gemaakt in de tijd waarin ze geen peekoffie meer verdroeg. Mamoune nam de gelegenheid te baat en begon met haar verhaal. Ze sprak op fluisterende toon, alsof ze werden afgeluisterd. Gespannen leek ze Jades reactie af te wachten.

'Ik heb veel gelezen, al sinds lange tijd. Ik ben een toegewijd lezeres, ik hou van boeken. Zo zou je het wel kunnen zeggen. De boeken waren mijn minnaars en met hen heb ik je grootvader bedrogen, waar hij, zolang wij samen waren, nooit iets van heeft geweten.'

Het leek wel, vond Jade, alsof Mamoune haar onthulde dat ze een straatmadelief was geweest, en daarmee het lezen in een schandelijke bezigheid veranderde. Haar gezicht had een metamorfose ondergaan. Tegelijkertijd beschaamd en verrukt leek haar grootmoeder een andere, veel jongere, vrouw te zijn.

'Waarom heb je het nooit verteld? Niemand zou het toch erg gevonden hebben dat je graag las?'

Zuchtend schudde Mamoune haar hoofd, bij haar altijd een teken dat ze het ernstig oneens was met de richting die het gesprek nam. Het stelde Jade gerust dat ze even een vertrouwde reactie op haar gezicht zag.

'Verplaats je eens naar mijn tijd. Ik was een arbeidstertje in een industrieel dal, dochter van bergboeren, later vrouw van een arbeider. Ik had een lagereschooldiploma, wat al zeldzaam was voor een vrouw bij ons uit de streek. Ik paste op kinderen en ik geloof wel dat ik dat naar tevredenheid deed, want er werden steeds weer nieuwe gebracht. Dat was geen verdienste, ik was dol op ze. Zij boden mij zelfs de mogelijkheid om te lezen. De baby's las ik voor uit Victor Hugo, Flaubert of Joyce.'

'Heb je Joyce voorgelezen aan de baby's waar je op paste?'

Door dit voorbeeld realiseerde Jade zich hoe enorm de onthulling was. Haar grootmoeder kende Joyce, wat al ongehoord was, en bovendien las ze hem voor aan kinderen! Het leek wel een roman! Maar Mamoune zag er niet uit alsof ze een grapje maakte.

'Ja, je broers kregen tijdens hun middagslaapje gedeelten uit *Ulysses* voorgeschoteld, als niemand het kon horen. Het was een soort muziek van taal. Je moet weten dat ik me in die tijd oefende in het hardop lezen van steeds moeilijker teksten.'

'Ik begrijp nog steeds niet waar je enthousiasme vandaan kwam om zo intens te gaan lezen. De school?'

'Nee, het was veel later. Als kind hield ik wel van lezen, maar ik moest mijn ouders helpen op de boerderij, vooral ook omdat mijn moeder steeds werd weggeroepen om bij een bevalling te assisteren. En thuis waren er geen boeken. Op een dag, ik was toen in verwachting van mijn vierde kind, ging de vrouw van de notaris, op wier kind ik had gepast, van het dorp naar de stad verhuizen. Gezegend zij die vrouw, want ze bracht me een doos vol boeken die ze niet mee kon nemen. Er waren werken bij van Comtesse de Ségur, Jack London, Victor Hugo, Colette, Jules Verne, Edmond Rostand en zelfs theaterklassiekers van Molière en Racine. Als eerste wilde ik de verhalen van Jules Verne herontdekken, die mijn oudoom ons altijd voorlas. Daarna wierp ik een blik in *Les Misérables*, vervolgens in de rest en maakte ik er een gewoonte van om elke dag een paar bladzijden te lezen, almaar meer bladzijden. Het was een geweldige ontdekking! Week in, week uit sloeg ik met kloppend hart de boeken open. En de toneelstukken! Ik had nog nooit een stuk gezien, maar ik kende bijna alle rollen uit mijn hoofd. Met name die van Alceste, die eigenaardige misantroop!'

Eén ding verbaasde Jade. Ze kon zich niet herinneren dat ze haar grootmoeder ooit met een boek had gezien. De Bijbel, ja, maar geen enkel ander boek. En ze kon nog steeds haar terughoudendheid jegens haar grootvader niet begrijpen. Mamoune las de vragen op haar gezicht. Ze probeerde haar beweegredenen te verklaren. In het begin had ze haar liefhebberij niet uit kwade trouw verborgen, maar uit schaamte. Lezen stond bij hen thuis gelijk aan luiheid. De rijken lazen, die hadden twee linkerhanden, maar die hoefden ze toch al nergens voor te gebruiken. Zo redeneerde men in haar familie en in die van haar grootvader van vaderskant. Lezen was voorbehouden aan luie en rijke intellectuelen, die niet hoefden te werken om hun brood te verdienen. De boeken bezorgden Mamoune steeds meer vreugde en kennis, maar wat zij eruit leerde, bracht haar ervan af om erover te praten. Ze voelde dat ze een ander werd, de ander die op ditzelfde moment met Jade sprak. Hoe dieper ze de wereld van de boeken binnentrad, hoe sterker het gevoel werd dat ze de klasse verried waar ze uit voortkwam. Ze maakte reizen, voelde zich onafhankelijk. Daar kwam nog bij dat ze als vrouw toegang had tot de verboden wereld van de geletterden. Ze ontdekte het leven, omdat ze nu de woorden had om de anderen, om hun handelen, te beschrijven. En ze had het gevoel in gevaar te zijn, alsof ze een geheim had ontdekt. Ze keek om zich heen, zag personages, hoorde dialogen. Ze begreep wat zich afspeelde in de dagelijkse drama's van eenieder. Door de boeken in haar leven te halen, had Mamoune eindelijk een leven … en leerde het te begrijpen. Bijna ondanks zichzelf had zij daarom besloten om deze vrijheid, die haar was verleend als een genade, geheim te houden. In het begin voelde ze zich nog schuldig, omdat ze dacht dat ze zich moest schikken in haar rol van moeder, echtgenote en vrouw, die het brood waarvoor ze werkte ook moest verdienen. Maar dat kun je vast niet begrijpen, zei ze tegen Jade, deze verhalen spelen in een tijd die oud en allang verdwenen is.

Hoewel ze sprakeloos was, begon Jade het te begrijpen.

Het was de wereld van de onderworpenheid die het moeilijkst te bestrijden is, die men in zichzelf moet uitroeien, aan het einde van een lange periode waarin eerst de slaafsheid, de domheid en de ellende die men denkt te verdienen, moeten worden afgeleerd. Mamoune kwam uit een land dat veroordeeld was tot de elegantie van het fatalisme.

Jade was verrukt over haar avontuurlijke leven als lezeres. Ze kon haar ogen niet afhouden van het ronde gezicht van haar grootmoeder, dat, terwijl ze over boeken sprak, een andere kleur had gekregen en een uitdrukking die ze niet van haar kende.

'Na verloop van tijd durfde ik meer, ik las niet langer alleen als er niemand bij was, ik verborg de boeken onder het leren omslag van mijn bijbel. En de boeken die ik heb gelezen waar iedereen bij was, waren verre van katholiek!' zei ze spottend. Zelfs haar taal was niet meer dezelfde. Was dit wel dezelfde Mamoune als degene die vroeger tegen haar zei dat ze zaterdag 'naar de kapper' gingen en dat hij haar 'een lekker geurtje' zou opdoen? En Jade dacht nog wel dat ze haar beter had gadegeslagen dan wie ook in haar leven. Ze dacht dat ze haar lieve profiel, de weke zachtheid van haar wangen, haar trage en soms werktuiglijke gebaren door en door kende. Ze besefte nu hoe diep de kloof was die haar van deze vrouw scheidde, ze begreep waarom Mamoune had berust in dat niet zelfgekozen leven, alsof zij het altijd in zich had gedragen zonder het te willen benoemen of zelfs maar te herkennen.

Ze had Mamoune nooit over filosofie horen praten, of haar ook maar het geringste oordeel over het leven horen geven. Ze herinnerde zich dat ze haar grootvader aan het ontbijt vroeg wat er in de krant stond. Hoeveel doden zijn er vandaag, vroeg ze, wat voor nieuws is er over onze arme wereld?

Tijdens hun gesprek was de thee koud geworden, omdat ze vergaten te drinken. De dag liep ten einde en tekende vermoeide schaduwen op Mamounes lichaam. Ze keek haar met een matte glimlach aan. Ze had gelijk, Jade kon die voorbije wereld niet helemaal begrijpen, hoezeer ze er ook haar best voor deed. Maar de golf van tederheid die haar overspoelde toen ze naar haar grootmoeder luisterde, verdreef alle reserves die ze in de eerste week van hun leven samen had gehad. Hoe had ze kunnen aarzelen? Mamoune was zo buitengewoon, zo onvoorstelbaar. Jade vermoedde dat ze de ene verrassing na de andere met haar zou beleven. Ze zette nieuw theewater op, terwijl het laatste daglicht een zwakke glans op de keukentafel wierp. Haar grootmoeder zweeg, Jeanne was verdwenen en was weer Mamoune geworden, de Mamoune die Jade altijd had gekend. Die van het dagelijks leven van een klein meisje, van de kruidkoek en de tulpen in de tuin, die ze samen gingen plukken om er op feestdagen de tafels mee te versieren.

'Als je mooie bloemen wilt hebben in de lente, dan moeten we binnenkort wat zaad in de potten op je balkon zaaien', zei haar grootmoeder, terwijl ze naar buiten keek. 'Ik wil er wel voor zorgen, als je het goed vindt. Voor dat raam daar hebben we vanaf twee uur 's middags zon, dus het is een goede plek, en beschut tegen de wind.'

Mamoune

Ik merk dat ik haar onzeker heb gemaakt. Ze dacht dat ze me kende. Maar tot de ontdekking komen dat je grootmoeder niet voldoet aan het beeld dat je van haar had, betekent dat het einde van een meisjesdroom? Ik zou haar niet graag teleurstellen. Ik geloof niet dat ze mijn bedrog heeft begrepen. Het is zo lastig om een jonge vrouw die in 1977 is geboren de regels, conventies en tradities over te brengen van iemand die al aan het begin van die eeuw ter wereld kwam. Ik weet niet of ik haar net zo veel kan doorgeven als ik van mijn voorouders heb meegekregen. Hoe jonger de grootouders van tegenwoordig, hoe verder weg mijn tijd lijkt te zijn. Mijn toekomst is volledig verzonken in het verleden. Als ik haar mijn verhaal doe, voel ik hoe ver ik van haar af sta. En hoe zou ze ook kunnen begrijpen dat lezen in mijn tijd vóór alles verspilling van licht betekende, je tijd verdoen met niets uitvoeren.

Ik heb me toegang verschaft tot de boekenwereld door erin in te breken, zonder de scholing die iemand wegwijs maakt in de literatuur en in het genieten ervan. Door boeken open te slaan heb ik het ergste gedaan wat een vrouw in mijn milieu kon doen. Ik heb naar een wereld gekeken die verboden voor me was. En ik was me er ook volledig van bewust dat het niet de mijne was. Ik heb er lang naar gekeken. Daarna heb ik de deur weer gesloten, maar het was onmogelijk geworden om te vergeten wat ik had gezien: een onmetelijke ruimte, waarvan ik geen afstand meer kon doen. Waarom heb ik niet besloten om in die andere wereld te gaan leven, te gaan studeren, in de stad te gaan wonen? Waarom heb ik mijn leven gesleten met heen en weer reizen tussen de wereld waarin ik ben geboren en de wereld die ik begeerde, maar die nooit als de mijne voelde? Ik zorgde ervoor de deur altijd goed achter me dicht te doen, om nooit mijn twee levens door elkaar te halen: dat van het bergmeisje en dat van de lezeres.

Als ik in het eerste vertoefde, gaf de wetenschap dat het tweede bestond me kracht, als ik naar het tweede ging, dacht ik niet meer dat er een ander zou kunnen bestaan. Waar ik in het begin een grote schroom voelde, veranderde die allengs in een manier van leven.

En toen ontdekte ik hoe de zo erudiete wereld van de boeken mijn wereld, de wereld van de verhalen die bij het haardvuur telkens opnieuw werden verteld, soms had verdrongen. De eenvoudige verhalen, opgeschreven door mensen uit mijn streek, losten op in de natuur waar ze uit voortkwamen.

Ik ben een vrouw tussen twee culturen. Ik ken elke plant bij naam en mijn moeder heeft me de geneeskrachtige werking ervan geleerd. Ik ken meer verhalen dan mijn zoon in zijn boekenkast heeft staan. Hij weet niets meer, hij heeft boeken. Al voordat het weerbericht de verkeerde voorspelling voor de volgende dag heeft gegeven, heeft de hemel me toegefluisterd wat de satellietbeelden niet vertellen. Dat heb ik van mijn grootvader geleerd, die herder was. Hij kon niet lezen en zei dat de dood lachte om boeken en wetenschap. De boekhandel heeft geen gebruiksaanwijzing, geen gids van het hiernamaals en er is niemand die het je kan laten zien. Een glimp van de oneindigheid misschien. Alles wat sterft in de natuur, komt ooit weer tot leven. Kunnen we daar ondanks alles hoop uit putten?

Onder de grootouders van de kinderen waar ik op paste, ontmoette ik soms een lezer die in zijn wereld thuishoorde zoals ik in de mijne, volkomen overtuigd als hij was van de gedachte dat de boeren en de arbeiders het laatste nieuws in de kranten van nu lezen, maar niet het oude in de boeken van vroeger. Onbekend met de wijsheid van het gezond verstand en de aarde, hadden de mensen uit de stad niet het gevoel dat ze iets misten. Ze wisten zelfs niet dat ze er op een dag rijk van hadden kunnen worden. Mijn grootvader liet me de bergen zien, het morgenrood, de bomen, en hij zei tegen me: Kijk naar deze schatten en raak ze niet kwijt. Er is niets erger dan te vergeten dat deze rijkdom onze voedingsbron is, want dat gebeurt in grote onverschilligheid.

Mettertijd kwam ik erachter dat de wereld zo groot niet is en dat hij met het ouder worden tot het essentiële wordt teruggebracht. Als meisje wilde ik een weg het liefst tot het einde toe afleggen, totdat hij niet meer verder ging. Ik stelde me de zee voor omdat ik in de bergen woonde, hoewel ik wist dat de weg daar niet ophield. De zee was mijn mysterie en ik kende hem krachten toe waarover de aarde niet beschikte. Ik droomde ervan dat ik op een ochtend zou vertrekken zonder het iemand te zeggen. Wat hebben er toch veel geheimen in mijn zwijgen gehuisd!

Voor mijn kameraadjes in de bergen deed ik net alsof ik dezelfde droom koesterde als zij, een droom die veel realistischer was dan mijn eigen hersenschimmen over verre reizen: naar het dal gaan, waar de vooruitgang was. Mijn grootvader sprak over dit dal als over een plaats des verderfs. Hij zei dat je je geld er sneller verdiende, maar geen tijd had om ervan te genieten. De fabrieken maken doden, zei hij zachtjes, als om me te waarschuwen. De schroefboutenfabriek in het Arvedal, dat mijn moeder het tranendal noemde en mijn grootvader het dodendal, wilde me niet. Ze namen hoofdzakelijk jongens aan. Ik heb toen werk gevonden in een kleine fabriek verder weg in het departement. Ik verdiende erg weinig, maar leerde wel de prijs van hard werken kennen. Dat was het belangrijkste voor mijn ouders. Dat je de prijs van de dingen wist. En dat je er tegelijkertijd achter kwam wat het betekende om ver van je familie te wonen.

Mamoune voelde zich meteen thuis in het Parijse appartement van haar kleindochter. Ze was verrukt over de exotische
aankleding, die zo vreemd voor haar was. Ze bewonderde de
bonte guirlandes in het keukentje, dat was ingericht als de
messroom van een zeilschip. Jade wilde graag dat ze zich hier
gelukkig voelde en probeerde de slaapkamer waarin ze haar
had geïnstalleerd zo gezellig mogelijk voor haar te maken.
Voordat ze was vertrokken om Mamoune te gaan halen, had
ze geen tijd gehad om erover na te denken. Ze had snel de
deur van haar werkkamer, nu haar slaapkamer, dichtgetrok-
ken zodat Mamoune niet zou zien dat ze er een matras had
neergegooid en op de grond sliep. Vertrekken. Haar zo snel
mogelijk ophalen ... Dat was wat Jade had gewild. Hoe het
appartement moest worden ingedeeld om met de oude dame
samen te wonen, was van later zorg. Julien had een maand tevoren bijna al zijn spullen meegenomen en Jade had zich de
ruimte, die vijf jaar lang van hen samen was geweest, eerst
weer eigen moeten maken. Tot haar grote verrassing had ze
nog slechts vage herinneringen aan hun gezamenlijke leven.
Omdat ze niet langer onder druk gezet wilde worden door degenen die zijn kant hadden gekozen, had Jade de vrienden die
het voor Julien opnamen en niet begrepen dat ze zich stierlijk

verveelde naast die fantastische, leuke, hoffelijke man, zonder pardon aan de kant gezet. Ze verlangde naar passie, naar een man die het bloed door haar aderen zou laten razen. Ze wilde huiveren van opwinding, haar hart voelen overslaan in plaats van tikken als een keukenklok.

Toen ze de eerste maaltijd voor haar grootmoeder en zichzelf bereidde, had Jade bedacht dat ze nog nooit iets voor haar had gekookt. Het was altijd Mamoune geweest die achter het fornuis stond, zelfs als ze niet in haar eigen huis was. Mamoune was niet erg verrast toen ze haar zo bezig zag. Wat Jade wist, had ze van haar. Lange tijd had ze gedacht dat ze niet handig genoeg zou zijn, dat dit ballet, waarbij alle bewegingen gelijktijdig uitgevoerd leken te moeten worden, te moeilijk voor haar was: de uien fruiten, de volgende ingrediënten pakken, de groente snijden, de saus op smaak brengen en tegelijkertijd met één oog de taart in de oven in de gaten houden. Maar Jade had zo lang de kunst afgekeken bij Mamoune in de houten keuken van haar chalet, dat ze bij het eerste grote diner dat ze voor vrienden organiseerde, merkte dat alles wat ze had geleerd als vanzelf weer bovenkwam.

Voordat Jade haar grootmoeder ontvoerde, had ze haar een tijdje niet gezien, maar Mamoune leek te weten dat er iets loos was met de man die ze altijd 'jouw Julien' had genoemd. Na een paar dagen vroeg ze ernaar, maar gebruikte nu een andere uitdrukking. Hoe zit het met 'die Julien'? Is hij weggegaan of heb jij hem buiten de deur gezet? Jade probeerde het uit te leggen. Ik geloof niet dat we ooit een echt stel zijn geweest. We waren gewoon twee verlate adolescenten die samenwoonden. Als ik aan de toekomst dacht, was er altijd een man die ik later zou tegenkomen, met wie ik een fantastische liefdesgeschiedenis zou beleven en van wie ik een paar prachtige kinderen zou krijgen, een soort sprookje, elke dag opnieuw. Idioot, hè? Mamoune had geglimlacht. De paarden die de haver verdienen, krijgen ze niet, had ze geantwoord en ze hief haar hand om de onvermijdelijkheid van het lot te onderstrepen. Terwijl ze haar verhaal aan Mamoune vertelde, realiseerde Jade zich dat ze niet goed wist wat ze wilde in het leven. Aangemoedigd door de welwillende blik van haar grootmoeder had ze haar een soort beeld van de ideale man geschetst, maar alles was nog open. Moest je eerst het nodige hebben beleefd voordat je de ware liefde tegenkwam? Herkende je die met een soort onfeilbaar instinct als hij voor je stond? Ze durfde het Mamoune niet te vragen. Hoe kon ze zelfs maar overwegen om over de liefde te praten met een vrouw die vijftig jaar ouder was dan zij? En hoe zou Mamoune met haar tachtig jaar kunnen weten wat zij, een vrouw van dertig, van een man verwachtte? En trouwens, wilde ze er één of meerdere?

'En jij, wat stelde jij je voor voordat je Papounet* leerde kennen?'

Uiteindelijk stelde ze de vraag via een omweg. Niet dat ze een antwoord verwachtte waar ze zelf wat aan had, maar meer uit nieuwsgierigheid naar haar grootmoeder.

'O, niets! Een meisje als ik, dat niet bepaald het rijkste of knapste van het dorp was, had niet veel te verwachten. Dat de liefde op een dag aan zou kloppen, ik denk dat elk meisje daar in het geheim van droomt. Je hoopte een fatsoenlijke, hardwerkende jongen tegen het lijf te lopen, wiens familie goed stond aangeschreven in de buurt. Familie was belangrijk, toentertijd. Sommige verhalen werden niet snel vergeten. Mijn grootmoeder bijvoorbeeld kwam als de dochter

---

* Papounet en Mamounette: liefkozende verkleinwoorden voor opa en oma.

van een van de bezetenen van Morzine ter wereld. Ze werd "de dochter van de duivel" genoemd. Het heeft haar erg veel moeite gekost om een man te vinden. Uiteindelijk kreeg ze een jongen te pakken die op doorreis was en niets van die geschiedenis wist.'

'Wacht even, Mamoune, de bezetenen van Morzine? Dat is toch een legende?'

Mamoune glimlachte. De aandacht die Jade haar schonk, was als een kooltje vuur voor haar herinneringen. Er hoefde maar even op geblazen te worden en ze vlamden op in haar geheugen. Ze had haar kleindochter als kind zo veel verhalen verteld zonder dat er een boek aan te pas kwam, dat Jade geloofde dat dit ook een van die fabels was die ze zomaar uit haar mouw leek te schudden. Maar Mamoune hielp haar meteen uit de droom. Die bezetenen hadden wel degelijk bestaan. Bezeten van de duivel, werd er gezegd. Zo'n honderd meisjes hadden jarenlang aanvallen gehad. Ze sloegen, scholden en tierden en volgens de mensen uit het dorp was het de duivel die door hun mond sprak. Mamounes grootmoeder was de dochter van een van deze creaturen, die midden in zo'n hysterische aanval moest bevallen. Voor hetzelfde geld was het allemaal vergeten, zuchtte Mamoune, maar toen haar dochter, mijn moeder, bij verlossingen ging assisteren, begonnen een paar van die rechtschapen zielen te fluisteren dat zij net de aangewezen persoon was om een hele stoet duiveltjes op de wereld te helpen. Kun je het je voorstellen ...? De rest ging noodgedwongen vanzelf. Het gebrek aan deskundigheid bij de anderen en het feit dat de kinderen met hulp van mijn moeder gezond ter wereld kwamen, maakten dat het geklets op den duur verstomde. Met de jaren is het verhaal in de vergetelheid geraakt. Alleen haar goede naam als redster van moeder en kind telde voortaan nog. Er is nooit iets fout gegaan, maar ik zag dat ze altijd gebukt ging onder de angst dat er een complicatie op zou treden en dat de hele geschiedenis dan onherroepelijk weer opgerakeld zou worden.

Deze ongewone geschiedenis voelde heel vertrouwd voor Jade, omdat ze hem uit de mond van Mamoune hoorde. De grootmoeder van haar grootmoeder, zo ver weg was dat niet, maar toch leek het een verhaal uit de Middeleeuwen. Belangrijker was dat Mamoune, door over haar grootmoeder te praten en daarmee tegelijkertijd de tijd te beschrijven waarin zijzelf jong was geweest, dichter bij haar kleindochter was gekomen. Net als Jade had zij een grootmoeder gehad, ze had misschien dezelfde afstand gevoeld als haar kleindochter nu. Werkelijk dezelfde? Jade betwijfelde het.

Het deed er echter niet toe, door deze gesprekken, die ze nooit eerder gevoerd hadden, voelde Jade dat er iets ontbrak aan haar leven in Parijs, zonder dat ze precies wist wat het was. Ze ging uit met haar vrienden, bezocht toneelvoorstellingen, zag films, maakte plezier en genoot van een druk bestaan. Maar waar kwam dan het gevoel van vervulling vandaan dat door de woorden van Mamoune werd opgeroepen? Alsof ze vroeger, dronken van het moderne leven, haar afkomst de rug had toegekeerd.

Dankzij Mamoune ervoer ze nu gevoelens die ze niet kende, voelde ze zich met duizend draden verbonden met een veel oudere wereld, voelde ze dat ze de loop van haar leven kon vervolgen als ze voortging met het weven van de levensdraad waaraan ze was ontsproten. Ze was niet langer de puzzel waarvan ze probeerde de losse stukjes in elkaar te passen.

De week verliep erg rustig. Jade moest twee of drie artikelen inleveren, waardoor ze niet uit Parijs weg kon. Ze waren er deze eerste twee weken voortdurend op verdacht geweest dat haar tantes ineens voor de deur zouden staan. Jade had een lange mail aan haar vader gestuurd met de vraag of hij zijn zusters wilde vertellen dat zij voortaan voor Mamoune zou zorgen. Ze voelde zich niet opgewassen tegen haar tantes, twee advocates en een arts, en was bang dat deze drie ervaren vrouwen haar opvatting meteen zouden weerleggen. Jade wist niet precies wat haar vader hun had verteld, maar het zwijgen van haar tantes voorspelde niet veel goeds. Het riekte naar een familieberaad dat zich even gedeisd hield om daarna des te harder te kunnen toeslaan. Mamoune, die haar dochters goed kende, dacht er waarschijnlijk net zo over.

Mamoune, je maakt je veel te druk. Je hebt de ramen gezeemd, het parket geboend … Als je zo doorgaat, breng ik je alsnog naar dat verzorgingshuis, zodat je wel rustig aan móét doen.

Och kind toch, dat is geloof ik de eerste keer dat je zo op me bromt. Het spijt me voor je, maar nietsdoen ligt gewoon niet in mijn aard. Er valt altijd wel wat te redderen in huis en daar ga ik heus niet dood van. Mamoune droeg elke dag een van de bonte schorten waarmee Jade haar doordeweeks altijd had gezien. Voordat ze een licht huishoudelijk klusje ging doen, deed ze er een voor over haar eenvoudige, beigekleurige jurken of zwarte broeken. 's Zondags droeg ze een witte blouse en het gouden kruisje dat ze voor haar communie had gekregen. Enige tijd na haar komst had Jade haar rondgeleid door de buurt en gemerkt dat sommige winkeliers haar al bij naam kenden. Mamoune vertelde dat ze 's middags graag in de tuin van het Musée de la Vie Romantique ging zitten, terwijl Jade had gehoopt dat ze tijdens haar afwezigheid een dutje zou doen. Ze zag wel dat het Mamoune veel moeite kostte om aan het eind van de maaltijd niet met haar hoofd voorover te zakken, opdat vooral niemand op het idee zou komen dat ze te oud was. Jade had haar erop gewezen dat het nergens toe diende, dat ze hoe dan ook oud was en dat dat juist de reden was waarom ze bij haar woonde.

Er waren steeds vaker discussies over het huishouden en Jade had eerst boos moeten worden voordat Mamoune ophield met het afstoffen van de boekenplanken. Toen haar kleindochter tegen haar zei dat ze het absoluut geen prettige gedachte vond om haar oma op een stoel te zien staan, had Mamoune haar te verstaan gegeven dat ze oud genoeg was om te weten of ze een trapje nodig had of niet! Het is niet gevaarlijker dan op mijn knieën je parket te boenen en ik weet zeker dat dat hout er nog nooit zo glanzend heeft uitgezien. Ha, en die vloer was er hard aan toe ook! Toen je binnenkwam zei je zelf dat die lekkere boenwasgeur je aan mijn huis deed denken! bracht ze uitdagend naar voren.

Ze was zachtaardig, maar zeker niet meegaand, dacht Jade, en ze zei bij zichzelf dat ze zich te veel zorgen maakte om Mamounes veiligheid en niet genoeg om haar bezigheden. In het begin had ze haar meerdere keren per dag gebeld om te vragen of alles goed ging. Ze had nagedacht over iets wat ze als een geheugensteuntje in haar tas zou kunnen stoppen voor het geval ze zich in een bui van vergeetachtigheid het adres niet meer zou kunnen herinneren. Het moeilijkste daarbij was natuurlijk om het haar aan te bieden zonder haar te kwetsen. Jade schaamde zich voor haar gedrag. Ze had het gevoel dat ze haar grootmoeder verraadde, maar kon het niet helpen dat ze bang was dat Mamoune weer een flauwte zou krijgen of haar werkelijkheidszin zou verliezen … Beloof me dat je het tegen me zegt als je ergens last van hebt of als je in de war bent. Als je je flauwtes of je gezondheidsproblemen voor me verzwijgt, dan heb ik geen enkel argument om voor je op te komen, mochten mijn tantes je terug willen halen. Als je wilt dat ze ons met rust laten, dan moeten we onaantastbaar zijn wat je gezondheid betreft. Ze had het beloofd, maar Jade was er toch niet gerust op. Mamoune vond de gedachte dat ze haar last zou kunnen bezorgen zo erg, dat ze ertoe in staat was haar vermoeidheid voor haar verborgen te houden of, erger nog, er geen acht op te slaan. Ze behoorde niet tot een generatie die zich beklaagde of de hele dag aan haar stemmingen toegaf.

Mamoune had erop gestaan dat ze een pot maakten waarin ze allebei aan het begin van de week geld stortten voor de uitgaven van hun vreemde huishouden. Door de klank van haar stem had Jade aangevoeld dat er geen sprake van kon zijn dat Mamoune afhankelijk van haar zou worden. Symbolisch had ze de eerste boodschappen betaald, met de opmerking dat ze degenen die zeiden dat het leven in Parijs veel duurder was, nooit had willen geloven, maar dat ze het nu beter begreep.

Mamoune

Terwijl ik de ontbijtboel opruim, maakt Jade zich gereed om weg te gaan. Ze is altijd zo attent om zich te verontschuldigen als ze geen tijd heeft om me te helpen. Ik vind het heerlijk haar als een windvlaag door het huis te zien stuiven, terwijl ze haar haren borstelt, haar tanden poetst en tegelijkertijd in haar agenda kijkt of haar e-mail leest en ondertussen een jas aantrekt. Het lijkt wel of ze nooit maar één ding tegelijk kan doen. Voor iemand die langzaam is, zoals ik, vormt zij een heel spektakel.

Vanzelfsprekend weet Jade niets van het leven dat ik leidde: dat van een alleenstaande vrouw in haar dorp, die zich overgaf aan de eenzaamheid van haar ouderdom. Ik ben een paar keer in zo'n verzorgingshuis geweest, om een van de buurvrouwen te bezoeken die ik nooit meer zag en die ik graag mocht. Een van hen, de zachtmoedigste, begon na twee maanden bladeren te eten en vertelde me dat dat rotwijf daar rechts, dat naar ons keek, de dag ervoor had geprobeerd haar te wurgen. De vrouw die ik tijdens ons veertigjarig buurschap nooit één grof woord heb horen gebruiken, was een verbitterde heks geworden. En dan die andere, die me, zonder dat ik wist wat ik met die ontboezeming aan moest, vertelde dat de weekendverpleger zijn hand in haar onderbroek stopte zodra hij haar op haar kamer had teruggebracht.

En de vrouwen die het verzorgingshuis bespaard was gebleven, gaven me regelmatig een verslag van hun slecht functionerende blaas en hun verstopte aderen. Ze leken zich zelfs niet meer te interesseren voor hun kleinkinderen, die vroeger het middelpunt van hun bestaan vormden en over wie ze hele verhalen vertelden. Was ik soms onverdraagzaam geworden omdat ikzelf blaakte van gezondheid? Beslist niet, ook ik had mijn portie narigheid, maar ik had nog genoeg schaamtegevoel om niet met mijn klachten te koop te lopen. Ik had veel liever gesproken over bloemen en zaden, regen en wind, over al die mooie dingen die ons nog omringen, maar die zij niet meer schenen te zien.

Jade geeft me een zoen voordat ze vertrekt. Haar parfum ruikt naar de lente. Kan ik je ergens een plezier mee doen voor het avondeten? Ze kijkt me verbouwereerd aan. Mamoune, ik heb toch al gezegd dat ik met geen mogelijkheid kan bedenken wat ik 's avonds wil eten als ik 's ochtends net een snee brood met honing opheb? En bovendien zou ik er niets aan vinden om dat van tevoren al te weten! Maar, voegde ze er bij wijze van troost aan toe, ik zou het fijn vinden als je een keuze voor me wilt maken uit de citaten die je tijdens het lezen opschrijft. Weet je wel, in dat schrift dat je me gisteravond liet zien.

O, die romans! Die magie van zinnen die je meevoeren en je niet meer loslaten! Vanaf het moment dat de lectuur me had gegrepen, voelde ik de behoefte er passages van te bewaren, de behoefte ze over te schrijven in een schrift, alsof ik in de voetsporen trad van de schrijvers van wie ik hield. Ik had besloten mijn huishoudboekje ervoor te gebruiken, omdat ik wist dat niemand daar ooit een blik in zou werpen. Ik mocht dan wel geen boeken bezitten, ik wilde er toch een paar fragmenten van behouden.

Vaak als ik een gedicht of een zin in mijn schrift had opge-schreven, las ik het nog eens over. Ik bezag de schoonheid van de tekst, nu in mijn eigen handschrift, en ik vroeg me altijd af of degene die het voor het eerst zo had neergeschreven er de betovering van had gevoeld. Het overkwam me weleens dat ik moest huilen tijdens het overschrijven. De woordvolgorde van een zin stond na de eerste lezing soms zo diep in mijn hart gegrift, dat ik hem niet meer over hoefde te lezen om hem, verstopt tussen de cijfers, op te schrijven. In mijn eer-ste schrift wilde ik sommige boeken het liefst helemaal over-schrijven, zozeer was ik ervan overtuigd dat alles belangrijk was en behouden moest blijven, in zijn geheel en in stralende letters. Mettertijd leerde ik me te matigen, het fragment te kiezen dat verwoordde waarnaar ik die dag op zoek was. Als ik een boek enkele maanden of jaren later nog weer eens lees, dan is het nooit dezelfde zin die mijn aandacht trekt ... Alsof de lezeres van toen op die dag met andere wensen, andere bedoelingen was gekomen.

Jade heeft me niet verteld of zij net als ik een uittreksel-schrift heeft. Voor een toekomstig schrijver lijkt me dat on-ontbeerlijk. Er staan zo veel boeken op de planken in dit appartement ... Sommige heb ik langgeleden gelezen, maar omdat ik er niet één van bezat, kon ik ze niet altijd herlezen. In mijn slaapkamer, die voor mijn komst de hare moet zijn geweest, wordt een groot deel van de muur in beslag geno-men door boekenplanken, en het had niet veel gescheeld of ik had mijn tweede nacht hier doorgebracht met bladeren in de boeken, opgetogen als ik deze of gene auteur terugvond, als een vriend die ik uit het oog verloren was.

Toen ik haar vertelde dat ik zelfs voor Jean verborgen had gehouden dat ik las, begreep Jade niet waarom ik dat had verzwegen. Maar hoe kon ik mijn levensgezel bekennen dat de kus die me liet dromen van een onmogelijke, zinnelijke liefde, die van Cyrano was? Tot op de rand van het graf, en zelfs als ik mijn geheugen kwijt zou zijn, zou ik het geloof ik nog op kunnen zeggen:

'Maar wat is een kus nu welbeschouwd? Een eed dicht op de huid; 'n belofte …'n Geheim dat ín de mond gefluisterd wordt; … een manier om, heel subtiel, op elkaars lippen iets te proeven van de ziel!'

Nu ik dit boek doorlees met de citaten, gedichten en fragmenten van alle werken die mij lief waren, lijkt het alsof het leven waarvan ik droomde zich daar, verscholen tussen de bladzijden, heeft afgespeeld. Ik kan dit schrift nooit lezen zonder ontroerd te raken. Het is mijn leven, verteld door de grootste auteurs ter wereld. Het is een uniek boek, het kostbaarste dat ik bezit. Ik heb mijn voetstappen gezet in de woorden die de hemel me toefluisterde, de hemel die de wacht houdt over mijn geliefde schrijvers.

Ik voel dat mijn kleine Jade zich zorgen om mij maakt, en toch is het langgeleden dat ik me zo goed heb gevoeld. Als ik haar huis verlaat om een stukje in de buurt te gaan wandelen, zie ik gezichten die me doen denken aan de mensen die ik vroeger kende, maar zij hebben nog steeds de leeftijd van toentertijd, alsof ik de enige ben die ouder is geworden …

Voor iemand uit een dorp zijn er zo veel mensen in Parijs, dat mijn dagelijkse uitstapje een hele wereld bij me binnenbrengt. Als ik thuiskom van mijn wandeling, zet ik thee en kijk naar mijn handen. Daarmee vergis je je nooit in de leeftijd. Ze vertellen van het werk dat is gedaan, van de steeds herhaalde gebaren, van de zon in de zomer, van de strenge winters. Mijn handen waren de metgezellen van mijn ziel, scheppers van vervulde dromen, fantomen van afgerukte lichaamsdelen, van nooit genezen wonden. Het zijn deze handen die op je huid lagen, Jean. Zij hebben mijn tranen opgevangen na je heengaan. Het is voor het eerst dat ik met je praat en dat mijn ogen droog zijn. De laatste drie jaar heb ik nooit zonder huilen aan je kunnen denken. Toen dat lieve kind me kwam halen, wist ze niet welke wonderen er zouden gebeuren. Goed of slecht, de gevolgen van onze daden blijven altijd een mysterie.

Mamoune en haar kleindochter woonden nu zeventien dagen samen. Vanochtend was Jade vertrokken na een ontbijt
dat ze op het balkon hadden genuttigd om de prachtige juni-
maand met zijn idyllische temperatuur te begroeten. Jade was
blij met het zachte weer, omdat Mamoune, die altijd buiten
op haar berg had geleefd, dan niet in huis opgesloten hoefde te blijven. Ze zou nog tijd genoeg krijgen om te wennen
aan de Parijse regenbuien, die nooit leken op te houden als ze
eenmaal waren begonnen ...

Op weg naar de metro merkte Jade voor de zoveelste keer
dat Parijzenaars onder het lopen altijd naar de grond keken.
Ze vroeg zich af of de schoonheid van een stad niet afhing
van het vermogen tot geluk van de mensen die er woonden.
Maar al snel verscheen er een glimlach op haar lippen, toen ze
terugdacht aan Mamoune, die vanochtend had voorgesteld
om rood fluweel te gaan kopen en gordijnen voor haar te
naaien. De dag ervoor had Jade haar de prachtige, theatrale
overgordijnen beschreven die ze voor de ramen in de eetkamer wilde hebben en had ze gescholden op de buitensporige
prijs die het woonwinkeltje ervoor vroeg. Mamoune had haar
vriendelijk spottend uitgelachen. Die meisjes van tegenwoordig, die niets meer met hun handen konden! Je weet toch dat

we een naaimachine in je auto hebben meegenomen? Daarmee zitten je gordijnen zo in elkaar. Jade had haar verbluft aangekeken, terwijl Mamoune voor de duizendste keer sinds ze samenwoonden op zoek was naar haar bril. Weet je het zeker, van de gordijnen? vroeg Jade, die ook haar blik door de kamer liet dwalen om het blauwe etui op te sporen ... Ik heb je toch gezegd dat ik je wel ergens mee zou kunnen helpen, antwoordde Mamoune, die net een blouse van Jade af had gestreken. Jade gaf haar een klinkende zoen op haar wang en legde de bril, die ze op de bank had gevonden, naast haar neer ... Goed, als je denkt dat je zoiets ingewikkelds voor elkaar kunt krijgen, vooruit dan maar, op voorwaarde dat je ze niet in je eentje ophangt en dat ik je een beetje mag helpen. Morgen neem ik je mee naar een stoffenwinkel zoals je van je leven nog nooit hebt gezien. Ik kom vanavond niet laat thuis. Ze deed zacht de deur achter zich dicht en Mamoune was alleen.

Even later, op de hoek van een metrogang, botste Jade bijna op een invalide die daar op zijn knieën zat, samen met zijn kind, en een bekertje voor zich uit hield. Ze zuchtte. Sinds ze hier aan het begin van haar loopbaan was aangekomen, had Jade de hoofdstad, zoals ze thuis in de provincie vaak zeiden, langzaam zien veranderen. Zelfs in een grote stad als Lyon, waar ze eerder had gewoond, was het dagelijks leven anders. Het leven hier was harder geworden, de onverschilligheid had terrein gewonnen. De grote massa kwam en ging in een steeds grotere minachting voor de armen en de ongelukkigen, en de aanwas van daklozen nam alleen maar toe ... Jades beroep zou met zich mee moeten brengen dat ze dit soort situaties aan de kaak stelde, maar het verwijderde haar er juist elke dag verder van. De nietszeggende eisen die aan de pers werden gesteld vond ze beschamend. Ze leed steeds meer onder de oppervlakkigheid van de artikelen die ze moest schrijven, die weliswaar aansloten bij de huidige tijd, maar die in niets beantwoordden aan haar behoeften.

Die dag moest ze naar het hoofdkantoor van een vrouwentijdschrift waar ze al een jaar of tien voor werkte. Dat verschafte haar het voorrecht van een eigen kamer, die iedereen de 'kamer van Jade' noemde, maar waar alle freelancers die voorbijtrokken eveneens gebruik van maakten. Ze was iemand die zich regelmatig liet zien, maar nooit daadwerkelijk wilde integreren. Ze vond het een plezierig idee om voor een vrouwenblad te schrijven, maar ze verfoeide het geklets dat op dergelijke redacties de boventoon voerde! Hier vond je de karikatuur terug van alle hebbelijkheden waarvan vrouwen werden beschuldigd. Niemand herinnerde zich nog dat dit een van de tijdschriften was geweest die hen had bevrijd en, toen de rest nog met breipatronen in de weer was, zijn kolommen had opengesteld voor de opvattingen van een nieuwe generatie vrouwen. De journalisten met een vaste aanstelling hielden zich steeds vaker bezig met inhoudsloze artikelen, die op geen enkele manier kritisch of vormend waren. Deze 'papers', zoals ze in het jargon heetten, moesten ervoor zorgen dat het blad verkocht werd. Jade bleef erin geloven dat de intelligentie het kon winnen, al mocht ze haar afwijkende zienswijze vanwege haar positie als freelancer niet naar voren brengen. Maar steeds vaker werden de artikelen die zij voorstelde geweigerd, omdat er problemen in werden behandeld die de directie van een lichtvoetig en onderhoudend blad niet wilde aansnijden. Toen ze aan een artikel werkte over ondernemingen in de stad, deed ze de pijnlijke ervaring op dat ze moest onderhandelen over wat ze wel en niet mocht schrijven over de cosmeticamerken, die verantwoordelijk waren voor vijfenzeventig procent van de reclame-inkomsten. Achter de glitter en de make-up was de tussenkomst van de commercie voelbaar.

Een bevriende journaliste, veel ouder dan zij, stampvoette toen ze overwoog het vak te verlaten en hield haar voor dat ze het stukje papier dat ze in haar tas had met 'perskaart' erop, in ere moest houden. Haar vriendin noemde het haar 'stresskaart' en bleef haar maar aan het hoofd zeuren dat juist blijven een daad van verzet was. Doorgaan met schrijven, getuigen, de lezers lastige vragen voorleggen om het gebouw van de domheid te ondermijnen. Jade geloofde er maar half in.

Binnen de redactie zelf had Jade weinig vriendinnen, ze kon goed overweg met een van de eindredactrices, een gevoelige en intelligente vrouw, die vroeger een bekend verslaggeefster was geweest, en ook sprak ze vaak met de vrouw die de boekenrubriek verzorgde. De laatste had haar aangeraden om haar roman rechtstreeks naar bepaalde fondsredacteuren te sturen. Voor alle meisjes van de moderubriek was ze even onzichtbaar als een merkloze zak, ze had duidelijk niets waardoor hun blik aan haar bleef hangen. En de meisjes die zich afpeigerden voor het hoofdstuk lifestyle – 'Hoe word ik de beste in bed?' 'Moet ik mijn derde kind krijgen voor of nadat ik een minnaar heb genomen?' – hadden haar deprimerende artikelen vast en zeker nog nooit gelezen en zeiden haar nooit gedag. Gelukkig schreef Jade ook voor een wetenschappelijk tijdschrift, waar ze nagenoeg de enige vrouw was, en voor een sociaal tijdschrift, waarin echte thema's aan de orde kwamen. Soms ging ze op reis met een van hun fotografen om teksten te schrijven, die slechts als illustratie dienden bij zijn foto's, want hij was een beroemdheid!

Toch wilde ze graag iets van verbondenheid met anderen voelen en zo nu en dan ging ze om een uur of zes 's avonds samen met de andere meisjes iets drinken in een Spaanse bar. Hier kwam een kleine Madrileense gemeenschap bij elkaar voor de tapas en de *vino tinto*. Als hij in een goed humeur was, pakte de kastelein zijn gitaar en begon te spelen. In deze vrolijke ambiance, waarin er om van alles en nog wat werd gelachen, ontstond een sfeer van gezelligheid tussen Jade en de andere journalistes, die tussen de muren van de werkplek onmogelijk was.

Die avond ging Jade naderhand niet mee uit eten en vertelde snel, maar minder snel dan ze wilde, dat ze naar haar grootmoeder moest, die sinds kort bij haar woonde. Nieuwsgierigheid, verbijstering, ontsteltenis, onbegrip ... Maar ze zag vooral angst achter hun sceptische gelaatsuitdrukking. Of ze nu vijfentwintig of veertig jaar waren, ze stelden zich allemaal een ogenblik voor dat ze met hun grootmoeder moesten samenwonen ... Het commentaar liet niet lang op zich wachten. Het is een zware last, zo'n oud mens, nog erger dan een kind, verkondigde de vrouw die er altijd onder gebukt leek te gaan dat ze er twee had en nooit wist waar ze ze moest onderbrengen als ze ging werken. Om het de kop in te drukken ging Jade er snel vandoor, een beetje dizzy, terwijl de diverse opmerkingen nog nazongen in haar oren. Je lijkt wel gek! Je bent veel te jong om je zo vast te leggen. Je zult haar verzorgster worden en dan kom je er nooit meer van af. Waar ben je in vredesnaam aan begonnen, alsof je weer bij je ouders bent gaan wonen op je dertigste! In deze hele woordenstroom was er maar één gedachte die vrolijk stemde. De blijdschap om Mamoune straks weer te zien, bij thuiskomst haar zachte wang aan te raken, haar handen in de hare te houden en te vragen hoe ze haar dag had doorgebracht. En als ze niet te moe was, zouden ze pasta gaan eten in het Italiaanse restaurantje in de Rue des Martyrs. Ze kende de eigenaar, die hun zijn beste tafel zou geven. Hij zou haar een compliment maken over haar kapsel. Ook hij had een grootmoeder die hij aanbad, in Toscane. Een grootmoeder ... Geen last!

Toen Jade met haar sleutel de deur opendeed, stond Mamoune daar, meer van streek dan ze haar ooit had gezien. Ze vloog op haar af. Voel je je niet goed? Is er iets niet in orde? Mamoune glimlachte vermoeid en probeerde haar gerust te stellen, zonder dat ze erin slaagde de kalmte terug te vinden die ze gewoonlijk uitstraalde. Ze wreef haar handen over elkaar en bekende ten slotte dat ze zich zorgen had gemaakt. Jade was veel later thuisgekomen dan de vorige dagen en dat had haar verontrust. Ze probeerde haar bekentenis af te zwakken.

'Je moet natuurlijk thuiskomen wanneer je wilt en …'

Jade begreep het, herinnerde zich dat ze had gezegd dat ze vroeg thuis zou zijn en onderbrak haar.

'Nee, Mamoune, het is mijn schuld. Ik had je moeten waarschuwen. Ik ben iets gaan drinken met de collega's van de redactie. Ik heb niet aan de tijd gedacht. Waarom heb je me niet op mijn mobiel gebeld?'

'Ik was bang dat ik je zou storen. Ik wil geen grootmoeder zijn die je bij het minste of geringste belt. Ik schaam me echt … Ik heb me voor niets zorgen gemaakt! En nu zul je wel denken dat …'

'Mamoune, ik denk alleen maar dat ik je voortaan even moet waarschuwen. En jij zult gaandeweg gewend raken aan mijn idiote werkuren. De volgende keer haal je je niet meer meteen in je hoofd dat ik in de metro ben overvallen, en andere kletspraat die in de provincie wordt verteld over het onveilige Parijs.'

'Maar hoe weet je …?'

'Ik hoorde ook weleens wat je buurvrouwen zeiden … En nu neem ik je mee naar een restaurant, om het goed te maken. Jouw pot-au-feu bewaren we voor morgen. Het is toch pot-au-feu wat ik ruik?' vroeg Jade, terwijl ze naar de keuken liep.

'Zoals je wilt, liefje. Zet het nog maar niet in de koelkast, het is nog erg heet …'

Onderweg vertelde haar grootmoeder dat Jade op de dag van haar vierde verjaardag tegen haar zei: Mamoune, als jij heel oud bent, ben ik groot, en als jij dood bent, ben ik oud … Maar ga ik dan ook dood? Toen ik tegen je zei: Ja, iedereen gaat dood, barstte je in tranen uit en zei tegen me dat je niet dood wilde gaan …

Jade moest lachen om dit verhaal, waar ze zich niets van herinnerde. Ze zag hoe aangedaan Mamoune was.

'Je lacht er nu om, maar toen was je echt wanhopig, je huilde tranen met tuiten. Je was werkelijk verdrietig en ik ook, want ik wist niet hoe ik je moest troosten, behalve door te zeggen dat het nog niet zover was … Maar ik slaagde er niet in om je ook maar enigszins op te beuren.'

Het was typisch iets voor Mamoune om kinderen en hun emoties serieus te nemen, hun al haar aandacht te schenken alsof zij op dat moment de belangrijkste mensen op de wereld waren.

'Maar alle kinderen hebben toch weleens dit soort gedachten over de dood?' vroeg Jade.

'Nee, hoor. Jij was een meisje dat grote drama's in haar hoofdje had, met een groot besef van de dingen om haar heen. Toen besefte ik het niet, maar eigenlijk had ik kunnen weten dat je op een dag zou gaan schrijven. Trouwens, vergeet niet om me je manuscript te geven … Als je tenminste nog steeds wilt dat ik het lees.'

Mamoune

Ze is weg. Ze heeft de deur niet dichtgeslagen, maar hem heel zachtjes achter zich dichtgedaan. Eerst heeft ze me nog gevraagd of alles goed ging, of het allemaal wel zou lukken, met een zweempje liefdevolle ironie in haar stem. Zodat ik me niet zou voelen wat ik ben, een oud mens op wie gelet moet worden, als op de melk op het vuur. Mijn kleindochter heeft tact. En smaak. Als ik de gebloemde kopjes van het ontbijt afwas, merk ik de details van haar keuken op. Het kruidenplankje, de verschillende soorten olie, de mandjes aan het plafond met knoflook, tijm, laurier. Ik denk dat ze de fauteuil bij het raam daar voor mij heeft neergezet, zodat ik tijdens het koken af en toe kan uitrusten. Daar ga ik mijn koffie drinken als ze weg is, dacht ik bij mezelf toen ik hem voor de eerste keer zag staan. Ik hou van keukens en het is een bof als er in een appartement terracottategeltjes liggen, zoals op het platteland, en niet zo'n lelijke plavuisvloer.

Bij mij thuis woonden we in de keuken. De eetkamer met zijn mooie parket was voor hoogtijdagen en de woonkamer was bestemd voor de mannen. Een sombere ruimte, waar het naar tabak en politieke discussies rook. Als ik vrijelijk over mijn liefde voor boeken had kunnen spreken en ze niet had hoeven verbergen, zodat ik er zelf maar twee of drie bezat, dan zou ik de boekenkast in de keuken gezet hebben. Vet-vlekken op de bladzijden had ik wel voor lief genomen. De romans die ik dan een paar jaar later weer open zou slaan, zouden een andere geur gekregen hebben. Rozemarijn voor De Maupassant, kerrie voor Baudelaire, uien voor ... Wie zou die zoete geur uitwasemen die opstijgt als je de uienringe-tjes net begint aan te bakken?

O, wat zou ik dat graag gewild hebben, een enorme keu-kenbibliotheek! En soms, als ik mijn receptenboek zou zoe-ken, om zeker te zijn van de benodigde hoeveelheden voor een ingewikkeld beslag, zou ik per ongeluk het boek van die Indiase schrijfster pakken van wie ik de naam ben vergeten, o, wat dom nu toch, die *Geuren* heeft geschreven ... 'Aan de kip-curry heb ik olijven toegevoegd, geroosterde paprika en pijnboompitten ... Hoe komt het dat je mooier bent als je niet aan me denkt.' Ik zou lachen om mijn vergissing en ik zou weer verdergaan met mijn culinaire bezigheden. Met handen die pelden, sneden, schilden, mengden en verkrui-melden, en terwijl mijn gedachten bleven hangen bij de ti-tels, liep ik rond om een pan of een pak suiker te pakken.

Aan die keuken denk ik als ik de oranje stoel van Jade uit-probeer. In de ochtend is het vertrek bijna donker. Het hout absorbeert al het licht. Gisteren vertelde ze me dat de keuken het interieur van een schip moest verbeelden.

En nu zit ík hier aan boord in plaats van haar Julien, die een handige klusser was en haar heeft geholpen het project te reali-seren. Jade zegt niet veel over hem. Ik heb hem ook maar twee keer ontmoet. Ze hebben een week in mijn berghut doorge-bracht. Ik weet nog dat ik dacht dat ze zelf moest weten wat ze met die jongen deed en dat ze op een dag genoeg van hem zou krijgen. Hij zag er niet uit alsof hij was opgewassen tegen die wervelwind die hem gewoonweg meesleurde naar deze of gene activiteit en hem amper vroeg of hij wel mee wilde.

Als je ze een paar dagen meemaakte samen, kon je wel voorspellen dat zij het geen leven lang zou uithouden bij deze onrijpe man die haar nooit iets weigerde, en dat zij daar eerder genoeg van zou krijgen dan dat hij er genoeg van kreeg om aan haar grillen toe te geven.

Het lijkt een gewoonte te zijn van vrouwen die het leven achter zich hebben: jonge stellen observeren. Wanneer ik zo'n stel toevallig tegenkom, ook al is het op straat tijdens een wandelingetje, probeer ik me die jonge mensen vijftig jaar later voor te stellen. Ik let op hun ogen, op de glans die met de leeftijd doffer wordt of juist meer gaat schitteren. Ik kijk naar hun gedrag, naar wat steeds meer naar voren zal komen.

Maar van Jade en Julien kon ik me geen beeld vormen dat verder ging dan de komende vijf jaar. Ik kwam tot de conclusie dat Jade bij hem bleef totdat ze een ander had, of zou verwelken in het uitgebluste gezelschap van die doodbidder.

Wat heeft ze toch een energie, dat kind! Dat heeft ze wel bewezen toen ze me hals over kop kwam halen, want ik vermoed dat ze er niet erg lang over heeft nagedacht. Ze arriveerde met dezelfde onstuimigheid als toen ze op de wereld kwam. Wat had ik graag gewild dat mijn moeder, die vroedvrouw was, nog leefde, zodat ik haar kon vertellen dat haar achterkleindochter bij haar geboorte de navelstreng had gebroken, een flitsende start, waarin tot dusver geen verandering is gekomen.

Toen haar vader besloot om onder de kokosbomen te gaan wonen, was ze pas zeventien jaar, maar ze is toch hier gebleven, ondanks de pijn die de scheiding teweegbracht. Je begrijpt het toch wel, Mamoune? Wat moet ik in een land waarin alleen de kleuren van de ondergaande zon je ziel laten tintelen? zei ze tegen me. Dat is prima voor schilders zoals mijn vader en mijn moeder, maar voor mij? Ik zal me er dood vervelen. Zand, strand, lagunes, geen cultuur, niets om te leren. Ik had tegen haar kunnen zeggen dat je weinig nodig hebt om te leren leven, maar ik begreep haar verlangen. Had ik er op sommige momenten zelf niet ook naar gesnakt om in de stad te wonen, in verleiding gebracht te worden door steeds weer nieuwe belevenissen?

Ik heb mijn zoon gerustgesteld en het voor haar opgenomen bij mijn schoondochter. Ze heeft haar tantes, ze is een verstandig meisje, ijverig, toegewijd. Je kunt op haar bouwen. En als ze liefde tekortkomt, komt ze die bij haar Mamoune halen. Serge en Lisa gaven uiteindelijk toe. Ze zijn vertrokken en hebben alleen de twee jongere broertjes van Jade meegenomen.

Ze mist haar ouders en haar broers, dat voel ik wel. De dag na mijn aankomst heeft ze me haar computer laten zien, waarmee we ze ook konden bellen. En nu voeren we elke dag gesprekken, waarbij iedereen wordt gefilmd. Zo kon ik mijn zoon weer zien en ook de rest van zijn gezin. Ze grijnslachen door de tijdvertraging als ze met elkaar spreken en ik, die uit een andere tijd kom, waarin een oversteek per vliegtuig van de Atlantische Oceaan al een wonder leek, bedenk hoezeer de mensheid vooruitgang heeft geboekt. Maar soms, als ik Jades gezicht zie na afloop van die gesprekken, waarin we zo dicht bij elkaar zijn, maar waarin we ons ook bewuster zijn van de afstand die ons scheidt, vraag ik me af of deze manier van communiceren niet erger is dan afwezigheid.

Wat Jade en mij onderscheidt, is dat ik overal verbaasd over ben. Elke nieuwigheid brengt me in verrukking en ook al ken ik er nu een aantal van, ik kan me maar niet losmaken van de tijd waarin deze technologische prestaties ondenkbaar waren. Jade daarentegen komt uit een wereld waarin alles mogelijk is. Wat nog niet verwezenlijkt is, zal dat zijn in de nabije toekomst. In haar generatie zegt men niet 'nooit' maar 'over tien of twintig jaar'.

Wij droomden weg bij de avonturen van Jules Verne, die mijn oudoom voorlas aan een verzameling kinderen die met open mond luisterden. Hij was een van de weinige schrijvers die in het dorp bekend waren. Mijn grootvader had van zijn vader, een vriend van Jules Vernes uitgever, de mooie rode delen geërfd die het rijk alleen hadden op de boekenplanken in zijn huis. Soms vraag ik me af of hij degene is geweest die de lust tot lezen in mijn geest heeft laten ontkiemen. In een familie die alleen de traditie kende van orale vertellingen bij het haardvuur, zal de komst van al deze verhalen op papier voor de nodige opschudding gezorgd hebben.

En, hoe gaat het met je grootmoeder? Hoe is het om met haar samen te wonen?

Eindelijk een redelijk mens, dacht Jade, en wat fijn dat er oprechte belangstelling doorklonk in haar vraag en niet weer die vreselijke twijfels en vooruitzichten op een verspild leven. Aline was haar vriendin. Dat was ze al tien jaar. Ze hielden zelfs van elkaars kleine tekortkomingen. Jade had haar leren kennen bij een doodgewone gelegenheid: Aline ontwierp de decors van het stuk waarover Jade een artikel moest schrijven. Omdat de acteurs erg bekend waren, erg onbereikbaar en erg onuitstaanbaar, had Aline haar artikel gered door haar allerlei anekdotes en artistieke details over de regie te vertellen, kortom: over wat zich achter het toneel afspeelde. Ze waren zeer goed bevriend geraakt en verheugden zich er altijd weer op om elkaar te zien en hun belevenissen met elkaar te delen. Aline was een van degenen geweest die, nadat ze Jades roman had gelezen, haar had aangespoord hem naar uitgeverijen te sturen. Ze vond de manier waarop de hoofdstukken gepresenteerd werden, als losse novellen over steeds twee personen, die uiteindelijk allemaal in hetzelfde vliegtuig terechtkwamen en een onbekend avontuur tegemoet gingen, erg origineel. Ze had Jade ook een hart onder de riem gestoken toen ze de eerste afwijzingen kreeg. Zeg, door zoiets kleins geef je de moed toch niet op? Denk aan de talloze afwijzingen van schrijvers die nu beroemd zijn en niet meer weten waarom niemand hun boeken toen wilde hebben. En niet te vergeten *Postvlucht naar Dakar*, dat weliswaar is uitgegeven, maar waar maar drie exemplaren van zijn verkocht! En kijk naar *Harry Potter*! O, nee! Jade was hartelijk in de lach geschoten. Waarom kwam men altijd aan met voorbeelden van schrijvers die duizenden exemplaren verkochten, die in vijfentwintig talen waren vertaald en die de grootste gelukhebbers in de literatuur waren geworden ... Waarom had men het nooit over al die schrijvers die in de schaduw waren gebleven en die niet het geluk of de pech hadden om daaruit te komen? Door de ondeugende blik van haar vriendin begreep Jade dat zij had geprobeerd haar op de kast te jagen en dat ze daarin was geslaagd.

'Weet je, over Mamoune, ik realiseer me dat ik mijn beslissing heb genomen zonder goed te weten waarin ik terecht zou komen.'

'In een andere tijd dan de jouwe, bedoel je?'

'Misschien. Ik dacht dat ik Mamoune kende, maar ik zag haar niet als vrouw. Het was gewoon mijn grootmoeder. Het is raar, ik weet het, maar nu ik met haar samenwoon, zit ik vol vragen, ben ik nieuwsgierig en zelfs indiscreet. Het is net alsof ik een schat in handen heb en nog niet goed weet wat ik ermee moet of hoe ik hem moet openmaken ... Ze weet zo veel dingen waar ik geen idee van heb ... En ze kan ook erg lastig zijn met al haar kleine hebbelijkheden!'

'Praat je veel met haar?'

'Natuurlijk. En door de verhalen die zij me over haar leven vertelt, begrijp ik dat ze vaak geen keuze had, iets wat je een lotsbestemming zou kunnen noemen. Maar ze heeft me een geheim verteld, en niet zomaar een. Ze hoorde een telefoongesprek dat ik had met Gaël, een jeugdvriend, je kent hem wel. Ik vertelde hem over de afwijzingsbrieven van de uitgevers, dat ik de roman nog wat moest aanpassen en ik-weet-niet-wat moest veranderen. Om kort te gaan, Mamoune hoorde dat en heeft me haar hulp aangeboden ...'

'Ik begrijp niet goed waarom je daar zo verbaasd over bent.'

'Omdat je Mamoune niet kent. Ze is wat je noemt een eenvoudige vrouw van het land. Daar is niets verkeerds aan, maar ik heb haar mijn hele leven nog nooit met een boek gezien. Op de Bijbel na, dat wil zeggen, het omslag ervan, als ik mag geloven wat ze me heeft verteld ... Het geheim van haar leven is dat ze ... Ze is een lezeres. Ze is verzot op literatuur en dat al zestig jaar lang. Haar leven in de literatuur is doortrokken van meesterwerken die net zo briljant en groots zijn als zij bescheiden en zwijgzaam was. Ze is zeer belezen!'

'Wat een geweldig verhaal. Dat moet je opschrijven. Maar als ik het goed begrijp heeft ze aangeboden om je te coachen voordat je je werk opnieuw aan gaat bieden?'

'Ach jij, met je modewoorden! Ze heeft me haar hulp aangeboden en me verteld over de jaren waarin ze in het geheim heeft gelezen. Ik weet zelfs niet aan wat voor soort begeleiding ze dacht. We hebben eerst gesproken over de redenen waarom ze het geheim hield. Daar wilde ik meer van weten. Ik ontdekte dat ze anders was dan ik dacht en dat verwarde me. En toen zei ze gistermorgen nog een keer dat ze mijn roman wilde lezen en me wilde helpen als ze kon. Ik heb haar niet veel over het verhaal verteld ... Ze wilde weten hoelang ik al schreef ...'

'Misschien voelt zij zich net zo in de war van een schrijvende kleindochter als jij van een lezende grootmoeder. Maar ik begrijp het niet. Ik hoor je altijd zo liefdevol praten over je grootmoeder, dan moet het toch heerlijk zijn om dit samen met haar te delen?'

'Ja, waarschijnlijk zou ik er blij mee moeten zijn, maar het is nogal ingewikkeld. Ik heb ineens een vreemde tegenover me. Ze is mijn grootmoeder niet meer. Ze is een vrouw met geheime verlangens en … Ik weet dat het egoïstisch van me is. En nu ik er met jou over praat, besef ik hoe onzinnig mijn angst is. Ik zal haar de roman geven en terwijl zij hem leest, ga ik wennen aan het idee dat ik alleen maar van een buitenkant heb gehouden. En … haar wijze mening afwachten.'

'En Julien?'

'Hoezo, "en Julien"? Wil je weten hoe je tegen een man zegt dat je geen geheime verlangens voor hem koestert? Dat hij zijn laatste kans had moeten zien aankomen? Julien heeft niets doorgehad, niets gemerkt, en ik heb hem geen goede reden kunnen geven voor de breuk tussen ons. Al mijn pogingen om het uit te leggen zouden zo in een soapserie passen. Alsof ik dialogen uitprobeerde … "Ik verlaat je omdat ik met jou nooit een opwindend leven zal krijgen. Er is geen enkele reden om onze relatie te beëindigen en ook niet om ermee door te gaan … Mijn redenen zijn niet te begrijpen, dat weet ik, maar ik wil je niet meer." Enzovoort. Moet ik verdergaan?'

'Laten we je bruisende bestaan nog even kort samenvatten. Je hebt een leven met een man verruild voor een leven met je grootmoeder. Je zou je kunnen afvragen waar je zin voor avontuur gebleven is!'

Jade hoestte, en verslikte zich in een slok koffie.

'Bedankt voor je scherpzinnige analyse, ik weet zeker dat die me een stuk verder zal brengen.'

'Nee, maar ik dacht …'

'Nou?'

'Iets idioots: nu grootmoeder en Roodkapje al samenwonen, waar zal dan de wolf vandaan komen?'

Mamoune

Vanochtend vond ik het manuscript van mijn kleine Jade op de keukentafel. Ik heb slecht geslapen. Dat ik na drie weken nog niets heb gehoord van mijn dochters, baart me zorgen en houdt me een groot deel van de nacht wakker. Ze zijn stilletjes met iets bezig en ik ben bang dat Jade noch ik er deze keer wat aan kan doen. Ik heb me urenlang afgevraagd of ik Denise en Mariette zou moeten bellen om ze te vertellen dat ik besloten heb een tijdje in Parijs te blijven. Maar is die houding die ik vroeger altijd had niet al zinloos geworden vanaf het moment waarop ik hun beslissing heb getrotseerd en gevlucht ben? Nu ik nog goed bij mijn verstand ben, dat geloof ik tenminste, ben ik het aan mezelf verplicht om dit gesprek met hen aan te gaan. Als ik hen bel, kan ik misschien de gevoelens van verbazing en woede van mijn dochters sussen, want zij zullen wel denken dat mijn vlucht gepland was.

Hoe heeft het zo ver kunnen komen dat je je kinderen toestemming moet vragen om je eigen leven te mogen leiden? Alsof het al niet erg genoeg is om getekend te zijn door de tijd! Mariette, de oudste en de mildste, zal misschien verzachtende omstandigheden voor mijn ongewone gedrag aanvoeren. Ik hoor de discussie al die ze met zijn drieën voeren. Als een goede advocaat zal Mariette mijn angst voor ziekenhuizen naar voren brengen. Haar zachtheid en haar overtuigingskracht zijn even zekere wapens als de vechtlust van Léa, de middelste, die zich onmiddellijk zal buigen over de vraag hoe het nu verder moet. Wat gaan we nu doen? zal ze zeggen. Wie gaat haar halen? Net als in het leven zullen ze hun plaats innemen, de oudste is gespecialiseerd in scheidingen en huwelijksproblemen, terwijl de middelste zich alleen met bedrijfskwesties bezighoudt. En ik weet bijna zeker dat mijn derde dochter, de arts van de familie, het hardst over mij zal oordelen. Ze eiste altijd al dat alles volgens haar wensen verliep, wilde het gerechtvaardigd zijn. Ditmaal heb ik haar autoriteit van zorgende dochter en gediplomeerd arts getrotseerd.

Een moeder ziet zo veel dingen in haar kinderen als ze klein zijn. Alles is er al! Als Denise bijvoorbeeld, en toen was ze pas twee, naar me toe kwam om geknuffeld te worden, voelde ik dat ze het streven om de anderen te vlug af te zijn belangrijker vond dan haar verlangen naar moederliefde. Ik gaf haar altijd meer, in de hoop dat haar onlesbare dorst om te winnen daarmee gestild zou worden. Hoewel ze de jongste was van mijn dochters, voerde zij de anderen aan. Maar er was er één die ze nooit de baas werd: haar broer. Het nakomertje. Jades vader was een slimme jongen. Hij pakte haar helemaal in omdat hij haar grenzeloos bewonderde. Mijn dochter, gevleid door die adoratie, merkte de onafhankelijke, eigenzinnige geest van haar broertje niet op, die pas in zijn puberteit volledig tot ontplooiing kwam. Denise begreep er niets van toen hij vertelde dat hij beeldend kunstenaar wilde worden. Maar je hebt het geluk dat je een jongen bent, kies toch voor een wetenschappelijke carrière, hield ze haar broer voortdurend voor. Jean en ik keken geamuseerd toe bij deze strijd tussen haan en vlinder, zonder onze mening te geven, zonder commentaar op de argumenten van de een of de an-

der. Want de mooie Denise had ons allang gerangschikt onder de categorie 'mensen die geen verstand hebben van het
hoger onderwijs van hun kinderen'! Wat in wezen ook waar
was. Dat neemt niet weg dat Serge het handig aanpakte. Hoe
stel je je teweer tegen iemand die je bewondert? Hij vertelde
ons dat hij zich op aanraden van zijn zuster zou inschrijven
bij een wetenschappelijke faculteit. Zijn vader en ik waren
stomverbaasd. Was dit een grap? Toen Serge het ons vertelde,
had hij een penseel in zijn hand. Hij had zich in de gereed-
schapsschuur geïnstalleerd om er zijn schilderijen en collages
te maken. Denise juichte, maar het laatste woord was er nog
niet over gezegd. Hij ging vaak naar een bekend schilder, die
zijn atelier in de regio had. Deze Pierre Danglasse kwam na
een dag schilderen vaak langs om Serge op te zoeken en op
aandringen van mijn zoon vroeg ik dan of hij bleef eten. Die
man was de vriendelijkheid zelve en vol lof over mijn kook-
kunst, maar hij maakte vooral indruk op Denise. Ze had zelfs
verlegen voor hem geposeerd. Tegen deze grote, bekende artiest kon ze moeilijk aanvoeren dat schilderen maar een hob-
by was zonder vooruitzichten. Hij zag in de schilderijen van
Serge een bevalligheid die zijn grote kracht was. Toen Denise
zag dat een schilder, die bij leven al een beroemdheid was,
haar jonge broer steunde, gaf ze haar strijd over zijn carrière
op. Serge ging verder op het pad van de grafische kunst, terwijl Denise zich wijdde aan haar eigen studie: geneeskunde
– anesthesie en daarna chirurgie … Ze studeerde met grote
verbetenheid. Soms voelde ik medelijden met haar en vroeg
ik me af op wie ze nu eigenlijk wraak wilde nemen. Ik hoopte
dat ze door haar werk als arts milder zou worden, doordat ze
geconfronteerd zou worden met menselijk lijden en niet alleen met het technische herstel zoals het in haar boeken stond
beschreven. Ik dacht aan onze goede arts, die trots op haar
was, maar met gefronste wenkbrauwen naar haar luisterde als

zij met hem over haar studie geneeskunde sprak. Hij reageerde door te spreken over zieken en menselijk contact. En soms, als ik naar Jade kijk, herken ik in haar koppigheid bepaalde trekken die ze meer van de meedogenloze wilskracht van haar tante heeft dan van de innemende indolentie van haar vader. Maar in tegenstelling tot Denise lijkt Jade zich niet erg druk te maken over het beeld dat men van haar heeft. Je voelt dat ze zoekt, dat ze behoedzaam aan de toekomst snuffelt, alsof ze bang is om in een val te lopen ...

Toen ik haar de verschillende karakters van mijn dochters beschreef, hoe ik ze met elkaar heb zien omgaan, hoe ze als broer en zusjes samen zijn opgegroeid, wilde Jade daar meteen meer van weten.

Als je over je kinderen vertelt, zie ik ze niet meer als mijn tantes en mijn vader, zei ze tegen me. Het is net alsof je het over mensen hebt die ik niet ken. Ik zie ze door jouw ogen en ze lijken niet meer op wat ik van hen weet. Waarom hebben we daar nooit eerder met elkaar over gesproken? Daar had ik geen antwoord op. Het kost tijd voordat bepaalde veranderingen tot stand komen. En in ons huidige leven hebben we de tijd niet meer om daarop te wachten.

Al een aantal jaren, en ik weet niet of het een aspect is van de ouderdom dat ik dankbaar moet aanvaarden, worden mijn periodes van slapeloosheid afgewisseld door periodes van een lichte sluimer, waarin ik mijn kinderen terugzie op jongere leeftijd. Ik hoor hun puberstemmen of hun babylachjes en verrast herontdek ik bepaalde gebeurtenissen, voordat ik tot de ochtend uitgeput in een peilloze diepte wegzink. Als ik wakker word, voel ik enerzijds een lichte melancholie over dit weerzien na veertig jaar en bekruipt me anderzijds het vreemde gevoel dat het deel uitmaakt van een ander leven, dat ik niet zelf heb beleefd. Het is al eens gebeurd dat ik vond dat een van mijn kinderen er plotseling wat oud uitzag. Projecteer ik mezelf soms op hen? Ik zag er inderdaad altijd ouder uit dan ik was. Ik heb dus heel lang dezelfde leeftijd behouden, als een voorrecht dat wordt verleend aan degenen die in hun jeugd geen schoonheid waren. Als ik bijkom uit deze nachten vol herinneringen, lijkt het alsof ik heel dit verleden op mijn schouders meedraag en heb ik grote behoefte aan een ochtendslaapje om die last te verlichten.

Jade is dus al vertrokken en we hebben niet samen koffiegedronken. Op tafel staat het ontbijt klaar en ligt ook het manuscript. Ze heeft dus verkozen het zonder toelichting aan me te geven, als antwoord op mijn voorstel om te helpen. Ik heb nooit een schrijver gekend. Lees je anders als je de auteur goed kent? Ga je in het verhaal of tussen de regels naar hem op zoek? En kan ik wel zeggen dat ik Jade zo goed ken? Terwijl ik toch jarenlang niets heb geweten van haar interesse in schrijven?

Ik begin me te realiseren dat de taak niet eenvoudig zal zijn. Ik heb spontaan mijn diensten aangeboden, maar ik weet niet of mijn grote passie voor de literatuur voldoende zal zijn om een roman te kunnen beoordelen en vooral om de auteur ervan zodanig te begeleiden bij de bewerking dat er een andere toon ontstaat. Ik geloof dat Jade sterk is, en al is ze niet verdrietig, ik voel dat haar hart gekwetst is, ik voel haar zwakke plekken. Ze zeurt niet, aanvaardt haar eenzaamheid. Jade mist het geluk, maar klaagt er niet over. Sterker nog, ze verlangt juist naar de liefde. Als vrouw uit een andere tijd ontroert mij deze breekbaarheid. Hoe zal ik het aanpakken om haar mijn kritiekpunten over te brengen? En wat meer is, zou ik haar, zonder haar te beledigen, de hulp kunnen bieden waardoor ze deze roman op de juiste manier kan veranderen? Nog voordat ik het manuscript dat voor me ligt zelfs maar geopend heb, zie ik al deze valstrikken voor me. Het lijkt me ineens een explosieve onderneming, die onze relatie in gevaar zal brengen.

Jade had een slecht geweten. Ze voelde zich laf. Ze had Mamoune een toelichting moeten geven op het manuscript, het haar zelf moeten overhandigen en het niet op de keukentafel moeten achterlaten alsof ze was vergeten er iets over te zeggen. Ze had haar het verloop van het verhaal moeten uitleggen, met die personages die naar de Antillen vertrekken en elkaar niet kennen. Zou haar grootmoeder begrijpen dat ze elkaar in hetzelfde vliegtuig zouden tegenkomen om er gezamenlijk een unieke ervaring te gaan beleven? Zo samengevat, leek het haar een idioot en onwaarschijnlijk verhaal. In haar roman werd de voorgeschiedenis van de stellen in verschillende hoofdstukken beschreven. 'Te veel personages', stond er in de brief van een uitgever, 'geen romantische verwikkelingen', schreef een ander, 'de plot komt te laat op gang'. Jade had de commentaren die ze had gekregen bij het manuscript gevoegd. Wat zou Mamoune ervan zeggen? Nou ja, ze moest er toch zelf achter komen. Als de auteur naast zijn lezers moest gaan zitten om zijn bedoelingen uit te leggen, dan stelde het boek niet veel voor. Maar desalniettemin liep Jade nu met pijn in haar buik omdat ze het haar grootmoeder zo plompverloren te lezen had gegeven! En bovendien ... Er schoot ineens een gedachte door haar heen die nog niet eerder bij haar was opgekomen. Ze voelde een zorgelijke rimpel in haar voorhoofd opkomen. Mamoune zou ook de zeer erotische, misschien wel aanstootgevende passages lezen. Stop, gebood ze zichzelf. Ik moet hiermee ophouden. Ik kan mijn roman niet censureren omdat mijn grootmoeder hem gaat lezen. Ze is een lezeres. Ze heeft me haar hulp aangeboden. Ze houdt van me … Maar dat was het nu net. Jade wilde niet dat ze de roman als een liefhebbende grootmoeder las. Ze wilde beoordeeld worden als elke andere auteur die haar grootmoeder toevallig zou lezen. Maar zou ze dat wel kunnen? Kon Mamoune vergeten dat het om het boek van haar kleindochter ging? De twee of drie personen die het tot nu toe hadden gelezen, hadden haar aangeraden het op te sturen. Maar wat als zij zich, uit vriendschap, vergist hadden? Gaël, Clara, die zich met de boekenrubriek bezighield bij het vrouwenblad, en een bevriend journalist. En Julien natuurlijk, die de primeur had terwijl ze de roman aan het schrijven was. Jade fronste haar wenkbrauwen toen ze aan hem dacht. Hij vond haar roman nog steeds erg goed. Pff, dacht ze, die slaafse bewondering van mijn partner had een waarschuwing voor me moeten zijn!

Terwijl ze de verhalen van haar personages nog eens de revue liet passeren, probeerde Jade de uitgangspunten van de roman terug te halen. Ze herinnerde zich met hoeveel plezier ze al die levens die in haar hoofd rondzongen van elkaar had gescheiden om ze een eigen leven te geven voordat ze op de bladzijden werden vastgelegd. Nu ze eraan terugdacht, zag ze een veelarmige octopus, maar het was geen angstaanjagend gevoel, integendeel. Al sinds haar puberteit schreef ze gedichten en korte teksten en ineens, op haar negenentwintigste, werd ze meegesleept in een verhaal van driehonderd bladzijden, zonder dat ze dat van tevoren van plan was. Moest je een poosje geleefd hebben voordat je het onbekende terrein van de roman kon betreden? Maar zo veel had ze niet meegemaakt. Het begin van een liefde, maar was deze verbintenis, waarvan ze voorvoelde dat het einde ervan de voorbode was van het ontluiken van een nieuwe geschiedenis, wel liefde? Alles was in wording en niets leek te worden. Je denkt de kindertijd en de duisternis van de puberteit achter je gelaten te hebben en je belandt in het niets, zei ze tegen zichzelf. Sommigen van haar vrienden, oudere mannen, vonden de jaren van dertig tot veertig de meest ongunstige voor een vrouw.

Op dat punt in haar overpeinzingen beland, voelde ze dat er naar haar werd gekeken. Ze wendde zich af van het metroraampje, dat geen uitzicht bood, en ontmoette de ogen die ze op zich gericht voelde. Vervolgens wilde ze uit beleefdheid weer wegkijken, maar ze kon zich niet losmaken van die ogen ... temeer omdat de jongen haar met een brede glimlach aankeek. En Jade, die 's ochtends en 's avonds net zo in zichzelf gekeerd was geworden als de Parijzenaars, lachte terug. En, nog ongewoner in een metro, hij reikte haar een smalle hand en stelde zich voor. Ik heet Rajiv, ik kom uit Zweden en ik studeer nu in Parijs. Zijn spontaniteit bracht haar aan het lachen. Het was zo ongebruikelijk in deze stad! Ze had een Indiër tegenover zich met zwarte ogen en blauwzwart haar. Zijn Zweedse afkomst liet zich niet onmiddellijk raden! Een Zweed, echt? vroeg ze, terwijl ze één wenkbrauw optrok. Door zijn kortgeknipte haar leek hij op een kleine, brave jongen. Ik ben in Zweden geboren en heb er de eerste twee jaar van mijn leven gewoond. Mijn moeder komt uit dat koude land. Hij had een lage, enigszins rauwe stem, die haar deed huiveren. Het was stil geworden in dit gedeelte van de metro, waarin de reizigers zich ineens leken te interesseren voor deze live-ontmoeting, alsof er voor hun ogen een soap werd opgenomen. Jade voelde dat ze verlegen werd en stond

77

snel op, hoewel ze nog niet op de plaats van bestemming was. Aangenaam, Rajiv, ik heet Jade. Ik ga er bij de volgende halte uit. Tot snel, Jade – hij sprak haar voornaam met zichtbaar genoegen uit – laten we vertrouwen op het toeval, voegde hij er zachter aan toe, terwijl hij haar opnieuw die onweerstaanbare, stralende glimlach schonk. Om eerlijk te zijn had Jade nog nooit zo'n indrukwekkende glimlach gezien. Hij deelde zijn gezicht volmaakt in tweeën en was zo spontaan dat je hem niet kon ontwijken. Ze had het gevoel dat hij regelrecht naar haar hart ging. Jade bleef voor de deur staan, die bij het volgende station, dat maar niet leek te komen, pas open zou gaan. Ze voelde zich opgelaten dat ze op de vlucht was geslagen, beschaamd vanwege de blikken van verstandhouding waarmee haar ex-buren naar haar keken en woedend dat Rajiv met kalme vriendelijkheid naar haar bleef lachen. Maar het ergst was nog dat het haar dolblij maakte! Gelukkig had hij niet in het bijzijn van iedereen om haar adres gevraagd. Toen ze met stevige pas naar het redactiegebouw liep, lukte het haar nog steeds niet om haar woede kwijt te raken en ze wist ook niet waar die vandaan kwam. Wat was er toch aan de hand? Een type met een mooie glimlach had haar in de metro vriendelijk gedag gezegd, en haar naam, en zij was in alle staten! Wat ben ik voor een vrouw geworden? vroeg ze zich af. Gesloten, schuw, onbeholpen? Ze had het toch altijd heerlijk gevonden om te reizen en om mensen te ontmoeten? Was dat niet juist de reden dat ze voor dit beroep had gekozen? Tijdens een reis naar het eiland Mauritius was ze al gecharmeerd geraakt van de altijd lachende Indiërs, van het licht in hun ogen, waarin ze hun ziel leken te dragen. Maar daar ging het niet om, dat voelde ze wel. Hier was iets heel anders aan de hand. Ze hoorde nog het geluid van zijn diepe stem, die iets magnetisch en opwindends had dat haar verwarde. Ze dacht erover morgen op een andere tijd te reizen, zodat ze hem niet meer zou tegenkomen. Maar op welke tijd dan, en vanaf welk station …? Waar had die man haar aangesproken? Haar ergernis werd er niet minder op. Op de redactie vertelde ze aan iedereen en niemand in het bijzonder dat ze een Zweed had ontmoet in de metro, en dat hij bovendien een halfbloed en Indiër was, en toen ze zag hoe de meisjes reageerden, begreep ze waarom ze zo getergd was. Dat was het, wat haar zo dwarszat. Als je de dertig gepasseerd was, had je geen onschuldige ontmoetingen meer, ze werden meteen onderzocht op een mogelijk toekomstperspectief. Het was geen aardige vent die ze op straat of elders tegenkwam, het was misschien De Ontmoeting van de alleenstaande vrouw van in de dertig met haar 'aanstaande', zoals de buurvrouwen van Mamoune zouden zeggen. De meisjes, vroeger onbezorgd en zonder bijgedachten, stortten zich in een permanent spel, waarin ze met elk individu van de andere sekse dat ze tegenkomen een toekomst opbouwen. In de wachtkamer van dit toekomstig samenzijn verloren zij hun gevoel voor humor en redelijkheid, maar niet hun tong! Daarom had Jade zo hardnekkig de schijnrelatie aangehouden die ze eigenlijk niet meer wilde. Het was niet meer dan een verbond om te ontkomen aan wat ze zag: meisjes die opgewonden raakten bij het eerste vriendelijke woord van een jongen in de metro. Als je een partner had, ontkwam je aan dat vrijgezellengekwek op kantoor en kon je in alle rust ontmoeten wie je wilde.

Jade droomde over magie, over grootse, onverwachte ontmoetingen, blikken op een reusachtig scherm met echte gesprekken en een hart dat oversloeg. Ze kon wel huilen toen ze zich dat realiseerde. Wat een rotdag!

Ze was nog in gedachten verzonken toen ze een collega tegenkwam, die haar aansprak over een artikel waar ze mee bezig was. Ze was zo opgewonden over haar onderzoek naar polygamie in Frankrijk, dat ze het gefrons van Jade, die overspoeld werd door een nieuwe woedeaanval, niet opmerkte. De knappe brunette, die net van school kwam, beschreef het onderwerp dat Jade enkele weken eerder zelf had voorgesteld! Het had geen zin om naar de hoofdredactrice te gaan. Ze zou dat geruststellende lachje van haar opzetten dat ze reserveerde voor degenen die ze eerst een paar keer onderuithaalde en vervolgens met een enkel handgebaar wegwuifde. Jade kon alleen maar constateren dat de tijd voorbij was waarin men het niet in zijn hoofd haalde een van de meest ervaren medewerksters van het weekblad te passeren door haar onderwerp in te pikken en het aan een ander te geven. Ze wist dat degene die verantwoordelijk was voor dit verraad haar met een spijtig gezicht een geweldige nieuwe, door het blad vastgestelde, opdracht zou aanbieden.

Jade keek het grietje, dat een jaar eerder op voorspraak was aangenomen bij de moderubriek, verbouwereerd aan. Ze probeerde zich voor te stellen hoe zij binnenkort in haar Chanelpakje voor haar onderzoek naar de Afrikaanse immigrantenwijk zou gaan. En glimlachend fluisterde ze haar toe dat ze voor deze reportage, die oorspronkelijk haar idee was geweest, over alle contacten beschikte en ze vroeg zich enigszins boosaardig af hoe haar superieuren het zouden aanleggen om ze van haar los te krijgen. Ze hoefde alleen maar af te wachten. Omdat ze al wat voorwerk had gedaan over dit onderwerp, wist Jade hoe moeilijk het was, een taboe zelfs, en dat de mensen niet bereid waren hun deuren voor journalisten te openen. En als het te lang duurde, zou ze haar idee en haar contacten verkopen aan de concurrentie, waarmee ze natuurlijk wel haar breuk met het weekblad zou tekenen. Maar ditmaal wilde ze het onbeschofte gedrag, het gebrek aan waardering niet onbeantwoord laten. Al liep ze dan het risico dat ze haar voornaamste bron van inkomsten kwijt zou raken. Het is niet echt het goede moment, fluisterde een klein stemmetje, vergeet niet dat je voor je grootmoeder moet zorgen. En de ervaring heeft je één gouden regel geleerd: nergens tegenin gaan. Ze moest er goed over nadenken.

Nadat ze het laatste portret had ingeleverd van een serie over vrouwen aan de top in de economische wereld, vertrok ze vroeg van de redactie, zonder iemand gedag te zeggen. Ze voelde zich verraden en ... woedend. Net als toen ze aankwam, maar niet om dezelfde reden. Het was stralend weer. Ze besloot om op de terugweg niet weer onder de grond te duiken.

Mamoune

Ik had toch nooit kunnen denken dat het die kleine Jade zou zijn, de vijfde van mijn negen kleinkinderen, die me op een dag zou komen halen! Als kind was het een vrolijk meisje, dat erg nukkig deed tegen haar moeder, die dat niet in de gaten leek te hebben.

Lisa, de levensgezellin van mijn zoon, maakte een vreemde indruk op me toen ik haar voor de eerste keer zag. Ze was erg slank, op het magere af, en had grote, Veronese-achtige ogen, die nooit iemand leken te zien. Ze was vriendelijk en verstrooid. Haar gezicht werd omlijst door blonde krullen en had iets weg van een madonna. Ze vormde een mooi paar met mijn Serge, die net als zij lang en blond was, maar ook zo breed en sportief als zij tenger. Het is een knappe meid, maar ze moet wat meer vlees op haar botten krijgen, zei Jean met zijn mannenblik, en voor de rest is ze hetzelfde als Serge, een artiest, alsof het een soort betrof die zijn beoordelingsvermogen volledig te boven ging.

In het begin dacht ik dat Serge, die in de wolken was met zijn eerste boreling, Jade naar zich toe trok. Maar toen realiseerde ik me dat Lisa zich nooit met haar bemoeide. Ze vergat haar, alsof er helemaal geen kind in haar leven bestond. Haar aanwezigheid maakte haar niet zenuwachtig of angstig, zoals sommige moeders dat bij hun eerste kind zijn. Ze was er simpelweg niet. Ze leefde voor haar schilderijen en voor haar liefde voor Serge. Het kleintje beschouwde ze als een goed doorvoed diertje, dat ze soms aandoenlijk vond. Dus klampte Jade zich vast aan haar vader en kroop ze nooit in de armen van haar moeder.

Ik keek toe hoe dit jonge stel zich ontwikkelde in hun zorgeloze jaren, en ontdekte dat Serge een zakboekje vol met schetsen van zijn dochter had. Hij was betoverd door dit lieftallige kind, maar niet erg geschikt om haar op te voeden. Uit ergernis over hun hulpeloosheid nam ik het kind zo vaak mogelijk bij me. Omdat ze beiden erg jong waren en ze niet op deze baby hadden gerekend, waren ze geloof ik opgelucht dat ik hen hielp. Ik weet niet of Jade zich nog herinnert dat ze in haar vroegste kindertijd voornamelijk bij mij is opgegroeid. Ik zie haar nog voor me, zoals ze altijd aan mijn rokken hing. Ze liep achter me aan van de tuin naar de keuken en leek alleen maar tevreden te zijn als ze me overal kon volgen, en ze deed alles met mij samen. Wat voor weer het ook was, ze ging met me mee om eieren te zoeken in het kippenhok of de geiten binnen te halen. Toen ze oud genoeg was om te lezen, vroeg ze nooit meer naar haar moeder en gedroeg zich ook niet meer onhebbelijk tegenover haar. Ze leek volledig op te gaan in een wereld die alleen haar toebehoorde. Ze bracht lange uren door aan de zwarte tafel die Jean had gekocht. Jade speelde schooltje met haar poppen en verzon onwaarschijnlijke verhalen voor haar plastic leerlingen. Ik luisterde ongezien toe en verheugde me over haar rijke verbeeldingskracht.

Zeven jaar lang leefde het enige kind van Serge en Lisa in haar eigen wereld en veel bij mij. Daarna arriveerden haar twee broertjes, die drie jaar na elkaar werden geboren. Hun komst maakte een moederinstinct los bij Lisa, dat lange tijd als niet-bestaand beschouwd was. Jade voelde geen jaloezie. Het verschil was zo opvallend, dat ik altijd bang was dat het haar pijn zou doen. Maar het was waarschijnlijk te laat. Ze hield wel van haar moeder, maar behandelde haar met nagenoeg dezelfde onverschilligheid die zijzelf vroeger van haar moeder had ondervonden. Ook vanaf het moment dat ze in het grotere gezin ging wonen, bleef ze met mij omgaan als een dochter en kleindochter.

Zij was de eerste van de kleinkinderen die de doos met boeken ontdekte die ik van de notarisvrouw had gekregen. Ze wilde de planken gaan bekleden met rood fluweel om daar de boeken 'van Mamoune' op te zetten, die ze nooit mee naar huis nam, alsof ze bang was dat ze zouden veranderen als ze ze van me leende. Ze vroeg altijd of ik het woordenboek wilde pakken, dat te hoog voor haar stond. Als ik haar hielp een woord op te zoeken, lachte ze, want ik vergiste me in de volgorde van de letters van het alfabet. Ze kon ook niet weten hoeveel moeite het me had gekost, toen ik vijfentwintig was, om door te dringen in de boeken, niet meer met mijn vinger de letters te hoeven volgen, en er vervolgens zo veel plezier aan te beleven dat ik mijn schooljaren vergat, evenals het fameuze alfabet, dat ik zo slecht had geleerd. Ja, ik verwisselde de letters altijd als ik het woordenboek doorbladerde en ik heb er toch honderden woorden in opgezocht! Tot het zelfs, uit schaamte om mijn gebrekkige woordenschat, een van mijn favoriete boeken werd. Als ik om vijf uur mijn eerste kop koffie dronk, leerde ik woorden die ik niet kende en schreef de betekenis op kleine strookjes papier, die ik in mijn schort stopte. Ik las ze verschillende keren per dag over, zoog hun klank en hun betekenis op, om ze in mijn geheugen op te slaan. 's Avonds gooide ik de papiertjes in het vuur. Ik liet mezelf geen keus, ik moest ze onthouden. Sommige woorden zijn voor altijd verbonden met de bezigheden en omstandigheden van de dag. 'Apocrief' betekent voor mij net zo goed 'door de kerk niet-erkende bijbelteksten' als natte lakens die naar lavendel ruiken, die ik op een julidag in de gloeiende zon uitspreidde. En 'parvenu', iemand die tot een hogere klasse opgeklommen is, maar zich daar niet naar weet te gedragen en wiens obscure afkomst me in diepe gedachten deed verzinken over de geschiedenis van de woorden en hun ontwikkeling. Die parvenu heeft zijn stempel gedrukt op de bereiding van een preitaart, toen de hemel op een zondag in augustus al zijn water over mijn net geplante tulpen uitstortte. En wat te denken van 'felonie', 'contingent' of 'intrinsiek', die veranderd zijn in zomeravonden in de muggentijd.

Het was vroeg. Te vroeg op deze rotdag, die ze zo snel mogelijk wilde vergeten. Jade besloot de bus te nemen, dan kon ze rustig over Mamoune nadenken voordat ze haar weer zag. Zou ze het boek opengeslagen hebben? Enkele passages gelezen? Het einde misschien? Nee, je moest niet eerst het einde lezen ... Onaangename momenten verdreef Jade graag door even pas op de plaats te maken. Ze droomde weg en doorkruiste de stad. Ze was met de bus gegaan omdat ze niet weer onder de grond wilde duiken, en om als een reiziger naar Parijs en de Parijzenaars te kunnen kijken. Ze piekerde nog steeds over de vervelende gebeurtenissen van 's ochtends en aanvankelijk zag ze niets van de omgeving, maar vanaf de Pont-Neuf kreeg ze weer aandacht voor de brede boulevards en de tuinen met hun vroege lentebloemen. Zoals elk jaar vormden de perken in de stad een bonte kleurenpracht.

Sinds ze met Mamoune samenwoonde, bekeek ze de groenvoorzieningen met andere ogen. De strak geschoren struiken, die de rechte lijnen van de Franse parken volgden, hadden niets 'Mamounigs', constateerde ze. Maar wat een bijzonder verhaal van haar grootmoeder, die zich achter haar bijbel verstopte om te kunnen lezen en met haar papieren geliefden door de bergen zwierf! Jade herinnerde zich dat ze op een keer met Mamoune over *De negerhut van oom Tom* had gesproken. Ze was gefascineerd door de zwarten, die ervoor knokten om in het geheim te leren lezen en toegang te krijgen tot alles wat de blanken hun ontzegden. Toen Jade verwonderd naar de tranen op haar wangen keek, wees Mamoune naar de groente die ze aan het schoonmaken was. Maar ondanks het excuus van de uien, begreep Jade nu waarom het beeld haar was bijgebleven. Misschien had ze onbewust begrepen dat Mamounes tranen iets met dit verhaal te maken hadden, met die strijd om scholing te krijgen.

Jade was intussen op een andere bus overgestapt, en reed nu door wijken die ze graag weer eens terug wilde zien. In sommige delen van Parijs waar ze vroeger vaak kwam, was ze al in jaren niet geweest. Dat was de charme van een grote stad. In het terugkeren naar bepaalde plaatsen lag de wens besloten terug te keren in de tijd, er de sporen van het verleden terug te vinden. Waar kwam haar zekere voorgevoel vandaan dat haar toekomst zich duizenden kilometers hiervandaan zou afspelen? Was dat niet hetzelfde verlangen naar avontuur dat haar ertoe had aangezet Julien te verlaten? Te bedanken voor het vreugdeloze afglijden in een voorspelbare toekomst? Het kwelde haar opeens meer dan haar lief was. En dat verbaasde haar. Ze stond op een keerpunt, maar ze wist niet eens welke weg ze was ingeslagen. Alles liep door elkaar: de zorgen om Mamoune, de angst dat ze een vergissing had begaan door haar grootmoeder haar manuscript toe te vertrouwen, en beroepshalve het gevoel dat ze verraden was ... En daar kwam dan nog die ontmoeting bij waarvan ze niet wist wat ze ervan moest denken, maar die haar liet zien dat ze zo kort na de scheiding van een man nog lang niet genezen was van de liefde of van iets wat erop leek.

Ondanks het plezierige tochtje bleef ze neerslachtig; een onrustig gevoel, waarvan ze de herkomst niet kon achterhalen. Plotseling wilde ze sneller naar huis dan ze had gepland. Ze kocht wat groente, geen kant-en-klaarmaaltijd; wie weet had Mamoune weer een van haar beroemde verrassingsdiners gekookt. Ze duwde de deur open en riep: 'Mamoune, ik ben het.' Toen ze naar de keuken liep om haar boodschappen neer te zetten, ontdekte ze in de gang een tas en een jas.

Toen ze de woonkamer in kwam, zag Jade als eerste haar tante Denise, die op de bank zat met een zure, vragende uitdrukking op haar gezicht. Ze vond dat haar tante er veel ouder uitzag dan bij hun laatste ontmoeting, die al minstens een jaar geleden was. Vormelijk gekleed als altijd, droeg ze een zwartgrijs mantelpak, dat haar magere gestalte nog langer deed lijken. Ze had een erg kort kapsel. Omdat ze haar haren ravenzwart had geverfd, werden haar harde trekken extra benadrukt. Mamoune stond in een hoek van de kamer en zag eruit als een klein meisje. Ze speelde met de parels van het halssnoer dat ze droeg sinds Jade haar ontvoerd had, maar dat ze haar daarvoor nooit eerder had zien dragen. Ze ontdekte een zweem van opluchting in haar ogen.

Denise had er sinds Mamounes ontvoering eenentwintig dagen voor nodig gehad om bij hen op te duiken. Deze rotdag was dus nog niet voorbij! Jade liep naar haar toe om haar te begroeten en bood haar iets te drinken aan. Haar tante bedankte en Jade bespeurde enig ongeduld in haar autoritaire stem. Ze had al een glas water gedronken. Mamoune had dus al tijd gewonnen! Toen ze zag hoe gespannen ze was, begreep Jade dat haar tante eerst het onderwerp wilde aansnijden waarvoor ze naar Parijs was gekomen. Om zichzelf even wat ruimte te gunnen om na te denken, verdween ze naar de keuken met het excuus dat het tijd was voor het aperitief. Voordat ze de kamer verliet, zag ze nog net dat Denise haar ogen ten hemel sloeg. Toen ze terugkwam met een blad waarop een schaaltje olijven, een fles rosé en drie glazen stonden, was ze klaar om het gesprek aan te gaan. Ze schonk een glas in voor Mamoune, die haar met een samenzweerderig lachje bedankte. Haar tante mokte, paste zich uiteindelijk aan en nam een half glas. Denise hield het niet meer uit en begon de aanval met te vertellen hoe teleurgesteld ze zich had gevoeld toen ze merkte dat haar moeder weg was, en hoeveel zorgen ze zich over haar had gemaakt ... Zorgen die niet lang geduurd konden hebben, dacht Jade, die wist dat haar vader zijn zuster vanuit Polynesië had opgebeld om haar te zeggen waar Mamoune naartoe was gevlucht. Vervolgens sneerde Denise dat de situatie heel eenvoudig geweest zou zijn, ware het niet dat Jade, die niets wist van de zorg voor oude mensen, de toewijding van haar tante jegens haar eigen moeder in twijfel had getrokken. Deze kinderachtige handelwijze, die inging tegen haar advies als arts en dat van haar zusters, die deze verantwoordelijkheid met haar deelden, was belachelijk. Kortom, alle wrok die zich in de drie weken van zwijgen had opgekropt, kwam naar buiten en Jade liet haar praten, in de wetenschap dat als ze alles er eenmaal uit had gegooid, het makkelijker voor haar zou zijn om te antwoorden. Toen ze zweeg, nam tot haar grote verrassing Mamoune het woord:

'Denise, meisje, niemand wilde zich tegen jouw beslissing of die van je zusters keren.'

Mamoune was zich er vast niet van bewust dat deze verklaring voor meerdere uitleg vatbaar was.

'Jullie zijn mijn dochters,' ging ze verder, 'en jullie hebben gedaan wat jullie het beste leek voor mij. Het is allemaal heel snel gegaan en ik heb geen tijd gehad om jullie te zeggen wat ik ervan vond. Omdat niemand van jullie me in huis kon nemen en ik nog niet helemaal kinds ben, vond ik dat ik het recht had om het voorstel van mijn kleindochter, dat ze snel en spontaan deed, aan te nemen.'

Denise werd alleen maar agressiever. In één lange stortvloed van woorden gooide ze alles eruit: Mamounes conditie, de risico's die een verblijf zonder medische zorg voor haar meebrachten, het achterlaten van haar omgeving, van haar arts, van haar familie. En ook vergat ze niet het onverantwoordelijke gedrag van haar nicht aan de kaak te stellen en de lichtzinnigheid van haar moeder. Op dat punt aanbeland, legde Mamoune haar met een handgebaar het zwijgen op.

'Bij mijn weten zijn er grote ziekenhuizen in Parijs en als het niet goed met me gaat, als mijn aanwezigheid hier een belasting wordt voor Jade, hebben we nog tijd genoeg om naar een andere oplossing te zoeken. Voor het moment, mijn lieve,' (Jade had 'mijn furie' passender gevonden, maar Mamoune was de rust zelve) 'moet je maar aannemen dat je moeder zelf nog over haar leven kan beschikken. En misschien is het wel beter als we onze relatie niet laten beïnvloeden door keuzes die samenhangen met jouw beroep. Je bent mijn dochter, en ik ben nu op een punt in mijn leven gekomen dat ik liever niet heb dat je ook mijn arts bent. Zo kun je tot aan het einde toe de herinnering bewaren aan je moeder, zonder dat die vertroebeld wordt door het beeld van de patiënt.'

Mamoune gebruikte nieuwe woorden, maakte langere zinnen. Ze was ijzig kalm en door haar vastberaden houding, zo heel anders dan haar gewone, enigszins onbeholpen goedhartigheid, veranderde ze in een soort aristocrate die haar wensen meedeelde. Ze stond nu kaarsrecht tegenover Denise, die was blijven zitten. Haar handen lagen op de stoelleuning, en haar knokkels spanden en ontspanden zich al naar gelang haar betoog. Jade zat er haast op te wachten dat Mamoune 'mijn lieve kind' tegen Denise zou zeggen.

'Je zult er wel achter komen als je zelf oud wordt. Ons leven bestaat uit een reeks landschappen die door bruggen met elkaar verbonden worden. En die bruggen ben ik bijna allemaal overgestoken. Nu ik de leeftijd heb dat sommige van die gebieden onbereikbaar voor me zijn geworden, worden mijn herinneringen, hoe verder ik ga, steeds belangrijker. Maar ik geloof dat de keuze om te bepalen waar en met wie hij woont, de laatste waarde is die iemand nog rest bij het ouder worden ... Totdat zelfs die keus hem niet meer wordt gegund ... Kortom, jouw zeggenschap over mij begint zodra ik kinds ben, en die dag is nog niet aangebroken.'

Mamoune laste even een pauze in, alsof ze zich die tijd van afhankelijkheid wilde voorstellen. Denise was bleek geworden, ze was opgestaan en weer gaan zitten bij de gedachtestroom van deze onbekende, waarvan ze nooit het bestaan had vermoed achter het vriendelijke gezicht van haar moeder. Haar moeder, Jeanne, Mamoune, was een eenvoudige vrouw, een boerin, wier woorden de dagelijkse bezigheden begeleidden ... Maar wie was dit dan, die hier verklaarde dat ze haar leven en toekomst in eigen hand had genomen? Mamoune ging verder met haar redevoering, zonder zich in het minst te bekommeren om de stomverbaasde blik van haar dochter.

'Er bestaan geen onschuldige beslissingen wanneer kinderen de ouders van hun ouders worden. Ik ben geen toevlucht meer voor jullie, maar een last. En Jade heeft zelf besloten om voor mij te zorgen, want ik heb haar nergens om gevraagd, mocht je dat denken. Wat kan er nu helemaal gebeuren als we deze oplossing een tijdje proberen? Ik ben niet van plan terug te komen op mijn besluit. Laat dat duidelijk zijn voor jou en je zusters. Ik blijf bij Jade.'

Op dat moment vloog er een vlinder naar binnen en die kwamen zo weinig voor in Parijs, dat Jade er onwillekeurig een teken in zag. Ze wist niet of het wel tot Denise doordrong, maar ze staarde met een wezenloze blik naar de vrolijke sprongen van het insect op de planten, en keek toen weer naar haar moeder, terwijl ze zich met gefronste wenkbrauwen afvroeg wat haar al die jaren in het bijzijn van deze onbekende was ontgaan. Nadat Mamoune was uitgesproken, bleef ze lange tijd stil. Jade had nog nooit een situatie meegemaakt waarin een onverwacht ander taalgebruik de agressiviteit of de woede van de tegenstander tot nul reduceerde. Ze onderdrukte een zenuwachtig lachje, dat ongewild in haar opborrelde. Had Mamoune haar tekst voorbereid of was hij spontaan bij haar opgekomen?

Jade moest glimlachen bij de gedachte dat Denise haar moeder helemaal opnieuw moest leren kennen nu er zo veel was dat zij niet van haar wist. Maar hoe had Denise zich ook maar iets kunnen voorstellen van Mamounes filosofische kennis, waar zij altijd had gedacht dat haar moeder zelfs de betekenis van dat woord niet kende? Haar gezicht, haar mooie gezicht met de hoge jukbeenderen, de perfecte belijning – op haar vermaakte neus na, zou Mamoune zeggen – was veranderd in een doek waarop ongeloof, onbegrip, woede, twijfel en misschien een vleugje tedere blijdschap, maar dat slechts vluchtig, zich aftekenden. Alsof Denise het haar moeder kwalijk nam dat ze een beetje tot haar wereld behoorde en haar dat nooit had verteld.

Mamoune

De woorden die ik vroeger gebruikte, mijn eenvoud, mijn gezonde verstand, alles wat ik ben en wat afkomstig is van de
aarde waarop ik heb geleefd, zijn niet genoeg geweest om het
vertrouwen te winnen van mijn dochter, die ik zelf heb aangeraden in de stad te gaan wonen, die er de gewoonten van
heeft overgenomen en bijna ook de minachting voor de mensen van het platteland. Zelfs Jade, die er toch beter op was
voorbereid door onze openhartige gesprekken van de laatste
tien dagen, leek wel versteend toen ze me zo hoorde spreken.
Toch scheen ze opgelucht toen ik het voortouw nam. Ze was
niet in staat een vrouw als Denise alleen het hoofd te bieden.
En ik kan me voorstellen dat het haar moeilijk zou vallen de
ontvoering van haar grootmoeder te rechtvaardigen bij een
tante die arts is en dertig jaar ouder dan zij. Als Denise niet
mijn dochter was geweest, had ik waarschijnlijk meer plezier
beleefd aan deze voorstelling. Maar ik heb mijn geheim alleen
maar openbaar gemaakt omdat ik het recht wil hebben te leven zoals het mij goeddunkt.

Ik weet niet waarom, maar in mijn hoofd spelen de gebeurtenissen van vanavond zich steeds opnieuw af, alsof ze
het begin van een nieuw leven inluiden.

Na een lange stilte zei Denise dat ze me nooit had willen verhinderen het leven te leiden dat ik wilde, nu ik oud ben. Mooi, onderbrak ik haar glimlachend. Ik deed net of ik geloofde dat de discussie gesloten was. Ik veranderde van onderwerp toen zij probeerde opnieuw het woord te nemen. Misschien kunnen we gaan eten in een van die restaurantjes waar Jade de eigenaars van kent. Zo vaak heb ik mijn dochter en een van mijn kleindochters niet bij me. Drie generaties! Ik wil jullie graag allebei uitnodigen. Ik heb honger! voegde ik eraan toe, toen ik wegliep naar mijn slaapkamer.

Tijdens de korte wandeling naar het Marokkaanse restaurant dat Jade had uitgekozen, neemt mijn dochter me onderzoekend op en ik voel haar frustratie vanwege alle vragen die ze me niet durft te stellen. De drie weken die ik nu in Parijs ben, hebben we zonnige dagen beleefd. De weinige wolken zijn niet van dien aard dat ze de hemel verduisteren en pas in de loop van de nacht zakt de dagelijkse temperatuur van vijfentwintig graden en maakt plaats voor een zachte, enigszins vochtige, koele lucht. De terrassen zijn vol en vaak hoor je er muzikanten spelen. Alleen maakt de sterke verlichting van de stad het onmogelijk om de sterren te bewonderen. Ik heb zo lang in de provincie gewoond dat ik me er elke avond weer over verbaas dat er zo veel mensen buiten zijn. Overal klinkt gelach en gepraat, het lijkt alsof de hele stad op vakantie is. Terwijl ze over van alles en niets praat, wijst Jade de weg naar Wally le Saharien, een openhartige, levendige man, die mijn kleindochter 'mijn woestijnvosje' noemt als hij haar begroet. Wally maakt de lekkerste couscous die ik ooit gegeten heb, vertelt Jade, en ze stelt hem aan ons voor terwijl we plaatsnemen aan een ronde tafel die enigszins verscholen in een nis staat. Een tafel voor geliefden of voor drie vriendinnen die elkaar geheimen willen vertellen, denk ik bij mezelf. Jade ziet er blij uit en ik geloof niet dat het gespeeld is. Ze is jong. Dat het gezicht van haar tante juist op dit moment verkrampt en dat mijn hart bloedt, merkt ze niet.

Arme Denise, die van jongs af aan altijd pal stond voor haar mening, bereid om te sterven in een strijd die niemand met haar wilde aangaan. Toch schuilt er een heel andere vrouw achter het masker van onberispelijkheid dat ze de buitenwereld laat zien. Een vrouw die met pijn in het hart moest toezien hoe haar man er met een veel jongere vrouw vandoor ging, een vrouw die alles op zich nam: haar twee kinderen en haar werk. Verdriet leek ze niet toe te laten. Later heeft ze geweigerd de liefde van een getrouwde man te aanvaarden, omdat ze een andere vrouw niet wilde aandoen wat ze zelf had doorgemaakt. Ik mag het eigenlijk niet denken, maar ze zouden een mooi paar gevormd hebben, zij en die boom van een chirurg met zijn ruige haardos. Ik heb ze een keer samen in de oude binnenstad van Annecy gezien en toegekeken hoe ze lachend hand in hand de straat overstaken. Ik had haar bijna niet herkend, zo stralend zag ze eruit, maar ik heb natuurlijk niets tegen haar gezegd. Vooral niet omdat ik vond dat ze veel beter bij deze man paste dan bij die sombere ziekenhuisdirecteur, die de vader van haar kinderen is. Och, Denise! Altijd weet ze haar zin door te drijven en haar eigen leven of dat van anderen volgens haar goeddunken te besturen.

Ze heeft nog duizend andere dingen in zich, waar ik niets van weet, maar die me niet zouden verbazen, omdat ik besef hoe onwetend ik ben. We zijn blind, en wat we zien in degenen die ons het meest na staan, is wat we denken van hen te weten. Hoe vaak zijn we niet bedrogen door de etiketten die we op onze vrienden of familieleden hebben geplakt? Waarom willen we geen rekening houden met de ontwikkelingen en de kenteringen die mensen dooreenschudden en ze veranderen?

Dat is wat mijn dochter vanavond heeft meegemaakt.

Haar moeder was haar ontglipt en ze is haar terug komen halen zonder te weten dat deze vlucht al veel eerder had plaatsgevonden. De vrouw die is verdwenen openbaart zich als een andere, van wie zij niets weet. Mijn dochter, die zich volwassen waande op haar vijftiende, komt er op haar vijfenvijftigste achter dat haar wereld die van een klein meisje is. Ben ik daar verantwoordelijk voor? Een beetje wel. Althans voor het feit dat ik haar niet resoluut genoeg uit haar droom heb geholpen. Ik heb vroeger geprobeerd haar bij te brengen om niet zo scherp te oordelen. Wacht nu maar af, zei ik dan. Geef het de tijd ... Maar ze wuifde mijn raad weg. Al op haar zesde hechtte ze geen geloof meer aan wat haar vader of ik tegen haar zei. De enige die haar af en toe kon intomen was haar zus Mariette, die vier jaar ouder is dan zij. Ze is een en al ronding en charme, zo klein als Denise lang is, en de innemendste van mijn dochters. Ze heeft bruine krullen, een opgewekt karakter en volle lippen, en Denise was altijd gefascineerd door haar snelle verstand. Eerst in hun spelen, later in de scherpe analyses waar zij op elk gebied blijk van gaf.

In tegenstelling tot haar jongste zus is Mariette wel bereid naar anderen te luisteren. Alleen zij heeft de verandering opgemerkt die zich in mij voltrok toen ik de wereld van de boeken betrad. Als kind kon ze me met een ernstige blik gadeslaan en later leek ze me met talloze vragen te willen doorgronden. Wat zou jij doen als ... Wat denk je van deze of die situatie? En de moeder van die heeft gezegd dat de vader van ... Ik probeerde het zo veel mogelijk te ontwijken. Ik hield niet van roddelen en oordelen, want via de kinderen wordt een gerucht onvermijdelijk opgeblazen en krijgt het een onaangename draai.

Maar Mariette bazuinde niets rond. Ze onderzocht. Ze wilde erachter komen wat haar moeder, die haar wel al haar liefde, maar slechts een deel van haar persoonlijk leven schonk, te verbergen had. Ze vermoedde een dubbele bodem, ze bracht me ertoe de papieren levens, die mijn blik op het echte leven scherpten, aan het licht te brengen. Ik herkende de kleindochter van mijn moeder. De vroedvrouw van de duivel, die de geestrijke vrouw die zich in mij verborg, al ter wereld had gebracht. Ze achtervolgde mijn zwijgen in haar verlangen meer te weten te komen over hetgeen haar intuïtie haar influisterde. Het was meer dan ik haar kon geven. Ik zat opgesloten in mijn leugens. Gelukkig bestookte Léa, mijn tweede dochter, me niet zoals haar zus. Ze was veel zelfstandiger en veel afstandelijker. Uiterlijk leek ze op Serge. Lang, blond en sportief, en net zo gesloten als haar vader. Alle drie konden ze uitstekend skiën en in het seizoen brachten ze al hun tijd door op de pistes. Achteraf gezien zegen ik deze bezigheid waarin ze, ondanks hun verschillende karakters, iets met elkaar deelden. Ze kwamen er vrolijk van terug, met rode wangen, en saamhorig. Ik maakte crêpes voor ze, of een *tartiflette*, die we gezamenlijk opaten. Hoe zou je niet kunnen terugverlangen naar die harmonie?

Na het diner was Denise vertrokken, om bij een vriendin te gaan slapen. Het was waarschijnlijk het enige dat volgens haar plannen verliep. Een paar steelse blikken op het gelaat van haar tante tijdens het eten hadden Jade geleerd dat ze nog steeds in shock verkeerde door de monoloog van haar moeder. En met reden. Mamoune had zo vast en zelfverzekerd gesproken, dat Jade dacht dat ze een autocue gebruikte. Ze had haar tante nog nooit zo ontredderd gezien, noch haar grootmoeder die koninklijke zelfverzekerdheid zien uitstralen. De anekdotes die Mamoune op haar gebruikelijke manier vertelde om het diner wat op te vrolijken, schenen haar tante in een nog grotere staat van verbijstering te brengen. Ze leek rond te dolen in een ondoordringbare mist. Jade daarentegen voelde zich opgelucht door de capitulatie van haar tante en verheugde zich er al op haar vader te kunnen melden dat de vreselijke strijd in de kiem was gesmoord, en dat alles dankzij een coup de théâtre bij Mamoune. De problemen van deze dag waren opgelost in het niet. Ze had er zo tegen opgezien om de ontvoering te moeten rechtvaardigen en was zo bang geweest geen argumenten te hebben om te voorkomen dat ze Mamoune mee zouden nemen naar dat crepeerhok!

Haar grootmoeder had niets laten merken van wat er in

haar omging en telkens als Jade haar tijdens het diner aankeek, schonk Mamoune haar die welwillende glimlach die ze haar hele leven al van haar kende. Pas nu ze haar vanavond opnieuw in haar oude rol zag, begreep Jade hoezeer Mamoune eraan gewend was die andere vrouw, die scherpzinnige en gecompliceerde vrouw, die in een ogenblik van verontwaardiging even naar buiten was getreden, te verbergen. Was deze vrouw, die zich haar leven lang nooit had laten zien, misschien de echte Mamoune?

Om deze confrontatie met haar familie niet ook nog de schijn van een triomfantelijke overwinning te geven, had Jade haar tante vriendelijk omhelsd en haar verzekerd dat ze haar regelmatig op de hoogte zou houden en haar als eerste zou waarschuwen mocht er iets zorgwekkends gebeuren. Maar Denise had bits geantwoord dat haar moeder gelijk had en dat er uitstekende ziekenhuizen waren in Parijs. Ondertussen deed Mamoune alsof ze vol belangstelling de exotische voorwerpen bekeek in de etalage van het winkeltje waar ze net voor stonden. Vervolgens hield Denise een taxi aan. Na een snelle zoen op haar moeders wang, haar nicht totaal negerend en zonder nog een keer om te kijken voor een laatste groet, verdween ze in de nog niet geheel donkere nacht.

Het is bijna Sint-Jan, mompelde Mamoune. Jade glimlachte. Ze wist dat Mamoune uit haar jeugd gelukkige herinneringen bewaarde aan dit dansfeest op het platteland. Daar was de geschiedenis met Jades grootvader begonnen. Jade legde teder haar arm om Mamounes schouders. Je moet me alles vertellen over je bals toen je jong was. Ik kan me niet goed voorstellen hoe je eruitzag in een witte jurk en de dorpsjongens het hoofd op hol bracht. Haar grootmoeder lachte.

'Ik was minder verlegen dan je denkt. Ik ben ook jong geweest, ik ben niet altijd een wijze oma geweest. Ik was net als jij.'

Volgens Mamoune ging de jeugd niet voorbij met de tijd. Het ging om de manier waarop je ernaar keek.

'In een oud lichaam is het vuur dat ons eens verteerde, nooit volledig gedoofd. En dat maakt die blik waarmee naar onze leeftijd wordt gekeken, zo onrechtvaardig. We zijn verontwaardigd dat het lichaam niet meer de onstuimige bewegingen van de begeerte volgt. Van het ene punt naar het andere volgen we de wegen van ons verlangen. Dat drijft ons voort, mijn liefje. Niet doodgaan, leven ook al ben je oud: het mocht wat! Het lichaam heeft het niet voor het zeggen, maar iets anders. Wanneer de ziel zich het plezier ontzegt om, hoe oud ook, nog verder te willen leven, dán houdt alles op. Sinds ik bij jou woon, hoef ik dus niet meer mijn best te doen om te vergeten dat ik oud ben. Ik concludeer daaruit dat ik jonger ben geworden!'

'Maar dat is ook zo. Kijk naar jezelf, Mamoune, je ziet er jonger uit dan Denise.'

Jade kreeg het gevoel dat ze iets doms had gezegd. Er gleed een waas van verdriet over de ogen van haar grootmoeder. Daarna vond ze haar kalme houding weer terug en liet woordeloos blijken dat er voor een moeder bepaalde grenzen zijn. Haar schouderophalen en de diepe zucht die ermee gepaard ging, bezorgden Jade een onaangename rilling. Was men dan zo onmachtig om degenen die men op de wereld had gezet, te begeleiden? Nog nooit eerder had ze daarover nagedacht. Ze was nog steeds de dochter van haar ouders en nam alles als vanzelfsprekend aan. Als ze al eens een slapeloze nacht had, dan was dat niet omdat ze zich zorgen maakte om een kind dat ze op de wereld had gezet, hoe oud het ook het was!

Jade had altijd gelachen om de angst die haar alleenstaande, kinderloze vriendinnen van boven de dertig hadden. Maar sinds vanavond begreep ze hoe die verraderlijke tijd de mensen in categorieën indeelde. De leeftijd bepaalde het ritme van het leven en het hare was nu een bepaalde lichtheid aan het verliezen. Zwijgend liepen ze de straat omhoog, waar het nog steeds levendig was, en Jade regelde haar pas naar die van Mamoune. Vanaf de terrassen steeg een zacht geroezemoes op. Toen ze haar straat in liepen, die veel rustiger was, hoorden ze een etude van Chopin waar Jade bijzonder veel van hield. Hoor je dat, dat is een van mijn lievelingsstukken. Mamoune bleef staan om te luisteren en bekende verlegen dat ze het mooi vond, maar dat ze niet veel verstand had van klassieke muziek …

'Je vader luisterde altijd naar dit soort muziek toen hij nog thuis woonde, en ik hoorde het graag. Ik vroeg altijd of hij zijn deur open wilde laten staan.'

'Ik leer je die muziek kennen, Mamoune. Ik weet wel van welke componisten papa hield. We zullen er samen naar luisteren. Het is toch niet normaal dat niemand er ooit aan gedacht heeft om je die platen te geven? Ik kan me nog herinneren dat je onder het strijken altijd naar de radio luisterde. Ik heb bij jou nooit andere muziek gehoord dan die welke uit dat rode, krakende toestel kwam.'

'Dat klopt, en ik heb me vaak tevredengesteld met het gezang van de vogels. Ik kon ze er zo uit halen, ook als ze door elkaar zongen. Maar na de dood van Jean heb ik zelfs tijdens het huishouden niet meer naar de radio geluisterd zoals ik vroeger deed. Ik had er geen zin meer in … Misschien was ik bang dat het niet meer zou zijn als voorheen, toen Jean er nog was, in de kamer ernaast, en ik maar naar binnen hoefde te gaan om hem een kus te geven.'

Ze sprak met verstikte stem, geëmotioneerd door de herinnering aan haar man en de momenten die ze samen hadden beleefd; Jade voelde zich ontredderd. Wat kan ik zeggen om haar te troosten, ik weet niet wat het is om te rouwen om degene met wie je je hele leven hebt gedeeld, vroeg Jade zich af. Hoe kan ik haar bijstaan in dit diepe verdriet om haar geliefde man? Ze gaf een kneepje in haar grootmoeders hand. Kom, ik ga de thee zetten die Denise niet wilde drinken bij Wally. Muntthee, zoals de vrouwen in de Sahara het me hebben geleerd, onder de sterrenhemel van de woestijn. En dan drinken we die terwijl we luisteren naar de cellosuites van Bach. Jade drukte haar lippen op Mamounes slaap, precies daar waar haar haren de rozen- en viooltjesgeur uitwasemden waar ze zo van hield. Ze wist zeker dat ze dat parfum nog nooit bij iemand anders had geroken. Die geur hoorde voor altijd bij haar grootmoeder. Ze stak haar arm door de hare om haar mee te nemen, en de zachte huid van Mamoune tegen haar blote arm vervulde haar hart met tederheid.

Maar toen ze haar woning binnenkwamen, was het alsof de narigheid van die dag was teruggekeerd. Ze herkende uit duizenden die drang om te vluchten, die haar bij de keel greep wanneer ze het gevoel kreeg dat ze voor een ultimatum werd gesteld. Die zich vastklemde en pas losliet als Jade naar de andere kant van de wereld was vertrokken. Was dat niet dezelfde drang als die welke haar had geleid toen ze voor de keuze stond om een beroep te kiezen? De andere kant van de wereld, leven in een ander klimaat met andere mensen, zich volzuigen met nieuwe indrukken om de essentiële vragen die bij haar opkwamen te ontlopen … of om er een antwoord op te vinden omdat ze ze in ballingschap beter leerde begrijpen? Had ze de illusie gehad dat ze die vluchtneiging voor de gek kon houden als ze honkvast werd vanwege Mamoune?

Mamoune

Elke onthulling bevat een daad van liefde, maar wordt dat ook zo gezien door degene die in ons geheim is ingewijd? Ik weet niet waarom deze zin in mijn hoofd rondzingt. Het betekent niets ... Wat een dag! Ik zal blij zijn als ik in bed lig. Er is iets in Jades gedrag wat me ontgaat. Nadat ze eerst opgelucht leek omdat ze haar tante niet hoefde te trotseren vanwege mij, trok ze zich aan het eind van de avond terug in een verdriet dat ik niet ken. Terwijl ze zich veel moeite getroostte om mij met liefdevolle genegenheid te omringen, die volgens mij oprecht was, leek een deel van haar in een woud van grenzeloze droefenis te dwalen. Uit al haar gebaren sprak afwisselend ergernis en afwezigheid, die in golven over haar heen kwamen. Het zou me niet verwonderd hebben als ze in tranen was uitgebarsten, zozeer leek haar gespannen kaak op een dijk die de aanval van een wassende rivier moest weerstaan. Ik kan niet nalaten deze gemoedstoestand in verband te brengen met wat ik van haar weet, nu ik al zo ver gevorderd ben in haar roman. Verdorie! Door al dat gedoe heb ik er niet eens met haar over gesproken!

Vanochtend, voor het verrassingsbezoek van Denise, was ik weer verder gegaan met lezen. Met veel minder bedenkingen over haar dan over mijzelf ... Zal ik wel in staat zijn om haar de begeleiding te geven die ik haar zo onbezonnen heb aangeboden? vroeg ik me af.

Maar al snel kreeg het leesplezier de overhand. Ik hield van de personages en heb me aan sommigen van hen gehecht. Daarna ergerde ik me aan een aantal gemakzuchtige oplossingen in haar schrijven, die ik wijt aan haar journalistenpen. Ik was geboeid door de in elkaar geschoven verhalen, de stellen die je leert kennen en weer achterlaat om nieuwe te leren kennen, maar halverwege de roman bekroop me het gevoel dat de verhaallijnen nu maar eens bij elkaar moesten komen. Ik had liever gezien dat de ongewone plot niet zo laat op gang kwam, zodat ik mijn aandacht niet zou verliezen. Wel zorgde ik ervoor dat deze bevinding geen invloed had op het resterende deel, want ik weet dat een eerste lezing eenmalig is en dat de volgende gevoed worden met deze eerste indruk. Alle ideeën die me invielen heb ik opgeschreven en de paginanummers genoteerd, omdat ik geen aantekeningen in haar manuscript wilde maken voordat ik de juiste formulering had gevonden.

Ik was op driekwart van het verhaal toen Denise aanbelde, zonder een telefoontje vooraf. Ik deed open in de veronderstelling dat het Jade was … dat ze haar sleutels was vergeten. En daar stond ik, verdwaasd, met het manuscript open op tafel en het potlood tussen mijn tanden. Ik schoof snel mijn aantekenschrift en de roman naar de stapel dossiers van Jade, terwijl ik in het wilde weg iets vertelde over het werk waar ze mee bezig was, en dat ik aan het opruimen was voordat ik ging stoffen. Ik voelde me als een kind dat op heterdaad wordt betrapt bij het kijken naar een verboden programma op de televisie. Om alles nog erger te maken, keek Denise me aan met zo'n blik waarmee je kinderen laat weten dat ze verkeerd bezig zijn, en ze begroette me niet eens voordat ze vroeg wat me bezielde om op zo'n manier mijn huis uit te vluchten.

Ik probeerde na te denken, maar er kwam niets. Alleen een rustige zekerheid tegenover haar verlangen erop los te slaan. Er is nog koffie, of wil je misschien thee of een glas water? Kom je rechtstreeks uit Lyon? Denise wilde een glas water en ging zitten. Ze keek om zich heen, naar de gezellige inrichting, de planten, de Afrikaanse stoffen, de boekenkasten, naar die vrolijke, levendige wanorde, alsof ze in Jades appartement de redenen van mijn vlucht kon achterhalen. Het kon niet anders of ze werd zich door mijn kalmte gewaar van haar eigen onrust. Ik ben ervan overtuigd dat er een geheime taal bestaat tussen de leden van één familie die elkaar hun leven lang kennen en waarvan de een de ander op de wereld heeft gezet. Ik keek naar haar, in haar stadstenue. De stof, de snit van het jasje en de rok getuigden van een vrouw die in een zekere welstand leefde. Ik zie haar weer voor me als kind, met haar eigengereide ideeën over wat ze naar school aan wilde. (Op sommige dagen stampvoette ze.) En later, in haar eigen omgeving, modern, kaal, zwart en wit, klinisch.

Ondanks de herinneringen die me bestormden – en die altijd door moeten klinken in het heden – verloor ik niet uit het oog dat ik op dit moment de gevluchte moeder was, de moeder die zij niet kende. Ik merkte dat ze, ondanks haar woede, op haar hoede was, wat waarschijnlijk werd ingegeven door deze verrassende ontdekking. Daar komt bij dat ik nog niet helemaal teruggekeerd was uit mijn lectuur. Ik had me vanaf 's ochtends ondergedompeld in Jades roman en, zonder op te houden met lezen, gegeten wat er in de koelkast en op de fruitschaal te vinden was. Mijn dochter leek dus gewoon een nieuwe romanfiguur, die onverwacht opdook, als in een theatercoup die ik volgde met mijn ogen van lezeres zonder dat ik er zelf een rol in speelde. Ik schonk een glas water voor haar in en wachtte rustig tot de volgende figuur het toneel zou betreden. Precies op dat moment stak Jade haar sleutel in het slot.

Ik weet het al heel lang. Tegenwoordig wil men niets meer van de dood weten. En nu probeert men ook nog de tijd te wissen die eraan voorafgaat. Het liefst zou men daarom oudjes zoals ik aan het oog onttrekken, uit angst dat ze de blik verstoren van degenen die willen vergeten dat elk leven een einde kent.

En hoe kun je ons beter verbergen, ons en onze onmiskenbare aftakeling, dan door ons bij elkaar te zetten in huizen die ver uit het zicht staan?

Ik wilde niet al te hard zijn toen ik mijn dochter erop wees dat in mijn tijd de leeftijd die zij zojuist had bereikt als richtsnoer gold. Door een jong meisje worden de zestigjarigen van toen over één kam geschoren met de tachtigjarigen van nu: omaatjes! Maar eigenlijk wilde ik haar vandaag iets anders vertellen.

Sinds ik met haar heb gesproken, is het alsof er een zware last van me af is gevallen. Ze heeft me nooit gevraagd hoe ik kon leven zonder Jean. Haar vader was overleden en dat betekende dat haar moeder was ingestort door het verlies van haar levensgezel. Verder ging het niet. Vooral niet te diep graven. Zij zal haar oude dag misschien niet eens aan de zijde van een man doorbrengen, want die is er immers vandoor gegaan, wat weet zij nu van eenzaamheid? Maar nee, dat is onzin. Je kijkt nooit zo ver vooruit als je oud begint te worden. Je denkt nog lang dat je jong bent. Maakt plannen. En je maakt je nergens druk om ...! Maar ik vraag me af hoe Denise, die vijandig staat tegenover zowel het verleden als de toekomst, daarmee omgaat.

Als ze zo nu en dan naar huis terugkwam, het huis uit haar

kindertijd, kwam ze niet thuis; ze vond er niet de wereld terug waarin ze was opgegroeid. Ze ging niet op zoek naar de geuren van vroeger, zoals Mariette, Léa en zelfs Jade. Ze was de enige die niet naar de tuin ging om er de eerste vruchten te plukken. Ik heb haar nooit aan de lakens in de kast zien ruiken. Ze heeft nooit ook maar de geringste toespeling gemaakt op haar kindertijd bij ons. Zoals ik haar ken, aangezien ik haar zelf heb gemaakt, vermoed ik dat ze haar beroepsactiviteiten voor minstens de komende veertig jaar heeft geregeld, zodat er geen tijd overblijft om daar allemaal over na te denken … Dat is haar vaste uitdrukking als haar zus Mariette haar iets vraagt: 'Als je daar allemaal over na moet denken …' Maar over dat 'daar allemaal', denkt ze onvermijdelijk na. Als ik mijn dochters gadesla – ik vind het moeilijker om me in het leven van mijn zoon te verplaatsen – merk ik hoe boeiend het is om je kinderen ouder te zien worden. Als baby's deden ze me denken aan al die kleine mensjes die mijn moeder op de wereld hielp en bij wie ze daarna regelmatig ging kijken of alles goed met ze ging. Later, toen ze groter werden, stelden ze me vragen over het leven en hoe het ons voortdrijft. Waarom sla je die richting in? En die andere weg, is dat mijn eigen keuze of wordt die bepaald door iets anders, dat buiten mij omgaat?

Tussen mijn dertigste en veertigste jaar werd ik 's nachts achtervolgd door dromen, waaronder een van een prachtig bos, vol met wonderlijke wegen, de ene nog aanlokkelijker dan de andere. Geen van die wegen wilde ik inslaan en als ik eraan terugdenk, voel ik nog de kracht van dit verlangen: ik wilde de kortste weg door het bos nemen, ik wilde het licht volgen dat door de takken sijpelde, lopen met een stukje blauwe lucht als kompas. Ik weigerde één stap te zetten op die met mos omzoomde, bochtige paden. Steeds als die droom terugkeerde, werd ik wakker met het onbevredigde gevoel dat ik geen tijd had gehad om uit te vinden of ik door mijn wei-gering daadwerkelijk langs boeiender wegen werd geleid dan de gebaande paden me boden.

Ik kon me nooit het vervolg van die vreemde droom herin-neren, of misschien ging hij ook niet verder. Er veranderde slechts één ding. Hoe vaker deze droom me achtervolgde, hoe minder gefrustreerd ik raakte door het gebrek aan tijd. Alsof ik de drang om toe te geven aan de verleiding van het gebaande pad inmiddels had overwonnen, en tegelijkertijd het idiote plan had laten varen om me dwars door het bos heen een weg te banen.

Op een late zomerdag, toen ik bezig was de beddenlakens op te vouwen, waartussen zo veel gasten hadden geslapen, realiseerde ik me ineens dat ik mijn droom over het bos al een paar maanden niet meer had gehad. Ik was toen een jaar of veertig. Ik heb lang gewenst dat hij terug zou komen en dat ik eindelijk te weten zou komen hoe het verhaal verderging. Maar het gebeurde niet. Dat verontrustte me. Had ik nu mijn verzet tegen de gebaande paden en het verlangen naar avontuur al opgegeven? Ik heb het nooit aangedurfd er een overhaaste, sluitende verklaring voor te vinden, maar ik miste de huiveringen en de diepe emoties die deze droom bij me losmaakte. Als de herinnering eraan bij me opkwam, voelde ik mijn hart bonzen, en dat alleen al maakte me duidelijk dat deze droom diepe geheimen voor mij verborgen hield.

Tijdens het lezen werd ik soms bevangen door diezelfde ex-tase, dat eindeloze verlangen, waardoor mijn hart werd opge-tild naar de hemel. Ik zat opgesloten in mijn rustige leventje, in een traag en sereen lichaam, terwijl er van binnen een vul-kaan sluimerde. Zou die wereld nooit tot uitbarsting komen? In het lezen en de droom was ze nog het meest zichtbaar, maar verder verraadde niets de slapende avonturierster. Ik heb nergens spijt van. Ik was gelukkig met mijn eenvoudige leven naast de man die zo goed bij me paste. Door alle kinderen die bij me kwamen, ben ik opgebloeid. Ik begeleidde ze in de jaren waarin de volwassenen niet altijd de omvang leken te beseffen van de beloften die zij in zich droegen. Daardoor had ik het gevoel een schatbewaarster te zijn. In dat opzicht waren ze net zo mysterieus en boeiend als de romans waardoor ik me liet meeslepen. Ze waren als onbeschreven bladen, waarop alle verhalen nog mogelijk waren; ze vormden een eindeloze hoeveelheid levens en soms stelde ik me hen, met het gezicht dat ik van hen kende, voor op de kronkelige paden van de avonturen die ze nog moesten schrijven ... Als ik nu aan die kleintjes terugdenk, zeg ik tegen mezelf ... Eh, dan zeg ik tegen mezelf. O, toe nou ... Ik weet het niet meer ... Wat vervelend is dat toch! Gisteren ook al, toen liep ik van de keukentafel naar het bureautje in de gang en wist ik niet meer wat ik daar ging doen. Ik denk altijd dat ik alleen maar terug hoef te lopen om het me weer te herinneren, alsof de verloren gedachte op de grond is gevallen en nog steeds op de vloer ligt te wachten.

Soms vraag ik me weleens af waar al die herinneringen, die je soms zo helder voor de geest staan, goed voor zijn als je tegelijkertijd bent vergeten wat er een dag geleden is gebeurd. Ze zijn als een vlucht vogels die wegtrekken. Ze kondigen hun terugkeer niet aan. Als ze langskomen, neem je vol ontroering elk detail waar. En dan is het voorbij.

Van de duizenden verhalen die ik heb gelezen over de lotsbestemming van papieren helden, heb ik geleerd dat je niet bang moet zijn om het verleden op te roepen. Het is zelfs noodzakelijk als je wilt begrijpen hoe gebeurtenissen met elkaar vervlochten raken en het stramien weven waarop het heden zich ontvouwt. Onze levens als ouders, als voorouders en als kinderen rijgen zich aaneen, terwijl we in alle rust onwetend blijven van de geschiedenis van de anderen. Dat is precies waar Jade en ik met zo veel vreugde aan werken in ons merkwaardige leven samen: elkaar met liefdevolle genegenheid ontdekken, over alles heen wat we al van de ander weten.

Jade hoefde niet lang te wachten. Aan het eind van de ochtend belde de hoofdredactrice haar op en vroeg op suikerzoete toon of ze even een blik wilde werpen op het onderzoek van de journaliste die met het polygamieverhaal bezig was ... Jade discussieerde niet graag over de telefoon. De strijd aanbinden deed ze liever oog in oog met iemand. Mochten ze op de venijnige toer gaan, dan wilde ze haar bazin wel even inpeperen dat ze niet met zich liet sollen. Dit onderwerp was haar idee geweest, en nu het zonder overleg door iemand anders werd geschreven, was ze niet van plan alsnog te hulp te schieten. In de metro vergat ze een ogenblik haar boosheid en er verscheen een glimlach op haar gezicht toen ze zich afvroeg op welk station de Zweedse Indiër ook alweer was ingestapt. Ik lijk wel een puber! zei ze tegen zichzelf, toen ze zag dat ze vandaag anderhalf uur later was. Ze had weinig kans het toeval een handje te helpen, zoals hij gisteren suggereerde! Toen ze zich de vorige dag weer voor de geest haalde, realiseerde ze zich dat ze helemaal vergeten was met Mamoune over haar manuscript te praten, maar ze moest het wel gevonden hebben, want het lag niet meer op de tafel. Maar was ze er al aan begonnen? Vanmorgen had Mamoune een kreetje van vreugde geslaakt toen ze een bepaald boek ontdekte in

Jades bibliotheek. Opgetogen had ze het doorgebladerd, als een klein meisje dat een verloren stuk speelgoed heeft teruggevonden. Toen Jade haar ietwat verbaasd aankeek, vertelde Mamoune dat sommige boeken belangrijke mijlpalen waren geweest in haar leven als lezeres. Net als de meeste andere boeken die Mamoune had gelezen, was ook dit werk van Virginia Woolf weer teruggekeerd naar de dorpsbibliotheek, maar op de denkbeeldige planken in haar hart bleef het behouden. Ik ga het nogmaals lezen, zei haar grootmoeder, en er dubbel plezier aan beleven: vanwege het herontdekken, en vanwege de herinnering aan de dag waarop ik dit boek voor het eerst ontdekte. Plezier, herinnering aan plezier. Jade wierp een vluchtige blik op de wekker in de gang, sprong op en pakte haar jas. Het is al laat, Mamoune, vanavond praten we verder over literatuur. Op een holletje verliet ze het appartement. Ik ben net als die overbezorgde ouders die hun kinderen een zoethoudertje voorhouden, dacht ze een beetje beschaamd ...

Maar ze werd alweer in beslag genomen door de argumenten die ze in het gesprek over het artikel naar voren wilde brengen. De titel van de roman waar Mamoune zo blij mee was, was haar ontschoten.

Voordat ze haar grootmoeder uitnodigde om bij haar te komen wonen, werkte Jade, nadat de onderzoeksfase was afgerond, vaak thuis aan haar artikelen. Was het de aanwezigheid van Mamoune waardoor ze nu met andere ogen naar haar honk keek? Toen ze met Julien samenwoonde, was hij er nooit overdag en was het eenvoudig geweest om van haar huis een kantoor te maken. Maar nu? Ontvluchtte ze haar huis om niet het gevoel te krijgen dat ze haar vrijheid was kwijtgeraakt door de aanwezigheid van Mamoune? Bijna elke dag van de week was Jade weg. Ze zou meer tijd thuis met Mamoune kunnen doorbrengen. Waar was ze bang voor, dat ze het stiekem nodig vond zichzelf te bewijzen dat ze haar niet de hele dag hoefde te bemoederen? Wilde ze wel met Mamoune samenwonen? Wat bracht Mamoune op haar pad, net op een moment in haar leven dat ze zich ontwikkelde tot een onafhankelijke vrouw, die openstond voor een veelheid aan nieuwe kansen?

Haar voeten hadden haar naar de grijze metrogangen geleid en gedachteloos was ze op een andere metro overgestapt. Waarom had Mamoune niets over het manuscript gezegd? Misschien was ze er nog niet aan begonnen. Jade stelde zich Mamoune voor in de leren fauteuil in de huiskamer, die ze zich onmiddellijk had toegeëigend. Ze had er zelfs een omslagdoek in gelegd, die ze de volgende dag bijna schuldbewust weer had weggehaald. Bij de eerste de beste gelegenheid had Jade hem weer teruggelegd. Door deze onopvallende handeling hoopte ze Mamoune duidelijk te maken dat ze zich bij haar thuis kon voelen en dat het haar plezier deed dat ze een eigen plekje wilde veroveren.

In de metro waren er nooit zonnige dagen, alles was er zwart en grijs getint, behalve … die brede glimlach die opnieuw al het andere naar de achtergrond verdrong. De Zweedse Indiër, of omgekeerd, was tegenover haar komen zitten. Jade zag in zijn zwarte ogen een zweem van jubelende blijdschap toen hij tegen haar zei: Je gaat dus niet elke dag op dezelfde tijd met de metro. Jij ook niet, antwoordde Jade … Hoe kon ze weerstand bieden aan dit open gezicht, dat doorlopend gevoed leek te worden door een krachtige innerlijke lichtbron?

'Rajiv was ervan overtuigd dat hij vertrouwen moest hebben in het toeval! Gelooft Jade in het lot?'

Gisteren had hij 'lot' gezegd. Vandaag 'toeval', mogelijk waren die twee met elkaar verbonden … Hij had haar voornaam onthouden, stelde ze vast, en herinnerde haar tegelijkertijd aan de zijne. Jade probeerde naar hem te lachen. Ze had het gevoel dat het verschrikkelijk flets overkwam. Ik geloof dat je het lot altijd moet helpen, zei ze op dezelfde toon als hij. Dat is een goed idee, het lot is altijd erg gelukkig als je het helpt! Dat gebeurde haar anders nooit, lachen met een onbekende in de metro, en het was zo aangenaam. Ze spraken met elkaar als oude bekenden. Jade vroeg naar zijn leven in Parijs. Hij studeerde biologie of iets in die richting. Hoe oud zou hij zijn? vroeg ze zich af, terwijl ze een blonde haarlok tussen haar vingers draaide. Hij zag er jong en onstuimig uit en ze gaf hem niet meer dan drieëntwintig jaar, maar de diepgang die van heel zijn wezen uitging, verwonderde haar. Alles wat hij zei was voor tweeërlei uitleg vatbaar en hij leek er een heimelijk genoegen in te scheppen haar te zien nadenken over de werkelijke betekenis. En daar kwam nog die rauwe stem bij, die diep uit zijn binnenste leek te komen. De halte voordat zij eruit moest, boog Rajiv zich naar haar toe. Hij was haar vlucht van gisteren niet vergeten. Als je het eindeloze geduld van je Indiase medemens niet al te zeer op de proef wilt stellen, zou je me dan misschien willen zeggen hoe laat je morgen de metro denkt te nemen? Ze zei nog een keer tegen zichzelf dat die glimlach haar ongeluk zou brengen en haar van haar verstand zou beroven, maar overhandigde hem snel haar kaartje met haar telefoonnummer. Voor het geval het lot net zo moe is als het toeval, kunnen we maar beter de eenvoudigste weg kiezen. Met een klein hoofdknikje stopte hij het kaartje in de zak van zijn jeansjasje. Wederom vluchtte ze naar de deur en stapte uit zonder om te kijken, maar toen ze met bonzend hart op het perron liep en de metro haar voorbijreed, kon ze niet nalaten naar het coupéraampje te kijken en zag ze dat een nog steeds lachende Rajiv haar een klein teken gaf met zijn hand. Ze wist dat ze in de komende minuten door een deel van zichzelf voor idioot zou worden uitgemaakt: wat had haar bezield om haar kaartje aan een onbekende te geven? Maar in een ander hoekje van haar hoofd zong ze een zacht melodietje, lachte en spotte ze met dat gevoel van onbehagen, dat bovendien irritant snel verdween. Het had weinig gescheeld of ze had een leeg schrift gekocht om er onwaarschijnlijke verhalen in op te schrijven. Maar Rajiv had wel gelijk, met zijn lot. Had ze niet de vorige dag nog naar een onbekend land willen vertrekken? Was het geen knipoogje van dat beroemde lot om haar een Indiër te sturen, die ze tweemaal had ontmoet, bij ... toeval? Als ze er nog eens goed over nadacht, was die onverwachte ontmoeting in de metro eigenlijk wel merkwaardig ... Tenzij hij ...

Mamoune

Als ik toch alles eens kon opnemen wat me door het hoofd speelt! Net als Jades computer zou ik met één klikje moeiteloos mijn gedachten terug kunnen vinden. Ik moet alles blijven noteren wat ik over haar roman wil zeggen, en misschien ook wat ik niet wil zeggen en wat ik voor het moment nog even voor me houd. Raar is dat, ik dacht dat er nog een pak koffie was, dat ik ergens heb opgeborgen. Misschien op een verkeerde plek en heeft zij het weer goed gezet. In die kast misschien ...

Sinds ik begonnen ben met lezen, ben ik ervan overtuigd dat er in Jade een schrijfster schuilt. Schrijvers hebben zo'n eigen manier van kijken en zien dingen die aan ons voorbijgaan. Ik ben een lezeres. Ik zou nooit een tekst kunnen schrijven, hoe kort ook, maar wanneer ik de roman van een schrijver lees, word ik altijd weer getroffen door die bijzondere blik: de wijze waarop hij het alledaagse belicht vanuit een ongebruikelijke hoek, de kunst een verband te leggen tussen zaken waar geen verband tussen lijkt te bestaan. En hoe meer hij me meesleept in een geloofwaardig verhaal, hoe ongrijpbaarder hij wordt. Wat me zo aantrekt, zijn altijd de gedachten van de romanfiguren en de gave van de auteur, die me meeneemt om ze te bezoeken. De bladzijden zijn volgeschreven, maar toch laten ze me genoeg ruimte om mijn eigen gedachten te volgen, het verhaal dat ik in het verhaal creëer ... En al schrijf ik dan zelf geen romans, in mijn verbeelding herschrijf ik vol eerbied de boeken waar ik van hou. De droomwereld die de literatuur me biedt, openbaart me een werkelijkheid: die van mezelf. Ik weet niet wat de auteur ontdekt tijdens het schrijven, maar in wat hij verzwijgt ontwaar ik een rijkdom waaraan ik de mooiste ontmoetingen met mijn onbekende zelf ontleen. In Jades roman echter krijg ik vaak de kans niet om deze hoge vlucht te nemen. Ze laat me geen ruimte om mijn eigen paden, mijn eigen interpretaties te volgen. Hoe moet ik haar dat duidelijk maken?

Als ik lees, heb ik geen leeftijd, ga ik tijdelijk op in het leven van de romanfiguren, ik trouw, ik scheid, ik pleeg verraad of ik bega vergissingen. Toen ik jong was en een epos las, werd ik oud met de helden en beleefde samen met hen de schandelijkheden van het leven. Tegenwoordig ga ik terug in de tijd met hen, ik word jonger, maar gevoed door mijn ervaring zie ik de klippen, ken ik de vallen waar ze zich in zullen storten. Ik voelde me weleens minder levend dan de romanfiguren die ik zo gepassioneerd volgde. Als ik het boek weer dichtdeed, bedacht ik met een schok dat ik voor mezelf eigenlijk ook wel een leven kon verzinnen en er de kleur van een romance aan geven. En een paar dagen lang was mijn leven niet meer hetzelfde ... Ik moet haar vertellen dat ik erg gecharmeerd ben van de stellen die in haar roman korte anekdotes vormen, maar dat ik op het laatst bepaalde personages niet meer uit elkaar kon houden omdat ze zo veel op elkaar lijken.

Ik moet even gaan rusten. Ik weet niet wat ik vanmorgen heb. Ik blijf maar bezig, terwijl ik toch voel dat mijn benen me niet meer willen dragen. Ah! Nu ik zit gaat het beter. Kijk eens, het lijkt wel of de ficus nieuwe bladeren krijgt. Hij lijkt het dagelijkse begieten en het schoonmaken van zijn bladeren dus wel te waarderen ... Evenals de verhalen die ik hem 's ochtends vertel.

In Jades roman leert de lezer de personages kennen en weet hij dat ze niet lang meer te leven hebben, wat zij zelf echter niet weten. De roman draait maar om één verwikkeling: meegesleept door de levensverhalen van eenieder, vergeten we hun naderende dood, en telkens opnieuw dompelt de verteller ons onder in de mysterieuze en steeds beklemmender dreiging van wat hun te wachten staat. We zien het elke dag in onze eigen kleine, arme leventjes. We vergeten zo gemakkelijk dat alles van het ene op het andere moment voorbij kan zijn.

En ik loop hier te piekeren over lessen aan een romanschrijfster, met de onschuld van de eeuwigheid voor me; wat wordt er toch in mijn aderen gesponnen terwijl ik mijn dagelijkse gedachten brei? O, en ik moet niet vergeten dat lieve kind te vertellen dat ik het einde niet helemaal geloofwaardig vind. Mijn god, het heeft mijn kleindochter zo veel tijd gekost om deze roman aan haar hart te ontfutselen, hoe moet ik in vredesnaam al die opmerkingen en kritische noten aan haar overbrengen? Het is me een raadsel! Ik kan me voorstellen dat ze tijdens het schrijven bang is geworden om gelezen te worden, en dan is er ineens een gebrekkige grootmoeder, die ze liefdevol heeft opgenomen en heeft gered van het ergste, een zogenaamde ervaren lezeres, die nu het klaar is haar werk komt beoordelen en haar breekbaarheid als auteur op de proef stelt!

Ik ben gewoon een lezeres tussen vele andere die de roman van mijn kleindochter misschien wél waarderen. Ben ik niet te veeleisend geworden? Of heb ik me misschien meer ontwikkeld door de boeken, wie zal het zeggen? Soms legde ik een boek weg dat ik dan een paar jaar later met plezier weer oppakte. En wat te denken van mijn eerste romans, waar ik me op een hoekje van de tafel hakkelend doorheen werkte, in de zekerheid dat het me ooit vloeiend af zou gaan en dat ik al een minuscuul stukje weefsel van het heelal in mijn handen hield? Er is iets in mij gebeurd dat steeds sterker werd, dat van boek tot boek mijn ogen, mijn herinnering en elk deel van mijn lichaam meer begon te beheersen. Ik weet nog hoe gefascineerd ik was door het wonder dat goede boeken zich altijd op het juiste moment aandienden. Soms vielen ze van de plank om me antwoord te geven op de vragen die het leven me stelde. Zo vond ik in een tijd waarin ik erg verbitterd was mijn geduld weer terug, ontdekte ik de deugden van de gedroomde liefde, gaf ik het reizen naar andere levens op, zette ik moord bij op de plank van het onmogelijke. Ik heb alles meegemaakt, ben duizend jaar en dat dank ik aan de boeken.

Ik zou haar zo graag helpen en haar vertellen wat me stoorde bij het lezen, zonder dat ze zich beledigd voelt. Net als bij dat kind waar ik op paste. Hoe heette dat ook alweer? Ze begon net te lopen. Ik zie haar moeder nog zo voor me, een sprankelende, kleine brunette met wie ik 's avonds altijd de vorderingen van haar dochter besprak als ze haar kwam ophalen. Op een keer vertelde ze me dat ze zich zo onzeker voelde bij de aarzelende pasjes van haar kind, dat vaker viel dan dat het haar evenwicht bewaarde. Ik zou zo graag haar armpjes pakken, klaagde ze, maar dan geef ik haar de boodschap mee dat ze niet alleen kan lopen, dat ik weet dat ze gaat vallen. Ik wil niet dat ze weet dat ik bang ben, ik moet doen of ik in haar geloof. U begrijpt wel wat ik bedoel, Mamoune, dat ze voelt dat ik vertrouwen in haar heb en dat ik haar nog net kan pakken voordat ze valt, zodat ze zich geen pijn doet. Ik glimlachte. Wat je me nu vertelt, beschrijft precies hoe het leven van een moeder er lange tijd uitziet, antwoordde ik haar.

Misschien heb ik diezelfde wens bij het lezen van Jades roman. Ik herinner me dat ik in die eerste tijd dat ik begon te lezen, en dat is de charme van late beginnelingen, vol bewondering was over de wijze waarop je met behulp van taal magische denkbeelden kon scheppen. Het Frans dat ik dagelijks gebruikte leek bijna een andere taal. Ik was betoverd en vergeleek deze kunst met die van een topkok die met dezelfde ingrediënten als ik gerechten kon bereiden die ver buiten mijn kunnen lagen, en smaken kon mengen waarvan ik de samenstelling niet kon analyseren. Soms, als ik werkelijk werd meegesleept door de schoonheid van het geschrevene, luisterde ik anders naar de dagelijkse gesprekken en probeerde ik de banale zinnetjes die ik hoorde om te zetten in de stijl van de auteur. Ik vroeg me af hoe de gesprekken zouden luiden als ze geformuleerd werden door een groot schrijver. Is dat wat mijn kleindochter nastreeft? Of, als het werkelijke leven altijd aanwezig is in het fictieve, ontdekken in hoeverre het omgekeerde waar kan worden?

Rajiv had Jade meegenomen naar een Indiaas restaurant in een klein straatje in het tiende arrondissement. In de winkeltjes hier hing overal de geur van kruiden. Ze zaten in de achterzaal van het restaurant, die was ingericht als een exotisch filmdecor, met stucwerk en met gouddraad geborduurde stoffen. De eigenaar, die Rajiv goed kende, heette zijn gasten persoonlijk welkom. Dit is de trouwzaal, zei Rajiv plagend.

'Keuze of toeval?'

'Dit is mijn lievelingsrestaurant. Je bent hier tegelijk in Parijs, in Londen en in India.'

'En niet in Zweden?'

'Daar heb ik maar twee jaar gewoond. Als ik tegen een meisje dat ik in de metro ontmoet, zeg dat ik Zweed ben, doe ik dat alleen maar om interessant te lijken. Ik herinner me er niet veel van ... Maar ik ga er graag met mijn moeder naartoe.'

'Hm! En ontmoet je veel meisjes in de metro?'

'O, ja! Elke ochtend een wagon vol', bekende hij, terwijl hij haar een stuk naan gaf.

De gerechten verschenen achter elkaar. Jade had niets besteld. Rajiv ook niet. Ze had alleen opgemerkt dat hij een paar woorden in het Hindi tegen de eigenaar had gezegd en dat hun tafel vol kwam te staan met kleine gerechtjes, het ene nog aantrekkelijker dan het andere.

Twee dagen. Ze heeft maar twee dagen nodig gehad om mijn roman te lezen. Ze moet hem verslonden hebben en bovendien haar ogen erbij bedorven, ze heeft zelfs nog gezegd dat ze sommige passages meerdere malen heeft gelezen, zodat ze zich niet zou vergissen in de dingen die ze tegen me wilde zeggen.

Jade wist niet waarom ze Rajiv zo snel had willen vertellen dat haar grootmoeder bij haar woonde en dat ze had aangeboden haar met haar boek te helpen, zodat het gepubliceerd kon worden. Ze hield meteen van de stralende blik, die diep in de hare verzonk. En ze vertelde Rajiv ook hoe verbaasd ze was geweest over het commentaar van haar grootmoeder.

Het gesprek over de roman was eigenaardig op gang gekomen. Toen Jade thuiskwam van haar werk, durfde ze niet te vragen of haar grootmoeder hem al had gelezen, maar aan het eind van de maaltijd, terwijl ze een peer verorberde, zei Mamoune, alsof het de gewoonste zaak van de wereld was: Zullen we het eens over je roman hebben? O, heb je hem al uit? vroeg Jade, onzeker ineens. Mamoune glimlachte. Ik ben klaar met lezen, maar jij nog niet met het herschrijven, wil het uiteindelijk de roman worden die jou voor ogen staat …

Deze scène had zich de vorige avond afgespeeld en Jade voelde de behoefte om Rajiv te vertellen hoe rustig, terughoudend en bijna ernstig Mamoune was geweest toen ze haar vertelde op welke punten het boek het verdiende herschreven en verbeterd te worden. Ze was bang dat Jade haar verkeerd zou begrijpen. Volgens haar was deze roman de eerste versie van een schrijver. Daar was ze van overtuigd. Jade was in de war door de zorgvuldigheid waarmee Mamoune haar nauwgezet vertelde wat ze vond van de manier waarop hij was geschreven: haar gretigheid, haar neiging om alles uit te leggen, het lukraak op papier te zetten. Mamoune had het allemaal begrepen, de klaterende beekjes, de watervallen, de open zeeën, maar ook de kalme meren waar volgens haar iets aan het ontstaan was. Daarna had Mamoune, bijna terloops, die wonderlijke zin uitgesproken, die Jade helemaal van de wijs bracht: *Laat de journaliste de schrijfster niet verslinden.*

Over deze laatste zin had Jade met geen woord gerept tegen Rajiv. Ze vond het heerlijk om met hem te praten, en te ervaren in welk opzicht deze ontmoeting verschilde van alles wat ze hiervoor had meegemaakt. Ze verlangde ernaar om weer iemand te leren kennen, zich voor hem open te stellen. Met verbazing kwam ze tot de ontdekking dat ze een dergelijk verlangen, zonder zich ervan bewust te zijn, al lange tijd niet had gehad. Terwijl ze hem vragen stelde over zijn kindertijd in Londen, over zijn ontdekkingsreis naar India op zijn zeventiende, observeerde ze de manier waarop hij zijn handen bewoog, de trekken van zijn gezicht, het licht in zijn ogen. Ze leek de geuren van de gerechten, het korrelige van zijn rauwe stem, de specerijen die ze proefde en … het groeiende verlangen in haar lichaam dat in deze aangename sensaties rondwalste, in een vreemde mengeling waar te nemen.

Rajiv vertelde over zijn terugkomst naar Europa, diep onder de indruk van de kennismaking met zijn land van herkomst, over zijn studie in Londen en later in Parijs. Hij was minder jong dan hij eruitzag.

'Voor Indiërs ben ik een oude vrijgezel die allang getrouwd had moeten zijn. Ik ben bijna dertig. Maar voor jou zou het daar erger zijn, ze zouden denken dat je ouders geen geld hadden om je uit te huwelijken of dat er niemand was die je wilde hebben! In Indië is het een belediging om tegen iemand te zeggen dat je hoopt dat hij veel dochters krijgt en dat ze allemaal een goed huwelijk zullen sluiten.'

Terwijl ze met Rajiv sprak, werd Jade zich ervan bewust

dat ze sinds ze met Julien had samengewoond, met niemand meer zo open van gedachten had gewisseld. Natuurlijk was ze mannen blijven ontmoeten, samen met hem of alleen. Maar nooit raakte ze dat gevoel van 'samen zijn' kwijt. Een stel vormen met iemand had haar houding en ongetwijfeld ook die van de anderen veranderd. Het was het excuus geworden om de verontrustender waarheid over die ontmoetingen te verdoezelen. Ze vertelde niets meer over zichzelf en voelde geen enkele behoefte om iets over hen te weten te komen. In haar beroep stelde ze vragen om mensen te leren kennen, maar in haar leven vroeg ze niets en gaf ze zich niet bloot. En nu verschuil ik me al jarenlang achter mijn pen, dacht ze.

Rajiv legde een onverholen nieuwsgierigheid aan de dag. Hij schuwde geen onderwerp en wat als indiscreet beschouwd zou worden als het van een ander kwam, leek bij hem door zijn onschuld een natuurlijke interesse. Hij vroeg of haar grootmoeder uit liefde was getrouwd en hoe zij omging met het verlies van haar man ... Vragen die Jade zichzelf nooit had gesteld! Hij vertelde ook dat haar grootmoeder met haar geschiedenis van geheime lezeres een Indiase was en dat er gezegd werd dat elke mens in een vorig leven Indiër was geweest. Jade vond het heerlijk om naar hem te luisteren, in haar omgeving was er niemand die zich uitdrukte zoals hij. En terwijl hij tegen haar sprak, streelde hij af en toe licht over haar hand, haar arm of haar wang, schijnbaar gedachteloos, met een vanzelfsprekende genegenheid. Het contact met zijn matte huid bezorgde haar rillingen. Ze voelde zich steeds naakter worden onder zijn blik. Ze bedacht dat het nauwelijks twee dagen geleden was dat ze zich had afgevraagd waar het leven eigenlijk toe diende. Alles leek haar zinloos. Kinderen baren, een paar vormen, een minnaar hebben ... Hoe dan ook, om oud, eenzaam en ziek te worden, hoefde ze alleen maar zo door te gaan ... Ze dacht ook nog dat ze haar leven alleen en op reis zou doorbrengen, dat ze geen banden zou hebben. En nu, geïnspireerd door de verzekering van haar grootmoeder dat ze een schrijfster was, voelde ze zich mooi in de nachtzwarte ogen van deze hartstochtelijke man, was ze een ontwikkelde vrouw met een stralende lach en een zinderend verlangen om te leven.

Na de lunch met Rajiv kwam ze thuis en meteen dansten haar romanfiguren haar weer voor de ogen. Ze begon na te denken over hun leven, hun rol in het verhaal, probeerde erachter te komen welke ze moest schrappen of hoe ze ze moest veranderen. Omdat ze het boek acht maanden eerder had afgemaakt, leek het een beetje alsof het niet meer van haar was. Ze was niet boos geweest om de opmerkingen van Mamoune. Je moet volwassen worden, leren die woordenvloed te bedwingen waardoor je je veel te gemakkelijk mee laat slepen, had haar grootmoeder gezegd, maar goeiedag zeg, wat een verbeeldingskracht! Jade vond dat Mamoune wel iets weg had van een heks! Ze kwam van het land, bezat de kennis der wijzen en had zich de magie van het lezen eigen gemaakt zonder haar ogen te verbranden. En ze kende de waarde van wat er achter de woorden schuilging. Ze was haar goede fee. Jade dacht dat ze haar van het verzorgingshuis had gered, maar het was juist haar grootmoeder die haar opviste uit de oceaan van treurigheid waarin ze gevangen zat. Door de opmerkingen van Mamoune over haar roman, kreeg Jade een duidelijker beeld van wat ze niet had kunnen zien of begrijpen tijdens de herlezing van haar werk. Wat ze niet had kunnen of willen lezen in de afwijzingsbrieven die ze van de uitgevers had gekregen. Ze had die brieven als kwetsend ervaren. Ze wilden haar boek niet en het was niet geschikt voor publicatie. Ze had zichzelf wijsgemaakt dat de vreugdeloze manuscripten zonder stijl, zonder bezieling, die elke dag van de persen rollen, meer waard waren dan de roman die zij dacht geschreven te hebben. Het was een harde les!

Mamoune was hier gekomen als de fee uit Assepoester, die de prinses onder haar lompen vandaan toverde. Die haar naalden, stof en linten aanreikte en vertelde waar de juwelen lagen die pasten bij wat Jade als een roep in zich voelde vibreren.

Toen Jade haar eerste roman schreef, leefde ze in de zevende hemel. Als ze 's avonds uitging met haar vrienden, na een dag in het diepe gesparteld te hebben, vertelde ze soms dat ze een boek aan het schrijven was. Ze zag ongeloof of spot in de blikken. Ze geloofden haar niet. Een schrijver was in hun ogen iemand die al had gepubliceerd. Maar Jade wilde niet dat men haar voor een schrijver hield ... Ze schreef. Desalniettemin prezen ze haar moed dat ze eraan was begonnen. Iedereen wilde schrijven, iedereen dacht dat hij iets te zeggen had. Maar werden het daarom ook boeken?

Met haar scherpe en tegelijk welwillende blik had Mamoune ervoor gezorgd dat ze nu anders aankeek tegen wat in het begin niet meer dan een onbezonnen daad was.

Haar grootmoeder had op bijna strenge toon gezegd: Als je ervoor kiest je roman naar uitgevers te sturen, mag je nooit vergeten dat jij wilt dat hij gelezen wordt, noch de verplichtingen die dat met zich meebrengt. Voordat ze Mamoune in haar kruisvaardersrol van begeleidend lezeres had gezien, had Jade zich dat nooit gerealiseerd. Op haar schouders voelde ze de schaduw van haar grootmoeder, die haar aanspoorde onbekende, en wie weet gevaarlijke gebieden in zichzelf te verkennen.

En Jade zelf, wat was zij voor lezeres geweest? Die vraag moest ze zichzelf stellen, want ze was ervan doordrongen dat lezen en schrijven in de lijnen van één hand besloten lagen. Had Mamoune haar, toen ze in het geheim haar boeken verslond, aangezet om te gaan schrijven, via die stilzwijgende band die er tussen een kleindochter en haar grootmoeder wordt geweven?

Jade had zich haar hele leven ondergedompeld in de literatuur. Soms kwam ze wezenloos weer boven, omdat ze bepaalde passages niet wilde lezen, omdat ze bang was, omdat ze niet wilde dat het gebeurde. Ze was verblind door haar verlangen dat personages die haar diep raakten, niet terechtkwamen in waanvoorstellingen die haar schrik aanjoegen. Ze wilde dat zij gespaard bleven voor een lot dat zich altijd boven op het hare leek te stapelen. Als adolescente had ze tijdens het lezen al begrepen dat zij zelf te ver ging, zij zelf aan het geweld ontsnapte, zij zich zelf aan seks overgaf, zij zelf niet meer wist waar de grenzen getrokken moesten worden. Het onmogelijke. Was het de ontmoeting waarop ze had gehoopt toen ze met schrijven begon? De ontmoeting met een onbekende, die ongeweten in haar verscholen zat, een vrouw die haar haar diepste verlangens zou openbaren? En was het in dat geval wel juist om met dit avontuur in de armen van haar grootmoeder terug te keren?

Mamoune

Jade is nog niet thuisgekomen. Ze werkt op het redactiebureau. Als ik alleen ben in haar woning, verzoen ik me weer met mijn eenzaamheid en ik ervaar het als een weldaad. Ik wil haar jonge leven niet belasten en haar afwezigheid bewijst me dat ze gewoon verdergaat met haar leven. Het stelt me gerust dat ze vertrouwen in me heeft, dat ze niet bang is om me alleen te laten. Ze belt me als ze verlaat is, stelt me op de hoogte van haar werktijden, maar houdt altijd een speling van een of twee uur aan, zodat we ons geen van beiden verplicht hoeven te voelen op de ander te wachten. Ze heeft me verteld dat ze een jongeman heeft ontmoet in de metro en dat ze vandaag met hem gaat lunchen. Ze vertelde het terwijl ze zich aankleedde, alsof het niet belangrijk was, maar ik hoorde de blijdschap in haar stem, een vleugje opwinding vermengd met angst. Als het maar niet gevaarlijk voor haar is ... Nee, ze is te slim voor dat soort domheden.

Ze weet niet wat me bespaard is gebleven doordat ik hier bij haar ben komen wonen. Ze is een jonge stedelinge. Ze weet niet hoe min sommige mensen op het platteland zich kunnen gedragen. Eenzame oudjes, die in hun laatste levensjaren onder de hoede worden genomen van hun familie of hun buren. Onder het valse voorwendsel dat ze zich om hen bekommeren, hen bemoederen, beroven ze hen heimelijk van hun sieraden en hun autonomie. Nog tijdens hun leven halen ze ongemerkt hun laden leeg, om de erfgenamen voor te zijn. Ze doen aan liefdadigheidswerk en plunderen ondertussen de ouwe sok uit de uitzet van het weduwe geworden bruidje van vroeger. Hoeveel van die naïeve omaatjes heb ik niet gezien, die door de parochiepastoor aan de zorgen werden toevertrouwd van de naaste buurvrouwen, die zich in hun huis installeerden, tijdens de siësta over hen waakten en tegelijkertijd de kasten inspecteerden? En de jongeren, die zich ineens geroepen voelen hun grootmoeder op te zoeken, om haar voor het laatste oliesel nog de laatste aderlating toe te dienen.

Toen ik de eerste keer onwel werd, heb ik bij de roofdieren aan de noodrem getrokken. Familie of buren, ik zou niet graag zelf ervaren wat me bij de anderen zo heeft geshockeerd. Jade is niet op haar eigenbelang uit, en als ik hier moet sterven, of op een laatste sprankje helderheid na mijn verstand kwijtraak, dan blijft die teleurstelling me in elk geval bespaard.

Ik kan nooit dankbaar genoeg zijn voor de literatuur, die ervoor heeft gezorgd dat ik boven mijn stand kon leven, die me het dagelijks leven toonde alsof ik naar een voorstelling keek. De benepen en vrekkige figuren die ons platteland bevolken met hun gewichtigdoenerij; in de boeken werd hun begerigheid duidelijk voor het voetlicht gebracht. Als ik opkeek, zag ik ze gaan, echter dan echt. Ik kon ze een andere naam geven, maar hun drijfveren waren dezelfde. Soms leken de woorden op de woorden die ik hoorde, maar zij bepaalden het lot en ik zegende de schrijvers die het dorpsleven, dat ik plotseling met andere ogen zag, voor mij ontsluierden. Vanuit deze genade heb ik me niet langer afgevraagd of ik recht had op boeken, of deze verhalen niet voorbehouden waren aan de geschoolden, aan de mensen uit de stad. Ik begreep dat ik de spiegel die de literatuur me bood van nu af aan niet meer kon missen. De school van Jules Ferry had me leren lezen, die van de literatuur zou me leren hoe ik moest leven.

Ik voel me niet moe … Dat gevoel van uitputting dat me overviel – toen ik nog alleen thuis woonde en de sterfdag van Jean naderbij kwam – heb ik niet meer. Ik let goed op mezelf als Jade er niet is. Ik dwing mezelf om te gaan rusten, om niet te ver van huis te gaan. Situaties waaruit ik me niet alleen kan redden, probeer ik te vermijden. Ik ga alleen douchen of baden als Jade in de buurt is, en blijkbaar doe ik daar goed aan. Vanavond zat ik in bad en kon ik mijn benen niet meer bewegen. Ik doe de deur nooit op slot en heb meteen geroepen, mijn hart klopte zo snel en heftig dat ik het gevoel had dat het uit mijn borst zou springen. Ik dacht dat ik schreeuwde, maar Jade vertelde dat ze me amper had gehoord, het leek meer een zucht. Ze liep langs in de gang, vlak bij de deur. Ze kwam binnen en heeft me uit bad gehaald, gesteund, geholpen, getroost. Ik verontschuldigde me en huilde tranen van onmacht en van schaamte omdat ik haar mijn oude karkas opdrong. Mamoune, lieve Mamoune, fluisterde ze, laat me je helpen. Het is juist omdat je dan niet bij vreemden hoeft te zijn dat ik voor je wilde zorgen en je de aandacht geven die je verdient. Je hebt me zo veel liefde gegeven toen ik klein was en dat doe je nog steeds. Mamoune, lieverd, waar ben je bang voor? Wat verwijt je jezelf? Dat je oud bent stoort me niet. Je hebt geen leeftijd, je ruikt naar melk, naar viooltjes, naar vanille. Laat me je haar doen. Ze heeft me aangekleed en mijn haar gekamd alsof ik een kind was, een pop. Ik wist niet wat ik moest denken van zo veel genegenheid. Het was troost en verdriet tegelijkertijd, het was het bewijs dat ik niet meer alleen kan leven.

Ik ben verloren. Vanaf nu moet er op me gelet worden. Maar ik ben minder bang om dood te gaan dan om haar tot last te zijn. Ik vrees dat Jade zich realiseert dat ze een stommiteit heeft begaan door mij bij haar in huis te nemen en ik ben het aan mezelf verplicht om haar van die taak te ontlasten, haar mijn beslissing mee te delen dat het mijn eigen wil is om naar dat tehuis te gaan. Ze heeft een arts gebeld die ze kende en hij heeft niets bijzonders kunnen ontdekken. Lage bloeddruk, vermoeidheid. Niets ongewoons op uw leeftijd, zei hij. Ik weet het, het is mijn leeftijd die ongewoon is. Ik ben nu hulpbehoevend en volledig bij mijn verstand. Maar ik laat me niet klein krijgen. Ik heb nog iets te doen voor ik in een rolstoel ga zitten wachten totdat iemand me voortduwt. Ik wil Jade helpen bij haar roman. God zij dank zijn mijn ogen nog goed. Ik heb het vanavond nog een keer tegen haar gezegd, nadat de arts was vertrokken. Als ze haar boek heeft herzien, zal ze me de adressen en de enveloppen geven. Ik zal zorgen dat ze verstuurd worden. Ik zal de drukproeven lezen en de manuscripten weer op de post doen. Dat kost geen inspanning ... Dat kan ik rustig thuis doen. Volgens mij wordt haar roman ... O, ik weet niet goed wat voor spel ik hier speel, maar ik geloof dat ik mezelf aan het overreden ben dat mijn vertrek nog wel een dagje uitgesteld kan worden. Ik ben altijd zo rustig geweest, zo gelijkmatig, zo verzoend met het leven, zelfs als ik soms niet wist of het wel helemaal het mijne was. Nu ben ik oud en vraag om genade. Ik verzoek de hemel om die paar weken of maanden. Uren waarin ik de minuten tellen kan, tijd voor tijd. Die je in momenten van volmaakt geluk voorbij ziet glijden. De tegenwoordige tijd is me kostbaar, want een sprong voorwaarts zal me in de afgrond storten die me wacht. En dat gevoel heeft niets gelijkmatigs meer voor me. Toen ik jong was, geloofde ik de oude mensen die berustten, ik geloofde dat ze wijs waren, klaar om in stilte te sterven. Voorbereid, als het ware ... Misschien waren ze dat ook wel. Anders dan ik, die door anderen als een kalme en bedachtzame vrouw wordt gezien, 'al zo volwassen voor haar leeftijd', zei mijn moeder indertijd. Als ze me vandaag eens zag! Arme, radeloze vogel, die zich aan haar verloren jaren stoot als aan de muren van het onvermijdelijke.

Jades buurvrouw, een Spaanse uit Granada, die wist dat haar grootmoeder nu bij haar woonde, had de auto van de dokter zien staan. Ze kwam warme churros brengen en bleef een paar minuten om uit te leggen hoe je er de beste chocoladip voor moest maken. Als ik er niet zo veel van had gegeten, was ik nog zo slank als een ballerina, maar het is de beste remedie die ik ken om van een lichte flauwte te herstellen, verzekerde ze hun. Toen Mamoune naar de mollige vrouw keek, die de lekkernijen op een bord legde, dacht ze bij zichzelf dat ze nogal wat van die lichte flauwtes te boven had moeten komen. Vanuit een ooghoek keek Jade naar haar grootmoeder. Ze zag er moe uit, maar ze glimlachte. Ze had haar erg laten schrikken met die aanval van zwakte in het bad. Ze had erg wit gezien toen ze haar uit het water had gehaald, waar ze zonder hulp niet uit had kunnen komen. En nu ze als een zoet kind op de bank zat, zag ze er kwetsbaar uit. Jade had haar grijze haar gevlochten, in plaats van het in een knot op te steken. Dit kapsel maakte haar jeugdig. Haar grootmoeder keek met een begerige blik naar de churros en toen de buurvrouw zich terugtrok om haar niet te veel te vermoeien, zei Jade een beetje spottend: 'Zeg, ik wist niet dat je dat machtige Spaanse spul zo lekker vond.'

Haar grootmoeder lachte en antwoordde met een vage blik dat het haar aan haar huwelijksreis herinnerde.

'Ik ben nooit ergens naartoe geweest, behalve naar Spanje. Naar Andalusië. We aten daar elke dag van die churros en toen ik terugkwam, was ik minstens drie kilo gegroeid, die ik weer ben kwijtgeraakt toen ik in de bergen rondsjouwde. Het was een lange reis, met de auto van een vriend, een ouwe Citroën Avant van na de *Libération*, die we bij wijze van huwelijkscadeau mochten gebruiken. Jean had zijn rijbewijs gehaald.'

'Hoe oud waren jullie toen?'

'Hij was vierentwintig en ik was meerderjarig. Mijn ouders hoefden geen toestemming te geven voor ons huwelijk, waar we ze al meer dan een jaar om hadden gevraagd. We hielden al zo lang van elkaar! Als je twintig bent, denk je dat vijf korte liefdesjaren al een eeuwigheid zijn. De hele familie was ongerust toen ze ons zo ver weg zagen gaan terwijl we nog helemaal geen auto gewend waren. We zijn de Pyreneeën overgestoken, dat andere gebergte van Frankrijk, waarvan ik niet wist dat het zo mooi was. We zouden naar de zee gaan, maar nadat we een paar dagen hadden verloren in een afgelegen dorpje, omdat de auto stuk was gegaan en gerepareerd moest worden, kozen we ervoor om door te rijden naar Andalusië. Ondanks wat verwikkelingen was het een mooie reis.'

In haar heldere, blauwe ogen zag Jade even de jonge vrouw van weleer. Haar blik leek zich op andere herinneringen te richten, die niet voorbij de mysterieuze glimlach kwamen die om haar bleke lippen speelde. Ja, ging ze verder toen ze weer bij haar terugkeerde, op de terugreis besloten we dat we elk jaar op reis zouden gaan, maar toen raakte ik in verwachting van Mariette … En daarna kwamen Léa, Denise en je vader. Op mijn zesentwintigste had ik al vier kinderen en moesten we werken om ze te kunnen onderhouden. We zijn nooit meer weg geweest.

Ze zweeg, fronste haar wenkbrauwen en keek toen opnieuw glimlachend naar haar kleindochter. De Jean en de Jeanne in jouw roman, dat zijn wij toch? Wist je niet dat wij een huwelijksreis mochten maken? Jade, in verlegenheid gebracht, begon te stamelen. Laat ik het zo zeggen, ik heb me wel gebaseerd op wat ik over jullie wist, maar ik heb de werkelijkheid wel aangepast, weet je ...

'Nee, dat weet ik niet!' antwoordde Mamoune abrupt. 'Ik ken alleen het echte leven en de werkelijkheid van de boeken. Ik weet niet wat het betekent om het leven te beschrijven, het te vertalen naar een denkbeeldige wereld. Buiten jou ken ik geen schrijvers. En eerlijk gezegd, in het begin heb ik mezelf niet herkend. Het heeft even geduurd voordat ik begreep hoe je me zag.'

'O! En hoe is dat, volgens jou?'

'Als een boerin die opgesloten zit in haar moederrol, geloof ik.'

'En beviel dat personage jou als lezeres?'

Mamoune lachte.

'Om eerlijk te zijn tegen de auteur, heb ik me een beetje aan haar geërgerd. Daaraan zie je dat ik mezelf niet heb herkend! Ik vond haar te saai. Weet je, in het echte leven zeg je niet altijd wat je denkt, je denkt niet alles wat je zegt en je doet ook niet alles wat je gelooft. Die vrouw kwam als een blok op me over, zonder enig mysterie. Ze bezat niet die eigenheid die de lezer de ruimte laat zelf de geheimen van de romanpersonages te interpreteren ... die in zekere zin ook onze eigen geheimen zijn.'

Met zichtbaar plezier wijdde Mamoune zich aan het oppeuzelen van een churro. En nu zag Jade het kleine meisje dat ze eens geweest moest zijn! Jade wist dat ze op Mamoune begon te lijken. Van haar had ze bijvoorbeeld geleerd dat het veel leerzamer was als je je de mensen op een andere leeftijd voorstelde dan op die waarin ze zijn vastgeroest. Waarom komen we nooit op het idee ons te verdiepen in de dingen die we niet weten van de mensen die we goed kennen, in plaats van hen altijd maar hetzelfde etiket op te plakken? zei haar grootmoeder steeds weer. Aanvankelijk dacht Jade dat ze zich op die manier wilde verontschuldigen dat ze anders was geweest, een beetje had gelogen. Later begreep ze dat het simpelweg Mamounes manier van leven en haar openheid was.

'En de andere romanfiguren, heb je die zelf gecreëerd of zijn ze net als Jean en Jeanne gebaseerd op mensen uit je omgeving?'

'Sommige zijn een mengvorm, andere heb ik zelf bedacht. Ik heb niet echt een bepaald voorbeeld genomen. Ik wilde een verscheidenheid aan stellen hebben, in leeftijd en karakter, echtgenoten, minnaars, broers en zusters, vijandige buren. Maar sommige zijn tijdens het schrijven te veel op elkaar gaan lijken en uit wat jij me hebt verteld, begrijp ik dat ik er niet in ben geslaagd om de verschillen duidelijk weer te geven.'

Mamoune was stil, verzonken in gedachten, zo vermoedde Jade, over het lezen van haar roman en wat zij haar erover wilde vertellen. Toen verbrak ze, als het ware daartoe aangezet door een van haar gedachten, de stilte.

'Wat gebeurt er als je je werk overleest? Ontdek je er dan dingen in of lees je een tekst die je uit je hoofd op zou kunnen zeggen als iemand hem je zou afnemen?'

'Ik geloof dat ik hem ontdek, maar dat ik hem wel op kan zeggen als iemand hem me afnam ...'

'... En wat je uit je hoofd kent, kun je moeilijk beoordelen', merkte haar grootmoeder op. 'Je moet proberen om de tekst heel langzaam te lezen, en bij wijze van proef een paar fragmenten schrappen. En dat zeg ik nu wel zo makkelijk, maar het is erg moeilijk om precies uit te leggen wat je wel en

139

niet zou moeten doen! Ik lees, ik schrijf niet.'

'Maar je helpt me juist met wat je zegt. Ben je bang dat je me iets verkeerds aanraadt?'

'Een beetje. Maar in elk geval vertel je te veel. Laat ons zelf je personages leren kennen. Breng ons niet in de war. Ik denk dat je zult ontdekken dat er een sieraad verborgen zit in deze tekst, waarvan je denkt dat het je roman is, maar die niet meer is dan zijn omhulsel.'

'Mamoune, ik kan bijna niet geloven wat je zegt. Als er echt een roman verborgen zit in deze eerste versie die ik op de post heb gedaan, wat moet ik dan denken van al die redacteuren die geen van allen deze correcties en leesadviezen hebben voorgesteld? Je bent een professioneel redacteur, jij!'

Mamoune lachte.

'Dat zou je eigenlijk zorgen moeten baren. Wat die anderen aangaat, dat weet ik niet, liefje. Mijn moeder zei altijd dat je geen tomaten kunt verkopen en ze tegelijkertijd laten groeien. We weten niet wie er leest, wie er beslist. De brieven die je krijgt zijn meestal anoniem. Tussen alle afwijzingsbrieven die je me hebt laten lezen, waren er maar twee ondertekend en toevallig geven die twee je goede adviezen. Maar wie weet zit ik er helemaal naast en hoort je roman thuis in de prullenbak.'

Met samengeknepen ogen keek Mamoune haar plagerig aan. Jade fronste haar wenkbrauwen.

'Ik ga er maar van uit dat jij gelijk hebt en ik zal weer aan het werk gaan, om te beginnen met het inkorten van de tekst. Ik kom tenslotte uit een wereld waarin mijn artikelen worden geamputeerd ten gunste van de advertenties. Voor één keer zal ik er niet veel moeite mee hebben om die operatie uit te voeren, omdat het verhaal er beter van wordt.'

'De scènes over het exotische leven zijn erg goed gelukt. Ik weet niets van de eilanden die je beschrijft en ik heb erg van die passages genoten. Al die kleuren, die geuren ... het dagelijks leven.'

Heel even zag Jade Rajivs gezicht voor zich. Hun etentje samen, zijn mooie huidskleur, die oplichtte door de onweerstaanbare lach die met elke zin gepaard ging. Ze had het gevoel alsof Mamoune haar gedachten kon lezen.

'Trouwens, ik heb nog niet gevraagd hoe je etentje was, zo druk was ik met die glijoefeningen in je bad.'

'Goed, heel goed ... Het was ... heel erg ... leuk ...'

Mamoune keek haar oplettend en enigszins sceptisch aan. Ze had weer een beetje kleur gekregen. Wat zal ik haar vertellen? vroeg Jade zich af. Ze vond iets in zichzelf terug wat ze als verloren had beschouwd, een emotie waarvan ze zelfs het bestaan niet meer kende. De afstand die haar van haarzelf scheidde, was heel groot, maar zo gemakkelijk te overbruggen dat het haar verbijsterde. Ze wist niet waarom ze zo verleidelijk was voor Rajiv en het kon haar niet schelen ook. Ze had zojuist de vier interessantste uren van haar leven doorgebracht met een man die haar hart abnormaal snel liet kloppen. Het deed er niet toe wat er hierna zou gebeuren. Om het gesprek een andere wending te geven, probeerde Jade haar grootmoeder uit te leggen hoe het leven van sommige meisjes van haar leeftijd in Parijs eruitzag. Degenen die zich niet geborgen in een relatie wisten, konden hun draai niet vinden en wilden hoe dan ook en tot elke prijs een verwante ziel ontmoeten ... ook als ze er een hele vertoning van maakten dat ze zich meer dan uitstekend redden in hun eentje. Jade vertelde haar grootmoeder over de datingsites op internet en de party's voor alleenstaanden. Ze beschreef de vragenlijsten die ingevuld moesten worden, de speeddates om kennis te maken, elkaar te keuren en meer als het klikte. Mamoune luisterde ongelovig en tegelijkertijd ontsteld toe.

'Maar jij, mijn kleine Jade, heb jij ook van die pleisters op je hart nodig? Zo mooi en vrolijk als jij bent?'

'Nee Mamoune, ik heb zoiets nooit nodig gehad en had ook geen zin om iemand te ontmoeten, totdat ik bij Julien weg was en ik in relaties terechtkwam waarin ik de draad kwijtraakte. Ik ben met vriendinnen mee geweest naar zulke bijeenkomsten en heb er artikelen over geschreven. De mannen van nu, de vrouwen van vroeger en de relaties van morgen! Sinds ik alleen ben, merk ik dat ik door sommige mensen niet meer word uitgenodigd, door sommige vrouwen, moet ik zeggen. Ik ben kennelijk een bedreiging geworden voor stelletjes.'

Jade vertelde haar grootmoeder niet dat ze er in het begin veel verdriet van had gehad, maar dat ze toen had besloten dat het een manier was om een schifting te maken tussen haar echte vrienden en de rest. Met een half ironische, half geschokte blik keek ze naar dit soort ontmoetingen, die zonder enige magie waren. Ze verafschuwde die verhalen, omdat ze zo duidelijk de ondergang van het begeren aantoonden, die verrukking van de eerste, verslindende blikken. Mannen en vrouwen waren niet meer bezig met de charme van het verleiden, maar met een soort plan van aanpak. Amoureuze ontmoetingen? Beslist niet. Verovering, oorlog, uitdaging, het wrede spel, en dat alles gekleurd met een onverdraaglijke zucht naar geld. Ik heb je liefdesverklaring ontvangen, maar wil je in je volgende e-mail wel je salarisstrookje meesturen?

Jade mat de kloof tussen deze bezeten zoektochten naar de verwante ziel en de ouderwetse hoffelijkheid van Rajiv, die meer dan een uur de metrolijn in de gaten had gehouden waarmee zij de dag ervoor had gereisd. Op de tafel stond een boeket rozen, het waren er zeker veertig, dat na hun etentje was bezorgd. De bloemen waren op hetzelfde moment gearriveerd als de arts die ze voor Mamoune had laten komen, die Jade tijdens het medisch onderzoek, waar ze haar kleindochter per se bij wilde hebben, geen ogenblik uit het oog verloor. Vertel eens, dokter, bent u al bezig met een autopsie? Het was maar een kleine zwakteaanval, hoor … Mamoune bezag alles van de vrolijke kant, ze gaf knipoogjes aan Jade, terwijl ze de arts ervan beschuldigde dat hij haar kietelde. En Jade bewonderde voor de zoveelste maal haar vriendelijke aard …

Ze voelde geen enkele minachting voor wat Jade haar had verteld, ook al vond ze het spijtig voor de verliefde mensen van deze tijd, omdat hun ontmoetingen haar zo vreugdeloos leken. Ze stelde vragen, trok haar wenkbrauwen op en probeerde de ontreddering te begrijpen waar deze omstandigheden, die zo ver af stonden van wat zij als jong meisje had gekend, uit voortkwamen.

'Elk tijdperk heeft zijn dwalingen', zuchtte Mamoune. 'In mijn tijd trouwde je om aan je familie te ontsnappen, dat was niet veel beter. De meisjes wisten van niets. Sommigen kenden zelfs hun eigen lichaam niet. De sprookjeswereld uit onze kindertijd was ons enige baken in de onstuimige wateren van onze onwetendheid. Ik had het geluk dat mijn moeder vroedvrouw was en me al jong inlichtte over het intieme leven van vrouwen. Ze was streng, maar maakte ook veel gekheid. Ze aanbad mijn vader, de enige die haar kon opvrolijken als ze driftig was. Ik ben opgegroeid in hun liefde, maar om me heen was het een verschrikking. Gedwongen huwelijken, onwetendheid, verzwegen verkrachtingen, clandestiene en mislukte abortussen, bastaarden die nergens welkom waren. Het huwelijksbootje liep vaak op de klippen; en als je daarbij de oorlogen, ellende en armoede optelt, kun je niet volhouden dat jouw tijd erger is dan de mijne! Hij is anders. Vrouwen hebben nu zonder twijfel een betere plaats, en de mannen lijken er warempel naar op zoek te zijn. Hoe dan ook, die rozen zijn erg mooi. Er zijn in jouw wereld dus nog mannen die weten hoe het hoort!'

Haar blauwe ogen glunderden toen ze naar de bloemen keek. Hij is Indiër, Mamoune. Hij komt uit een land waarin ouderen niet geminacht worden!

Jade wist dat haar grootmoeder zich gevleid voelde door de kaart, waarop Rajiv had geschreven dat elke roos een mooi moment van hun etentje vertegenwoordigde en dat dit boeket het huis van Jade zou verlichten en ook … haar geweldige grootmoeder. Hij had geen ongelijk. Telkens als ze door de kamer liep, maakte Jades hart een sprongetje als ze die explosie van roze en paarse kleurschakeringen zag.

Die avond stopte Jade haar grootmoeder in en ze legde een dichtbundeltje op haar nachtkastje, voor het geval ze 's nachts wakker zou liggen. Mamoune bekende dat ze nog nooit een volle kom had gegeten van het dessert van geprakte bananen met oranjebloesem, dat ze voor hen maakte toen ze klein waren en dat Jade haar nu op haar beurt op een dienblad was komen brengen.

Jade vond er absoluut niets treurigs aan dat ze die avond als een moeder voor haar grootmoeder zorgde. Ze had weleens gehoord hoe wanhopig mensen kunnen zijn als ze plotseling de ouder van een ouder moeten worden, voor die oude baby's moeten zorgen, die vertroeteld moeten worden en die alleen nog maar medelijden kunnen opwekken. Dat soort verzuchtingen eindigde altijd met de woorden: 'Is het niet vreselijk, daar ben je dan jong voor geweest, om zo te eindigen.' Maar wat Jade vreselijk vond, was dat ze ooit had gedacht dat een mens iets anders was dan dit breekbare, nietige lichaam, dat gedoemd was te sterven. Ze had Mamoune naar bed gebracht en voorzichtig haar voeten gemasseerd met zoete amandelolie. Ze had haar in haar nachtjapon van wit katoen met broderie geholpen. Alles met de trage gebaren van haar leeftijd. En Jade, die niet anders kon dan rennen, had zich aangepast aan de gang van de tederheid. Ze had haar armen dicht om haar heen geslagen en dit kleine ceremonieel, dat volgens Mamoune een koningin waardig was, had gouden minuten uitgestort over de nacht die voor haar lag. Door wat ze in de blik van haar grootmoeder las toen ze haar een laatste kus op haar voorhoofd gaf, werden haar oude angsten, met een gevoel van schaamte, verdreven. Voordat ze de deur dichtdeed, riep Mamoune haar terug en bedankte haar voor alle verhalen die ze met haar had gedeeld, verhalen waarvan ze niets meer begreep, maar, zei ze, omdat zij ze vertelde, gaven ze haar een juister beeld van de zang van de wereld waarin haar kleindochter leefde. En opnieuw vroeg Jade zich af hoe deze vrouw, die zo veel te zeggen had, al die jaren had kunnen zwijgen.

Mamoune

Jade is oplettend. Ik weet dat ze zich zorgen om me maakt. Maar ik voel me erg goed. Beter dan ik eruitzie. Ik houd steeds voor ogen dat mensen van mijn leeftijd zich gezond voelen zolang ze niet door lichamelijke kwaaltjes aan bed zijn gekluisterd. Als ik pessimistisch was, dan zou ik vinden dat mijn leven er nu uitzag zoals dat van mijn moeder aan het eind van haar bestaan, toen zij het niet langer verdroeg: me voortslepend van kwaal naar kwaal en met een lijf vol ongemakken. Toen ik met lezen begon en ook later, gedurende alle tijd die ik in het geheim tussen de boeken heb doorgebracht, ontdekte ik dat sommige woorden alleen aan een bepaalde categorie mensen was voorbehouden. Onder meer 'bevrediging' en 'zinnelijkheid'. Maar uit welk milieu we ook komen, er komt een leeftijd waarop we alleen nog verlangen naar een leven dat mild voor ons is. Soms laat mijn geheugen me in de steek en weet ik niet meer of ik alles wat ik nu weet te danken heb aan ontmoetingen met echte mensen of aan die met romanfiguren. Ik bewaar kostbare herinneringen aan de vrienden die een tijdlang aan mijn zijden verkeerden, hoewel ik niets met hen heb meegemaakt. Ze hebben zich gevoegd bij degenen die uit mijn leven zijn verdwenen. En het zou me tegenwoordig moeite kosten de vrienden uit de boeken, ook al heb ik nooit met ze gesproken, te onderscheiden van mijn echte vrienden. Zijn ze minder belangrijk dan de andere? Waarom zou ik ze dood wanen, terwijl ik al die papieren figuren weer kan opzoeken en in de boeken hun avonturen opnieuw kan meebeleven? Ik geloof dat ze op dezelfde manier door mijn leven zijn getrokken. Maar ze zouden tegenwoordig niet meer die bekoring van de eerste keer hebben, van het passende antwoord dat ze me brachten op het moment dat ik erom vroeg. Het vermogen waarmee ze in mijn geheugen als echte mensen tot leven kwamen, zijn ze kwijtgeraakt.

Ik heb mijn kleindochter beloofd dat ik vandaag kalm aan zal doen en ben nog niet naar buiten geweest. Ik heb koffiegedronken op het balkon om van de eerste stralen van de ochtendzon te genieten en te proberen of ik in deze veilige, groene haven meer dan drie vogelstemmen van elkaar kon onderscheiden. Ik heb enkele passages van haar roman opnieuw gelezen en nieuwe aantekeningen gemaakt, die ik haar zal geven nadat ik ze voor de zekerheid nog een keer heb doorgenomen. Ditmaal heb ik me geconcentreerd op de gedeeltes die naar mijn mening buiten het raamwerk van de literatuur vallen en banaal worden. Dankzij onze gesprekken over de jonge mensen van tegenwoordig en hun amoureuze ontmoetingen, kan ik nu beter tussen de regels van Jades roman door lezen.

Het zou verwaand zijn te denken dat ikzelf gegrepen ben door iets veel hogers, dat de jongeren van nu niet schijnen te kennen. Toen Jade me gisteren vragen stelde over de oorlog en of ik op mijn twintigste patriot was geweest en wat dat volgens haar verouderde woord voor mij betekende, riep ik: Goeie god, nee! Het patriottisme was in mijn jeugd iets van de veteranen uit de vorige oorlog! Ik was een gewoon, rustig meisje. Wat me ertoe heeft aangezet om bij het verzet te gaan, waren het geluid van de stampende laarzen, de taal die ik niet kende en waarin overal om mij heen bevelen werden gegeven en die types in oorlogsuniform die op een ochtend arriveerden en verklaarden dat ze hier thuis waren. Dat is wat mij een patriot heeft gemaakt, daardoor raakte ik ervan overtuigd dat deze grond mijn land was en dat ik het moest verdedigen. Het was pure noodzaak. En wat het geloof in het patriottisme betreft, dat is altijd een onderwerp van discussie gebleven.

Wat me later begerenswaardig leek, was, omdat ik van eenvoudige komaf ben, niet zozeer geld of een of ander succes, maar de toegang tot geletterdheid. Ja, ik benijdde de soepelheid die je door kennis verwerft, de beweeglijkheid van de geest. Van jongs af aan kunnen leren geeft de hersenen een enorme voorsprong. Het was mijn diepe wens die lenigheid van denken te bereiken, en mijn grote angst daar nooit in te zullen slagen. Ik weet niet of ik haar de omvang van dat verlangen en de droom die hij in mij heeft gewekt, duidelijk heb kunnen maken.

In gedachten doorloop ik nog eens het gesprek dat ik met Jade heb gevoerd, als ik 's middags, behaaglijk weggedoken in een fauteuil, de televisie aanzet en een groep honderdjarige Japanners in beeld zie verschijnen. Een wetenschapper legt uit wat hij heeft ontdekt toen hij hun hersenen onderzocht met behulp van scans. Een van hen was op zijn vijfenzeventigste begonnen Taiwanees en Chinees te leren. Daarmee heeft hij een bepaald geheugengebied in zijn hersenen, dat normaal gesproken op zijn leeftijd slechts als een minuscuul puntje op het beeld te zien zou zijn, aanzienlijk vergroot. De inspanning die deze dagelijkse studie met zich meebrengt, de hersengymnastiek die deze mensen zich getroosten om de binnenkant van hun hoofd te verzorgen en te onderhouden, houdt me al een uur in zijn greep. Ik heb niet gehoord dat de deur opening ... Ik schrok op toen ik een mannelijke gestalte in het tegenlicht zag staan. Blindelings strekte ik mijn hand uit in de hoop dat die op iets zwaars, of scherps, zou stuiten, toen ik een zachte stem hoorde.

'Neem me niet kwalijk, Mamoune. Ik wilde u niet laten schrikken. Ik ben het, Julien, kent u me nog? Jades vriend ... Of ex-verloofde, zo u wilt.'

De toon waarop hij spreekt en de wijze waarop hij me eraan herinnert wie hij is, maken dat ik me weer bewust word van mijn leeftijd. Vergeleken met die honderdjarige Japanners voelde ik me het afgelopen uur weer een jonge meid, die goed naar hun geheimen luisterde om dat ook te blijven.

'Ach ja, die kleine Julien, natuurlijk', zei ik op een bij de gelegenheid passende toon.

Hij lijkt zich ineens opgelaten te voelen dat hij midden in de kamer staat. Hij wipt van zijn ene voet op de andere en durft niet naar voren te komen om me te omhelzen of een hand te geven. Dus kan ik hem op mijn gemak opnemen. Hij is lang en sportief. Dik, blond haar valt aan weerszijden langs zijn gezicht en geeft hem een engelachtig uiterlijk. 'Vriendelijkheid' en 'besluiteloosheid' zijn de eerste woorden die bij je opkomen als je naar hem kijkt. Ik probeer hem tevergeefs op zijn gemak te stellen en vraag hoe het met hem gaat, zonder te laten merken dat ik verbaasd ben over zijn aanwezigheid hier. Hij geeft geen antwoord.

'Ik had eerst moeten bellen, ik wist niet dat u hier was. Ik dacht dat Jade vandaag werkte, ze is donderdags altijd naar de redactie en, om eerlijk te zijn, rekende ik erop dat ze er niet zou zijn. Ik kwam alleen een paar spullen ophalen die hier nog liggen. Ik kom haar liever niet tegen. Het zijn persoonlijke dingen. Ik zou niets meenemen zonder haar toestemming.'

'Ik weet niets van jullie leven en van jullie scheiding, Julien, en ook niet wat er in dit huis van jou is, maar ik geloof dat het beter is als je Jade even belt als je iets mee wilt nemen ...'

'Ja, dat wilde ik ook doen, maar ... Ik neem alleen mijn duikuitrusting mee.'

Hij ziet er zo aarzelend en verloren uit, dat hij volgens mij geen uitrusting nodig heeft om onder te duiken. Ik krijg bijna medelijden met hem. Hij draait zich om en begint in een van de gangkasten te rommelen. Dan zegt hij: 'Ze heeft iemand, hè?'

'Nou ja, ik woon hier nu een maand en door Jade is me het verzorgingshuis bespaard gebleven. Als je dat "iemand hebben" wilt noemen, beste jongen, ja, dan heeft ze iemand en die is niet meer een van de jongsten.'

Julien lijkt zich te ontspannen.

'Nee, Mamoune, dat bedoelde ik niet, maar ik ben blij voor u. Jade is een lieve meid en ze houdt veel van u.'

Zijn spontaniteit is verdwenen, hij zegt het met tegenzin, zoals iemand die vindt dat hij de vriend moet roemen die hem heeft verraden en zich dan plotseling realiseert dat zijn woorden niet meer passen bij hun nieuwe verstandhouding. Hij trekt haastig een sporttas uit een tweede kast en controleert de inhoud. Het lijkt wel of ik met een beginnende dief van doen heb, die aarzelt of hij iets zal stelen of in een onbewoond pand zal trekken. Hij wacht nog even en vraagt of hij een glas water mag drinken. Hij loopt naar de keuken en lijkt de vertrouwdheid met dit huis, dat eens het zijne was, weer terug te vinden. Zijn gezicht vertrekt een ogenblik door de pijn die deze herinnering oproept. Zijn blik is gefixeerd op een lege plek op een van de muren in de gang, waar eens een schilderij of een foto moet hebben gehangen, en met opeengeklemde kaken neemt hij afscheid.

Ik weet bijna zeker dat hij Jade niet zal bellen en vraag me af of ik mijn kleindochter wel over dit bezoek, dat haar ongetwijfeld woedend zal maken, moet vertellen. Maar waarom heeft hij de sleutels nog? Ik weet dat hij me had willen uithoren over Jades leven, om te begrijpen waarom hij deze ellende niet heeft zien aankomen. Maar hij is een intelligente jongen, die aanvoelde dat ik hem geen antwoord had kunnen geven. Hij begreep mijn gereserveerdheid en dat ik niet wilde ingaan op het verzoek in zijn zwijgende blik. Hij heeft het appartement geïnspecteerd en naar sporen van zijn leven met Jade gezocht of, erger nog, de sporen die eruit verdwenen waren. Ik had met hem te doen, maar ik kan me niet mengen in de hartsaangelegenheden van mijn kleindochter. Ze lijkt zelf erg uit het veld geslagen sinds de breuk. De nieuwe manieren van elkaar leren kennen, die haar met haar romantische aard, die ze zorgvuldig verborgen houdt, absoluut niet aanspreken, baren haar meer zorgen dan ze wil toegeven. Onder het voorwendsel dat ze mij wil ontzien, mij en mijn leeftijd, doet ze zich beschaamd voor als ze de gebreken van haar generatie beschrijft, waarvan ik denk dat ze de uitdrukking zijn van een nieuwe manier waarop mensen met elkaar omgaan. En ook al probeert ze hem achter een alledaagse, journalistieke stijl te verbergen, in haar roman brandt de mooie, oude vlam van de romantische liefde. Och, als ze die elegantie eens de ruimte zou geven en haar personages niet zou vermommen als karikaturale marionetten ... Als ze die puurheid eens zou voegen bij de scherpe intuïtie die zij ten aanzien van mensen heeft ... Maar ik weet niet of mijn zachte wenk tot meer eenvoud haar zal kwetsen of haar zal bekoren.

Jade zat met Elisa op het terras van een café vlak bij het Canal Saint-Martin, een plek die haar aan de zomer in Parijs deed denken. In de winter kwam ze er nooit, alsof het café een trekvogel was, die pas aan het begin van de lente weer terugkeerde. Sinds ze bij Julien weg was, vermeed ze de vrolijke bijeenkomsten van haar vrienden. Ze had nu meer persoonlijke, intiemere contacten. Elisa en zij spraken over hun beroep, de journalistiek. Ze deden niet precies hetzelfde, want de een werkte bij de televisie en de ander voor kranten en tijdschriften. Jade schreef in anonimiteit, Elisa stond in de schijnwerpers. Toen ze elkaar een jaar of drie, vier geleden hadden leren kennen, wisten ze niet welk beroep de ander had. Ze volgden beiden dezelfde cursus salsadansen en merkten gaandeweg dat ze veel gemeenschappelijk hadden en ook eenzelfde gevoel voor humor. De stuntelige heupbewegingen, het gelonk van de mooie Ricardo, hun Cubaanse leraar, de muziek en na afloop een bezoek aan een *taberna caliente* had hen al nader tot elkaar gebracht voordat hun beroep toevallig een keer ter sprake kwam. Sinds ze wisten dat ze beiden journaliste waren, zagen ze elkaar ook buiten de feestjes en de salsalessen om en hun gesprekken gingen afwisselend over het dansen en hun werk. Die dag was Jade bitter gestemd.

'Misschien heb ik wel niets te zoeken in de journalistiek? Ik begin me nu toch echt af te vragen waarom ik dit vak heb gekozen. Misschien was mijn interesse om maatschappelijke kwesties te gaan onderzoeken alleen maar een alibi om aan goede voorbeelden voor mijn romanfiguren te komen ...'

'Hé, wat ben je somber vandaag! Komt het omdat het uit is met Julien dat je ineens zo aan je werk twijfelt?'

'In de laatste maanden voor de breuk had ik het gevoel dat ik met hem aan het afstompen was. Maar weet je, ik merk nu dat hij als dekmantel diende voor mijn eigen proces van afstand nemen. Ik verweet hem dat hij een ouwe sul was, in een relatie die al uitgeblust was nog voordat ze tot een hartstochtelijk hoogtepunt was gekomen. Hij zei altijd: "Ik begrijp je niet. We doen aan sport, in het weekend gaan we varen, we doen van alles ..." Je snapt wel wat ik bedoel.'

'Zeker! Alles was voorspelbaar. De vrienden, de verjaardagsfeestjes, het bruisende leven van burgerlijke provinciaaltjes die in Parijs zijn komen wonen ...'

Daarom had Jade Elisa meteen zo graag gemogen. Ze had aan een half woord genoeg, waar anderen er niets van begrepen.

'Geen avontuur, niets wat onbekende gevoelens in je wakker zou kunnen maken, je mee kan voeren op geheime of gevaarlijke wegen.'

'Ja, zo is het precies! In tegenstelling tot de helden die niet aan hun lot ontkomen,' Jade sprak nu op de melodramatische toon die bij haar verklaring paste, 'geloof ik dat je in het echte leven alle kans hebt om het aan je voorbij te laten gaan, als je even niet oplet. En terwijl ik altijd dacht dat ik was voorbestemd voor het avontuur in ballingschap, zat ik daar als Jut en Jul in een appartement op afbetaling. Alles voor honderd jaar verzekerd, met name de verveling!'

'En nu?' onderbrak Elisa haar, die op haar gezicht las dat

Juliens vertrek niet het enige nieuwtje was van de laatste weken.

'Nu woon ik samen met een tachtigjarige en dat is veel spannender dan mijn verwelkte relatie.'

Jade vertelde haar over Mamoune, wat ze door haar lezende grootmoeder ontdekte, maar vergat niet ook haar ontmoeting met Rajiv te melden. Toen zij hem wilde beschrijven, merkte ze dat hij nog een raadsel voor haar was. Smoorverliefd en in haar opwinding over die ander (maar wie was die ander?) sprong ze van de beschrijving van zijn handen over op de geschiedenis van zijn familie en het gevoel van geluk dat door haar heen stroomde, terwijl ze ondertussen de geamuseerde blik van Elisa doorstond, die vol begrip luisterde en knikte. Ze had altijd gevonden dat ze zo puur was en de zeldzame gave bezat goed te kunnen luisteren. In haar houding herkende Jade dezelfde rust die ze op het scherm uitstraalde. Dat maakte haar zo geloofwaardig. Haar interesse was niet gespeeld, het was haar passie om zich in mensen te verdiepen. Toen Jade vervolgens vroeg hoe het met haar privéleven stond, dat ze sinds kort weer scheen te hebben, bevestigde Elisa dat ze weer verliefd was. Hij was veel ouder, zijn werk had niets met televisie te maken – wat met een soort opluchting werd gezegd – hij was gevoelig en attent. Jade wist dat Elisa erg had geleden onder een relatie op afstand, met iemand die maar geen besluit kon nemen. Een grote held, die vond dat ze te goed voor hem was, te trouw om zich aan hem te binden, te mooi om mee te leven, te levendig om haar op te schepen met zijn alledaagsheid. Verliefd als ze was, bleef ze drie jaar lang hopen en verlangen en maakte zich toen langzaam van hem los, zonder echt met hem te kunnen breken. Elisa's gezicht weer te zien stralen toen ze over de liefde sprak, sterkte Jade op deze aangename avond. Ze bestelden nog een tweede cuba libre, om de verjaardag van hun kennismaking bij het salsadansen en het verdere goede nieuws te vieren. Elisa nam genietend een slok en werd ineens weer ernstig.

'Ik geloof dat ik het altijd wel heb geweten, maar nu ben ik er zeker van: ik heb voor de televisie gekozen omdat ik me geliefd wilde voelen. En ik heb nooit zo hard gewerkt als in deze laatste drie jaren, waarin mijn privéleven zoals je weet één lange wachttijd was. Maar nu alles goed gaat, sta ik op het punt een beslissing te nemen die niet al te best is in het kader van de ontplooiing van vrouwen. Ik vraag me namelijk af of ik nog wel door wil gaan met presenteren.'

Jade voegde de woorden van haar vriendin bij haar eigen beroepsmatige twijfels en vroeg zich af of een bepaalde categorie vrouwen hun liefdesperikelen in hun werk probeerde te vergeten. Het was wel een onthulling die de feministen op de kast zou jagen. Maar waarom zou je vrouwen niet het recht gunnen grote liefdes te ervaren en al hun tijd in smachtend verlangen door te brengen? Dat kan toch? zei Jade bij zichzelf … Ze deelde die bespiegeling met Elisa en door hun vrolijke bui gingen ze daar nog even over door. Daarna ging het al snel over mannen. Voelden die hetzelfde? Nee, zeker niet. Bij hen leek in hun genen vastgelegd dat ze succes moesten nastreven in hun beroep, maatschappelijke ambities moesten hebben, ongeacht de liefde … Waren vrouwen minder gevoelig voor geld en erkenning? Ze vroegen zich af wat zij nastreefden en wat de liefde hun niet kon geven. En waar zouden zij direct afstand van doen als de liefde zich ineens zou aandienen? Jade wist dat sommigen van haar kennissen zouden zeggen 'nergens van' en dat betreurde ze. Het gezicht van haar grootmoeder kwam haar voor de geest, alsof zij het antwoord was op al haar levensvragen. Ze was zich ervan bewust dat ze haar een grotere wijsheid toedichtte dan Mamoune, volgens haarzelf, uit de boeken had verworven. Ze herinnerde zich dat ze haar als kind nooit ongehoorzaam kon zijn. Ze was de enige persoon ter wereld die ze monsters van kinderen, die woedend over de grond rolden en weigerden naar bed te gaan, had zien kalmeren. Mamoune veranderde ze in engeltjes. Ze zeiden beleefd welterusten en leken niets liever te willen dan haar blindelings volgen om naar een verhaaltje te luisteren, dat ze hun met haar zachte, warme stem vertelde als ze zich in haar armen nestelden.

Sinds Mamoune bij haar woonde, hield Jade zich niet meer bezig met de dood. Niet aan die van haarzelf, noch aan die van de mensen van wie ze hield. Het was nu niet meer dan een vage gedachte. Zo'n gedachte die kwellend is voor degenen die altijd het gevoel in zich meedragen dat op een dag alles voorbij is. Ze durfde er niet met haar grootmoeder over te praten, alsof ze deze storende obsessie wilde bezweren door erover te zwijgen. Ze was bang dat Mamoune zich verantwoordelijk zou voelen voor deze gedachten. Maar Jade vreesde vooral dat ze een onderwerp zou aansnijden dat meer bij Mamounes leeftijd paste dan bij die van haarzelf. Het zou wreed kunnen zijn over een dood te praten waar haar grootmoeder in gedachten misschien al mee bezig was, hoewel ze er nog nooit een woord over had losgelaten. En toch verlangde ze er hevig naar dit aspect van het leven met Mamoune te bespreken. Ze wilde weten of men op haar leeftijd eindelijk het antwoord op bepaalde fundamentele vragen had gevonden: Hoe moet je hier leven? Hoelang? Waarom? Met wie?

Het geluid van haar mobieltje onderbrak hun filosofische gedachtewisseling. Jade verontschuldigde zich, wierp er een blik op omdat ze dacht dat het Mamoune was. Elisa maakte een instemmend gebaar. Ze hadden allebei een hekel aan mensen die niet zonder hun telefoon konden. Het was Rajiv en ze had het gevoel dat haar wangen vuurrood werden toen ze zijn naam zag staan. Jade legde het kleine, zwarte apparaatje terug op de tafel. Ze hoorde haar hart bonzen, totdat een kort signaal haar meldde dat hij een berichtje had achtergelaten. Elisa had haar blik niet van haar afgewend en haar geamuseerde gezicht verraadde dat ze precies wist hoe het met de zieleroerselen van haar vriendin gesteld was. Je mag gerust even naar zijn berichtje luisteren … Jade zei nee, legde het toestel weg en pakte het weer op, terwijl ze Elisa uitgebreid opnam. Kort, kastanjebruin haar, hoge jukbeenderen, blauwgroene ogen, een glimlach … Die in niets onderdeed voor die van Rajiv. Of was het zijn stem die die indruk bij haar opriep? Elisa's glimlach schoof over de zijne. Jade zette haar mobiel uit.

'Hij vraagt of ik meega naar een pianoconcert. Een jazzconcert, om precies te zijn, niet klassiek in elk geval … Morgenavond. "Ik streel eerbiedig je voeten in de hoop dat je antwoord positief zal zijn." Ken jij een man die zoiets inspreekt op een voicemail?'

'Nee, maar dat is niet per se slecht! Een beetje gek is hij zeker wel?'

Jade trok een wenkbrauw op en hief tegelijkertijd haar glas: *Salud!*

Twee mannen liepen voorbij en lonkten naar de twee lachende meisjes, die met elkaar proostten in de ondergaande zon. Ze mompelden wat tegen elkaar en zwaaiden naar ze. Waarom stellen we ons niet tevreden met deze lichtheid van het bestaan, de zorgeloosheid van het leven, en verdrijven we al het onweer dat ons bedreigt niet naar de randen van de ouderdom? vroeg Jade zich af. Voor het eerst bespeurde ze een verschrikkelijk en tegelijkertijd geruststellend antwoord. Omdat er niets veranderde. Er was juist iets wat geen leeftijd had, een vaag gevoel dat je lange tijd de illusie gaf onsterfelijk te zijn en nooit ouder te worden. Het was belangrijk dat 'iets' te benoemen, maar wat was het?

Mamoune

Jade is weer in haar roman gedoken. Zuchtend zit ze achter haar computer, krabbelt wat op de uitdraai waarop ik mijn aantekeningen heb gemaakt, streept woedend hele passages door en loopt naar het balkon om de jonge plantjes in de potten te inspecteren … Ik dacht eerst 'in de woorden'. Denkt men niet in beelden? Waarom zie ik ineens geschreven zinnen voor me? Ik moet me beter in acht nemen. Nu strijkt ze licht met haar vingertoppen over een blad, terwijl ze met een glazige blik voor zich uit staart; niets lijkt haar uit die verdwaasde toestand te halen, wat me doet geloven dat ze daadwerkelijk bezig is met het opnieuw lezen van haar roman. Voelt ze zich naakt tegenover de tekst, die uit haarzelf komt en die ze tot dusver niet heeft willen zien? Deze situatie ontroert me, omdat ik er de schrijvers in terugzie van wie ik hield, van wat zij zeggen over de literatuur, waarvan ik, nu ik mijn kleindochter zie, de kwellingen begrijp, de afgronden, de toppen van geluk, de vreugdevolle hoogten en de duizelingwekkende diepten. De telefoon laat ze rinkelen, ze kijkt alleen even wie er heeft gebeld. En minstens eenmaal per dag komt ze iets vragen en maakt ze zich zorgen.

'Mamoune, vind je dat ik me verschuil achter wat ik schrijf?'

'Dat is altijd nog beter dan wanneer je zichtbaar zou zijn achter wat je schrijft.'

'Ja, ik begrijp wel wat je bedoelt, maar ik weet niet hoe ik het moet herkennen in mijn roman.'

Fronsend kijkt ze me aan met die beteuterde blik, die ze als kind al had als ze een gedicht opzei dat ze niet goed had geleerd.

'Probeer van je fouten te leren, liefje. Net als in het echte leven. Keer de medaille om, zodat je de zonnige zijde ziet ...'

'Waar haal je dat toch allemaal vandaan, Mamoune?'

'Ik was al oud toen ik geboren werd. Heb ik je dat niet verteld? Ik ben duizend tachtig jaar oud.'

'Weet je dat ik me soms probeer voor te stellen dat ik zo oud ben als jij?'

'Ja ja, ik ook, ik stel me ook altijd voor dat ik zo oud ben als jij.'

'Mamoune! Je begrijpt me best. Jij weet hoe het toen was, maar ik niet hoe het later zal zijn.'

'Ik geloof ook niet dat dat nodig is. Geniet van je leven nu!'

'Je bent in ieder geval heel anders dan andere grootmoeders.'

'Vervelend en vroom, bedoel je?'

'Bijvoorbeeld ...'

'Wees maar niet bang, wat niet is ... Tenminste ... het eerste, want wat Onze-Lieve-Heer betreft ... Daar heb ik nog wat zure appeltjes mee te schillen! Hup, aan het werk jij, dan maak ik wat lekkers voor bij de thee.'

Als ik de appels in de oven leg, schiet me te binnen dat Jade vanavond met Rajiv uitgaat. Ze vroeg bezorgd of ik me goed voelde. Ik ga bijtijds naar bed, lees een paar bladzijden, wat denk je dat er kan gebeuren? zei ik tegen haar. Jade wil beslist dat ik de Spaanse buurvrouw waarschuw als ik me niet goed voel. Ze lijkt niet bang te zijn dat haar vrijheid door mij in het gedrang komt. Ik heb bewondering voor haar onverstoorbaarheid en haar organisatietalent. Ze zal een goede moeder worden! Voor ze vertrekt, wil ze per se eerst mijn eten klaarmaken. Ik laat me vertroetelen; ik weet dat ze anders geen rust zal hebben. Door mijn lage bloeddruk twijfelt ze aan haar keuze om met mij samen te gaan wonen. Ik respecteer haar angst en probeer te doen wat ik kan om haar te beschermen tegen de eventuele verwijten van haar tantes, mocht me iets overkomen.

Mijn kleindochter vraagt me honderduit over mijn tijd als geheime lezeres. Ik zag je altijd alleen met je bijbel, waar verstopte je je om te lezen? Waren er boeken die je graag wilde houden en zo ja, waar lagen ze dan? En ze wil meer weten over de inhoud van de boeken die ik heb gelezen.

Ze vergeet dat ik op veel jonge kinderen heb gepast, die zich er niet mee bezighielden of ik me nu over een keukenrecept boog of over een heel ander geschrift. Ze herinnert zich niet meer de lange zondagmiddagen waarop ik naar de kerk ging, de tochtjes in de bergen waar de schaapskooi van mijn vader wachtte met de paar boeken die ik daar voor nieuwsgierige blikken verborgen kon houden. Ik heb zo vaak in de natuur gelezen, dat zij in mijn herinnering bijna één is geworden met een bibliotheek. De wolken waren mijn boekenplanken en liggend op het vliegend tapijt van gras of leunend tegen een rots in het bos, mengde ik de geuren van de alpenweiden met die van mijn lectuur.

En toen leerde ik op een dag de man kennen die mijn beste vriend zou worden, de enige die ik in vertrouwen heb genomen over deze liefde voor de boeken. Hij had me gevraagd of ik naar zijn kasteel in de buurt van Annecy wilde komen. Hij had een zware operatie ondergaan en kon niet meer voor zijn kleindochter zorgen. Hij kende mijn reputatie van plaatsvervangend moeder en wilde dat ik zijn kleine Clémentine twee weken meenam naar ons huis op de alpenweide. Ik denk dat hij zo om en nabij de zeventig was. Zelf was ik toen goed vijfenvijftig. Het was een vreemde ontmoeting. Hij was lang. Hij had de houding van een aristocraat, maar zonder de arrogantie. Hij ontving me in de bibliotheek. De herinnering aan die ruimte! Ik had nog nooit zo veel prachtige boeken gezien; toen hij even wegging om te zeggen dat er koffie gebracht moest worden, leek het wel of ik gehypnotiseerd was. Ik stond op en als in een droom beklom ik een van de houten trapjes die aan de boekenkasten hingen. Voorzichtig streelde ik over de banden voordat ik er een boek uit durfde te pakken. Ik rook aan de bladzijden, die een geur van gewijde geheimzinnigheid leken uit te wasemen. Ik kon mijn ogen niet afhouden van zo veel schoonheid. Met mijn blik verslond ik de titels, totdat ik op een band van Montaigne stuitte, die zo mooi was dat ik hem niet onmiddellijk durfde te pakken en open te slaan. Met kloppend hart, alle besef van tijd vervlogen, nam ik de band ten slotte uit de kast. De bladzijden waren zo dun dat ze bij de geringste aanraking om naar de volgende pagina om te slaan, zouden kunnen scheuren. Een licht keelgeschraap, de graaf was terug en stond zwijgend naar me te kijken. Verlegen zette ik het boek op zijn plaats, zo natuurlijk mogelijk naar ik hoopte. Toen ik weer beneden was en tegenover hem zat, keek hij me lang en doordringend aan. En toen ontdekte ik dat de man bij wie ik op bezoek was gekomen, de oude, verzwakte grootvader van Clémentine, had plaatsgemaakt voor de knapste man die ik ooit heb ontmoet. Hij glimlachte en met zijn golvende, grijze haar leek hij op een wijze. In zijn staalblauwe ogen schitterde een geamuseerd lichtje. Ik voelde hoe mijn brandende wangen mijn gezicht in vuur en vlam zetten. Ik was bijna zestig en smolt weg onder de vurige blik van een kasteelheer. Ik verschool me achter mijn koffiekopje. Hij had nog steeds niets gezegd en de stilte was bedwelmend. U houdt van lezen, is het niet? U houdt van boeken …? De vraag kwam aan als een oorvijg. Gewend als ik was aan mijn onmetelijke eenzaamheid als lezeres, had ik het helemaal verkeerd begrepen. Hij was aangedaan iemand te ontmoeten die net zo gepassioneerd was als hijzelf. Met trillende stem sprak hij verder. U bent net als ik. U houdt van de droom die in een roman verborgen zit. U houdt ervan dat in boeken verdriet aan duisternis wordt gekoppeld en er licht van maakt. Ik weet het, ik voel het. Ik heb u geobserveerd, weet u, vanaf het moment dat u die trap op bent geklommen. Toen ik u naar die kast toe zag gaan, begreep ik wie u bent. U houdt ervan te weten wat zich tussen een schrijver en een lezer afspeelt, de eindeloos lange blik die ze wisselen zonder dat hun ogen elkaar ooit kruisen. U houdt ervan de werelden te verslinden waarin onze andere levens staan beschreven, de levens die een bestemming hebben …

Het is nu vele jaren geleden, maar ik geloof niet dat ik veel ben vergeten van wat Henri die dag tegen me zei. Zijn woorden staan in mij gegrift alsof ze nooit verloren mogen gaan. Nog nooit had iemand zo tegen mij gesproken. Ik dacht zelfs niet meer aan mijn onbeleefde gesnuffel in zijn bibliotheek. Hij wachtte op mijn antwoord. Ik weet zeker dat ik stotterde. Ik geloof dat dat allemaal zo is. Ja … Dank u dat u me het hebt verteld … En zo mooi. Maar … Vroeger droomde ik ervan om schrijver te worden, Jeanne, u staat mij toch wel toe dat ik u Jeanne noem, nietwaar? Hij leek zich een ogenblik te verliezen in het verleden. Ik wilde hem zeggen dat hij mijn geheim had ontdekt. Wat u mij heeft verteld … U bent de enige die het weet … Die wat weet? Het is moeilijk uit te leggen, in mijn omgeving … Och, Jeanne, ik weet het … Het recht op scholing is voorbehouden aan de rijken. Een arme die heeft leren lezen kan min of meer stamelend zijn weg vinden in de wereld van de taal, van het alfabet welteverstaan, niet die van de literatuur! En de slimsten krijgen tot hun verdriet toch niet méér te zien dan een glimp van de prachtige teksten die ze nooit zullen kennen. Ik weet het, Jeanne, het is schandelijk. Hij zweeg, staarde even voor zich uit en ging toen weer verder. Misschien kan ik lezen wat er in mensen omgaat; alleen mijn eigen vrouw heb ik nooit kunnen doorgronden. Ze heeft zich altijd uitsluitend geïnteresseerd voor borduurwerk. En ik houd me alleen bezig met degenen die op hun werk voortborduren. En daarin hadden we een gemeenschappelijke basis moeten vinden. Maar u bent met haar getrouwd, merkte ik verlegen op. Zijn lach klonk treurig. O nee, mijn beste Jeanne, in onze families zijn het de landerijen die met elkaar trouwen; de mensen schikken zich.

Ik geloof dat we daarna over literatuur en auteurs hebben gesproken. De tijd verstreek … Kort, leek me, maar het was zeer lang. Dat ontdekte ik toen ik bij hem wegging. Het was bijna donker. Op een bepaald moment tijdens het gesprek vertelde hij me dat hij blij was dat ik Clémentine onder mijn hoede zou nemen. Ik breng haar zaterdag op het afgesproken uur en dan gaat ze met u naar de bergen. Mijn vrouw voelt zich niet goed genoeg om zich alleen met de kleine te bemoeien, en ik … Ik zal proberen mijn lot geduldig te dragen en te herstellen. Hij maakte een vermoeid gebaar en hernam zich met een glimlach. Ik ben blij dat ik u nu eindelijk ken, Jeanne.

Toen ik afscheid nam, overhandigde hij me twee sleutels en legde uit dat de grootste van de hoofdingang was en de vergulde van de deur van de toren die naar de bibliotheek leidde, zodat ik niet door het kasteel hoefde. Ik zal het u zo wijzen, als we buiten zijn. U kunt komen wanneer u wilt. Leen wat u wilt of nodig hebt. Ik zal het personeel inlichten dat u voor mij werkt, dat u me helpt bij het ordenen van de boeken of onderzoek doet. Ik kon niets bedenken wat ook maar bij benadering mijn blijdschap en mijn verwarring had kunnen uitdrukken. Het deed bijna pijn. Waarom doet u dat? Beste Jeanne. U bent nog jong en ik weet niet hoelang ik nog op deze aarde zal zijn. U bent de leesgezellin die ik al jaren hoopte te ontmoeten. En, ik heb u nog niet verteld wat ik van u verlang in ruil voor de sleutels. Ik brabbelde dat ik hoopte dat het niet iets zou zijn wat ik hem zou moeten weigeren. Hij leek zich erg te amuseren. Doet u mij het genoegen van tijd tot tijd een kop koffie met mij te drinken, zodat we over uw lievelingsboeken kunnen praten, zoals vandaag. Langgeleden, toen ik nog een jonge man was, kende ik enkele vrouwen die met dezelfde blik als u naar boeken keken, vervuld van een emotie die mannen jaloers zou kunnen maken als ze het in de gaten hadden. Weet u hoe mannen zijn? Ze beloeren de vijand altijd daar waar ze denken dat hij zich verbergt, en hebben geen flauw idee van zijn werkelijke kracht en zijn werkelijke schuilplaats. Weet uw man dat u zo'n groot liefhebster bent van literatuur?

Mijn radeloze blik zei genoeg om hem de omvang van mijn leugen te laten bevroeden. Ik begrijp niet wat u daarmee te maken heeft! Hij schoot hartelijk in de lach.

Hoe het ook zij, ik zal niet uit de school klappen, wees maar niet bang. U hebt al boeken als uw minnaars genomen, dus kunt u een boekenbezitter ook wel als uw vriend nemen. U bent een geschenk uit de hemel. Alstublieft, Jeanne, neem de sleutels aan en vertrouw me uw leesindrukken toe. En noem me gewoon Henri en geen 'heer graaf'.

Zo is die mooie vriendschap begonnen. Ik weet niet of ik Jade erover zal vertellen. Ze zal ongetwijfeld willen weten of ik van die man heb gehouden. Dat heb ik zeker. Op mijn manier. Het was een zuivere vriendschap; er was geen sprake van verliefde gevoelens. Ik was een bescheiden vrouw en mijn weg omhoog zou niemand imponeren omdat het geen sociale ladder was die ik beklom. In deze hoek van de Franse bergen, waar de boeren geleerdheid verwarren met rijkdom, had ik het gevoel alsof ik een schat vol licht bezat, het licht van de woorden.

Mamoune had bijna de hele dag nog niets gezegd. Ze leek in gedachten verzonken, geïrriteerd zelfs. 's Ochtends had ze eerst een beetje opgeruimd en daarna de kranten gelezen, terwijl Jade verder werkte aan haar roman. Voor de lunch had ze een gemengde salade voor haar kleindochter gemaakt. Ze had een bord gebroken, gevloekt bij het opvegen van de scherven en vanaf het begin van de maaltijd zweeg ze.

'Is er iets, Mamoune?'

'Niets bijzonders', bromde ze. 'Het gaat wel weer over ...'

'Wil je er niets over zeggen?' vroeg Jade.

Mamoune keek haar lang aan voordat ze begon te praten.

'Sinds de vrouwen stemrecht hebben, ben ik altijd wezen stemmen. En nu waren er presidentsverkiezingen ...'

'Maar dat had je moeten zeggen. Dan hadden we kunnen regelen dat je met een machtiging kon stemmen. Waarom heb je niets gezegd? Ik wist niet dat het zo belangrijk voor je was.'

'Ja, maar neem me niet kwalijk. Het was voor het eerst dat we een vrouw konden kiezen. Dat is toch niet niks!'

'Nee, nee, dat is zo, daar heb je wel gelijk in, maar ...'

'Jij weet niet wat het is om eindelijk, net als mannen, het recht te krijgen je stem te laten horen. Om eindelijk een volwaardig burger te zijn! Ik was achttien toen vrouwen in dit land stemrecht kregen, ik weet nog hoe trots mijn moeder was toen ze ging stemmen.'

'En heb jij die eerste keer niet gestemd?'

'Nee. Vergeet niet dat je toen pas op je eenentwintigste meerderjarig was. Een jaar nadat de wet was aangenomen, toen de vrouwen hun stembiljet gingen inleveren voor de gemeenteraadsverkiezingen, stond mijn moeder erop dat ik met haar meeging om het belang van die gebeurtenis te onderstrepen. Ze wilde niet met mijn vader gaan, maar met een andere vrouw uit het gezin. Je had het moeten zien! Het was komisch. In het begin deden de vrouwen van het dorp er heel geheimzinnig over. Sommigen wilden niet hetzelfde stemmen als hun man, maar ze hielden hun mond, zodat die het niet te weten kwamen.'

Mamoune zweeg, in gedachten verzonken. Ze spraken nooit samen over de dagelijkse actualiteit. Jade beschouwde het als iets wat bij haar werk hoorde en volgens haar maakte het Mamoune gelukkiger om in haar bibliotheek te snuffelen dan om elke dag naar het nieuws te kijken. En ineens besefte Jade dat haar leven met Mamoune als het ware een tijd buiten de tijd was, een toevluchtsoord waarin ze haar leven als journaliste en de schaamteloosheid van de wereld vergat. Deze onverwachte discussie over politiek bracht haar in de war, maar ze vond het niet onplezierig. En opnieuw ontdekte ze een Mamoune die ze niet kende. Een vrouw die voor het eerst had gestemd, een vrouw die haar nog over een tijd kon vertellen die voorgoed verdwenen was.

Toen Jade weer achter haar bureau ging zitten, bedacht ze dat Mamoune wel een mooi portret was. Het leek wel of ze elke dag iets meer over haar ontdekte. Door met haar over haar roman te praten, had Mamoune bijvoorbeeld de deur naar een onbekende horizon geopend: die van de lezer. Als iemand het haar had gevraagd, dan had Jade toegegeven dat ze las om zich te laten meeslepen. Maar welke schrijver kon schrijven met in zijn achterhoofd het idee dat hij zijn lezers moest betoveren? Dat leek haar een onmogelijke opgave.

Ze wist niet goed hoe, maar haar grootmoeder had iets ontdekt wat Jade een geheim toescheen. Je kon schrijver zijn zonder het zelfs maar te weten. De wijze waarop ze haar kleindochter dwong met een andere blik naar haar werk te kijken, bracht haar van haar stuk. En ook al keek Mamoune over haar schouder mee, ze wist dat ze deze roman alleen moest schrijven, moest schrappen wat er met haar eigen goedvinden in was geslopen en laten opbloeien wat er buiten haar om in terecht was gekomen, door het de ruimte te geven ... Dat de stilistische versieringen en stijlbloempjes haar niet direct in het oog sprongen, weet ze aan de nogal kunstmatige wereld van de geschreven pers, waar zulke trucs de plaats innamen van het verhaal.

Met deze roman had ze zich in de nesten gewerkt. Dat een haar onbekende, innerlijke stem aan de basis stond van wat zij schreef, was wel zeker. Maar wilde ze zich daar dan tegen beschermen, dat ze ervoor wegliep om die kleine geschiedenissen over te lezen? Ze ontdekte dat ze te trots was, te zeer vastzat aan haar angst. Ze moest echter wel toegeven dat Mamounes kritiek terecht was. Toen ze de roman voor de tweede keer las, met de verhelderende opmerkingen van Mamoune in de kantlijn, ontdekte ze zichzelf door de ogen van een lezeres, en ook Mamounes talent om duidelijk te maken wat er aan het boek van haar kleindochter mankeerde, zonder dat met zoveel woorden te zeggen: ze vroeg alleen maar hoe ze haar werk herlas.

Soms kwam Jade tegen haar in opstand, zei ze dat het aan haar leeftijd lag ... Ze had haar graag voor dom uitgemaakt als ze had gedurfd, maar de heldere toelichtingen bij haar commentaar gingen altijd opzettelijk vergezeld van voorbeelden uit het werk van de grote schrijvers die Jade bewonderde. Bescheiden, tactvol en overtuigend liet ze haar zien wat niet van belang was in haar werk. Zonder ooit kwetsend te zijn, legde ze de nadruk op het wezenlijke en vergat nooit er de kwaliteit van te vermelden. Afgezien nog van wat zijzelf ... Op een van de pagina's van het manuscript had ze geschreven: *Als de auteur zichtbaar is, vraag je je af wat hij daar doet; maar als zijn aanwezigheid in de loop van het verhaal steeds meer verdwijnt achter een mooie stijl, als je achter de welgekozen woorden, het verheven taalgebruik zijn ziel niet meer gewaarwordt, dan vraag je je plotseling af waar hij gebleven is.*

Toen ze haar werk las in het licht van Mamounes inbreng, besefte Jade dat ze zich nooit had afgevraagd wat ze eigenlijk had willen zeggen. Om de spanning die haar beroep met zich meebracht te vergeten, was ze gaan schrijven, zonder plan, zonder te weten waar ze naartoe ging, volkomen gelukkig en met een weergaloos gevoel van vrijheid ... Maar nu ...

Toen ze 's ochtends opstond, rook ze meteen de lichte rozen- en viooltjesgeur van Mamoune in het met bloemen getooide appartement, en ze glimlachte toen een steekje in haar hart haar vertelde dat haar wanorde nu doordrenkt raakte met de aanwezigheid van haar grootmoeder. Het was deze zoete rust die haar begeleidde als ze in tomeloze woede de bladzijden volkalkte, of als een houthakker onophoudelijk hele stukken tekst eruit gooide. Mamoune had gezegd dat door het wegkappen werd voorkomen dat het bos verstikte. Enkele veel voorkomende bomen moesten worden opgeofferd opdat de zeldzame soorten konden ontluiken. Jade glimlachte toen ze in deze zin twee vrouwen verenigd hoorde worden: de Mamoune uit de bergen en de belezen Jeanne.

Die dag had Jade gevraagd of Mamoune een aantal passages nog eens wilde lezen, maar zij had geweigerd.

'Werk maar door, kind', zei ze. 'Ik bekijk de eindversie liever in één keer, anders raak ik in de war. Dat schilderij in je slaapkamer vind ik trouwens erg mooi,' voegde ze eraan toe, 'dat vergeet ik steeds tegen je te zeggen.'

'Het is een schilderij van Klimt', antwoordde Jade, die nog steeds druk met haar correctiewerk bezig was. 'Het heet *Die drei Lebensalter*. Wil je het echt liever pas lezen als het klaar is?'

'*Die drei Lebensalter*? Dat begrijp ik niet, er staan maar twee vrouwen op, een moeder met haar kind.'

Ditmaal keek Jade op van haar manuscript toen ze antwoord gaf.

'De meeste reproducties van dit schilderij laten maar een uitsnede zien. Op het echte schilderij staat nog een derde vrouw. Zij is de oudste ...'

Ze onderbrak zichzelf toen ze besefte wat ze zei.

'Ik heb het zo gekregen, maar de afbeelding met de drie vrouwen vind ik mooier.'

Mamoune gaf geen antwoord. Ze schudde haar hoofd, terwijl ze over haar handen wreef. Jade dacht bij zichzelf dat ze er met de dag jonger uit ging zien. Ze pakte haar hand.

'Kom, dan laat ik je zien hoe het schilderij eruitziet als jouw leeftijd er niet af is gehaald ... Dan kun je meteen leren hoe je plaatjes kunt opzoeken op internet.'

Korte tijd daarvoor had Mamoune haar enigszins verlegen gevraagd of ze haar wilde leren hoe ze met de computer moest omgaan, maar alleen als je het niet vervelend vindt, had ze eraan toegevoegd, en als ik het snel genoeg begrijp en het jou niet te veel tijd kost ... Ze wilde, zei ze 'dat internetgedoe weleens uitproberen'. Verrast en opgetogen begon Jade aan de taak ... Ze had haar uitgelegd hoe je over het beeldscherm beweegt, hoe je zoekopdrachten geeft. Haar grootmoeder ging een beetje onhandig om met de muis en was vooral extreem langzaam, maar ze was zo enthousiast dat Jade haar ongeduld vergat en haar hielp de problemen op te lossen. Mamoune oefende als zij niet thuis was, zoals Jade haar had aangeraden. Op een keer raakte ze het bestand kwijt van een artikel dat haar kleindochter juist af had en moest inleveren.

'Je hebt het denk ik per ongeluk aangeklikt en in een andere map gestopt, probeer het je te herinneren', zei Jade, maar Mamoune hield koppig vol dat ze er niet aan had gezeten, wat haar kleindochter tot razernij bracht. Het kostte haar twee uur om het document terug te vinden, maar omdat ze dacht dat het gewist en voorgoed verloren was, maakte ze Mamoune zulke hevige verwijten dat haar de tranen in de ogen sprongen. Iets later, maar wel te laat, verontschuldigde Jade zich dat ze haar er zo van langs had gegeven en ze moest haar smeken om nu niet de moed te verliezen en toch opnieuw achter 'die machine', zoals Mamoune de computer noemde, te gaan zitten. Ze slaagde er uiteindelijk in haar te overtuigen, door haar voor te houden dat je er alleen door regelmatig oefenen handiger in werd en dan minder fouten zou gaan maken. Elke nieuwe verovering op het apparaat fascineerde Mamoune en het gemak waarmee ze haar geestdrift uitte was als balsem op Jades geblaseerde hart. Op een dag zat haar grootmoeder peinzend achter het scherm en Jade wilde haar al te hulp schieten, maar ze schudde haar hoofd dat het niet nodig was.

'Ik moest ineens denken aan de dag waarop er stroom werd aangelegd bij mijn ouders, en aan een andere dag, waarop mijn broer en ik in een oude krant het verhaal over Charles Lindbergh lazen. Zijn eerste oversteek over de Atlantische Oceaan … Mijn ouders hadden die krant bewaard omdat hij van het jaar en de maand van mijn geboorte was. Op diezelfde dag vertrouwde mijn broer me toe dat hij piloot wilde worden.'

De broer van Mamoune, die zeven jaar ouder was dan zij, was in de oorlog achter het stuur van zijn vliegtuig omgekomen. Ze had hem Jade altijd beschreven als een held, haar persoonlijke held sinds haar kindertijd. Lang en donker, de knapste jongen van het dorp, zei ze altijd. Dat hij ook nog piloot werd, maakte hem nog fascinerender voor de kleine Jeanne. Toen ze hoorde dat zijn vliegtuig was neergehaald bij het droppen van parachutisten, in maart 1944, kwam Mamoune net terug van het Plateau des Glières, waar ze met succes een aantal berichten had afgeleverd. Ze was het liefst meteen weer teruggegaan om er te sterven, zo onverdraaglijk vond ze de dood van haar geliefde broer. Haar slimme moeder greep haar bij de kraag van haar jas en verordonneerde dat ze haar moest helpen bij een bevalling. Met tranen in haar ogen legde ze de pasgeboren zuigeling in haar armen en zei: De dood hoort ook bij het leven. De oorlog heeft jou je broer ontnomen en mij mijn enige zoon. Het leven is een hoer die je uit alle macht lief moet hebben. Leef, mijn dochter, grijp het geluk op elk moment dat het zich voordoet en huil om de doden, maar volg ze niet als het je tijd nog niet is, dat ben je op zijn minst aan jezelf verschuldigd. Die les had diepe indruk gemaakt op Mamoune. Toch had Jade haar nog nooit over deze episode in haar leven horen vertellen, tot vandaag, peinzend voor zich uit starend achter de computer. Een stofdeeltje was genoeg geweest om het verleden op te roepen en de nauwelijks tot nieuw leven gewekte herinnering verbond wat voorbij was weer met het heden.

Mamoune

Ik kan me soms opwinden over niets, ik geef het eerlijk toe. Zoals gisteren bijvoorbeeld, toen Jade zei: Mamoune, even over je tanden ... Wat is er met mijn tanden? Wil je soms weten waarom ze niet in een glas op de wastafel drijven? vroeg ik. Nou, ik heb al mijn tanden nog ... Gelukkig is Jade niet haatdragend. Ze schraapte haar keel. Ik wilde eigenlijk zeggen dat mijn tandarts hier in de flat woont en dat hij erg aardig is, mocht je er een nodig hebben, maar omdat je al begint te bijten bij het woord alleen, zal ik het voortaan vermijden!!! Ik voelde me nogal onnozel. Toch is het vreemd. Zo was ik vroeger helemaal niet, zo opvliegend ... Wat heeft de ouderdom met me gedaan, verdorie!

En toch heb ik me sinds het overlijden van Jean nog nooit zo goed gevoeld. Was het een vergissing, om na zijn heengaan in het huis te blijven wonen waar wij ons hele leven hebben doorgebracht? Of is het simpelweg de verandering van omgeving die een heilzame invloed heeft? Ik ben ermee opgehouden om met mijn vragen eenzaam in een kringetje rond te draaien. Door me met Jades roman bezig te houden, word ik gesterkt in mijn gevoel dat ik nog nuttig ben ... Ik zou het nooit hardop durven zeggen, maar sinds ik bij mijn kleindochter ben, lijkt het wel of ik een nieuw leven ben begonnen. Ik kan tegenwoordig aan het verleden denken zonder dat mijn hart verscheurd wordt door verdriet. De gesprekken met Jade en het gonzen van de wereld dat ze mee naar huis brengt, dwingen me om niet langer te dommelen in de traagheid van die tijd, die niet meer voorbijging en mij in zijn klauwen met zich meevoerde.

Als ik door de straten van een stad wandel, opga in het gewoel, het leven gadesla vanuit de coulissen, krijg ik het gevoel niet langer al met een been in het graf te staan. Ik ben zo weinig een stadsmens, dat ik vreesde dat ik me er verloren zou voelen zonder mijn tuin in de bergen en de vrijheid die de natuur me gaf! Ik sta versteld van mezelf dat ik van alles in dit nieuwe leven hou. Zelfs de anonimiteit die de stadsbewoners aankleeft, bevalt me. Ik ben niet langer de arme weduwe Jeanne, die zich op haar weg door het dorp inbeeldt dat er gefluisterd wordt dat ze er zo lusteloos bij loopt of dat ze met Jean ook haar gevoel voor humor heeft verloren. Dezelfde mensen zouden ook wat te zeggen hebben als ik een keer zou lachen of al te kwiek aan kwam lopen, want dan zouden ze me weer te vrolijk vinden. Maar zijn wij niet zoals anderen denken dat wij zijn?

In deze wijk met voornamelijk jonge mensen glijden de blikken langs me af zonder me waar te nemen. Ik word het nooit moe om naar de gesprekken te luisteren van deze adolescenten of jongvolwassenen, die ideeën spuien die ik nooit heb gehad, problemen die ik nooit heb gekend. Soms praten ze met elkaar in een taal die ik nooit heb gesproken, hoewel hij in de verte wel iets weg heeft van het Frans. Het leven hier heeft me wereldwijzer gemaakt. Ik zou nu andere bergen kunnen bedwingen dan de bergen die vroeger mijn decor en mijn wandelgebied vormden.

Mijn hand, die niet meer zo vast is als ik denk aan het fijne naaldwerk dat ik vroeger deed, brengt zijn dag nu door op een rond, plastic instrument dat 'muis' heet. Urenlang probeer ik een pijltje te sturen over een scherm dat op geen enkele manier verbonden lijkt te zijn met dit besturingssysteem. Zo goed en zo kwaad als het gaat, en totdat mijn ogen te moe worden, zet ik door, omdat ik deze wereld wil begrijpen, die ik helemaal niet zo virtueel vind als wel wordt beweerd. Ik leer deze nieuwe manier van communiceren met een scherm. En hoewel ik me nog voel als een wijnrank in een aardbeienveld, besef ik dat het het belangrijkst is dat je nog zin hebt om te zaaien en nieuwe planten te laten groeien op de oude grond.

Jade helpt me, verliest haar geduld (dat heeft ze niet van een vreemde), wil dat ik het vlugger doe en schiet ten slotte in de lach als ik opmerk dat haar computer wel een snelle verbinding heeft, maar dat dat niet geldt voor het oude karkas dat hem bedient. Soms denk ik weleens dat Jean en ik dit samen hadden kunnen doen en dat ik aan het eind van ons leven dan eindelijk de moed zou hebben gevonden om hem mijn bedrog op te biechten, om eindelijk woorden te geven aan het hoe en het waarom ... Misschien ... Je moet nooit ergens spijt van hebben, dat weerhoudt je ervan te leven. Vanavond is Jade uitgegaan. Ik keek lang naar *Die drei Lebensalter*, het schilderij van Klimt, waarvan ze de complete afbeelding voor me heeft uitgeprint. Ik maak voor mezelf de soep die zij verafschuwt omdat er te veel prei in zit, en die ik om dezelfde reden juist zo lekker vind. Ik denk weer aan de drie vrouwen op het schilderij, het kind in de armen van de jonge vrouw; ze zijn mooi, zien er sereen uit met hun gesloten ogen, geschilderd in kleur. De oudste is grijs, afgeleefd, en verbergt haar gezicht achter haar haren. Ik ben de oudste van de drie, degene die er bij het inlijsten af is gesneden, maar ik weet dat ik de twee anderen in mij draag.

Voordat ik ga slapen, maak ik een begin met het lezen van mijn cadeau. Ik geloof dat het de eerste keer is dat mijn kleindochter me een roman heeft gegeven. Ze kwam vanavond met een pakketje thuis en zag er een beetje geheimzinnig uit. Aan de verpakking zag ik al wat het was: een boek, en nog dik ook. Maar welk? vroeg ik me af, toen ik het uit het papier haalde en zij gespannen mijn reactie afwachtte. *Pride and Prejudice*, gevolgd door *Sense and Sensibility* van Jane Austen, in een schitterende leren band. Ik kan me niet meer herinneren dat ik tegen haar gezegd had dat ik deze auteur graag wilde leren kennen. Je hebt geluk dat je ze nog niet hebt gelezen, zei Jade, met dat onmogelijke verlangen dat elke lezer heeft om een boek waar je al van houdt, weer voor de eerste keer te ontdekken.

Toen ik naar je luisterde kon ik niet geloven dat je nog maar acht jaar speelt. Heb je echt pas op je zeventiende piano leren spelen en nooit eerder een ander instrument aangeraakt?

'Ik weet het niet, ik sliep ... Ik wachtte op iets wat ik nog niet kende, een middel om mezelf te leren kennen, mijn emoties vrij te maken ...'

Rajiv keek lachend naar Jade.

'Ik had je gewaarschuwd, hij is net zo bijzonder en betoverend als zijn muziek.'

Yaron Herman, de bevriende pianist van Rajiv, en Jade hadden elkaar na afloop van het concert ontmoet. In het rode schemerduister van de zaal had ze de blik van Rajiv op zich gevoeld, terwijl hij nieuwsgierig haar reacties gadesloeg. Maar hij had al snel door hoe geraakt, hoe gefascineerd ze was. Ze was in een sensuele dromerij verzonken en Rajiv was niet alleen blij om zijn vriend te zien, maar ook om diens muziek met Jade te delen. Ze wandelden door de zoele nacht en spraken over het concert. Rajiv had voorgesteld bij hem thuis nog een glas te drinken. Ze hoefden niet lang te lopen, want zijn appartement lag maar een paar straten van het theater vandaan.

'En jullie, kennen jullie elkaar al lang?'

Ze wisselden een snelle blik en Jade voelde dat Yaron verwachtte dat zijn vriend als eerste zou antwoorden.

'Ik ben ook concertpianist geweest ... Klassiek ... Tenminste, daar werkte ik naar toe. In tegenstelling tot Yaron heb ik wel heel lang muziek gestudeerd. Ik was nogal begaafd, schijnt het. We hebben elkaar ontmoet op een festival ...'

'Hij is een geniaal vertolker, die heeft besloten zijn handen in dienst van de wereld te stellen', grapte Yaron.

'Wil dat zeggen dat je niet meer speelt?' vroeg Jade.

'O, jawel, *Für Elise* moet hij nog wel kunnen, als je het hem lief vraagt.'

'Ja, maar niet meer professioneel!' verduidelijkte Rajiv, die de spotternij van zijn vriend negeerde. 'Ik speel voor mijn plezier, of voor degenen die zin hebben naar me te luisteren. Laten we maar zeggen dat ik voor een ander soort partituur heb gekozen en dat ik daar geen spijt van heb. Ik ga iets te drinken halen ... Iedereen champagne? Vertel *mademoiselle* maar waarom ik nooit concertpianist zal worden, als je wilt, beste vriend ...'

En Yaron vertelde Jade met een zekere bewondering over Rajivs initiatiereis naar India, waarover ze al het een en ander van hemzelf had gehoord, maar zijn afscheid van de muziek had hij toen niet aangeroerd. Op zoek naar zijn wortels had dit onbekende land Rajiv in de zes maanden die hij er had doorgebracht voorgoed veranderd. Na zijn terugkeer gaf hij het pianospelen eraan en besloot geneeskunde te gaan studeren, had voor de onderzoekskant gekozen en specialiseerde zich momenteel in generieke geneesmiddelen. Rajiv kwam terug met een fles en glazen. Weer was Jade onder de indruk van de sierlijke bewegingen van zijn handen. Door de ontboezemingen van Yaron over zijn begaafdheid als concertpianist voelde ze zich nog meer tot hem aangetrokken. Ze hadden nog nooit over muziek gesproken, realiseerde Jade zich, hoogstens wat namen van musici uitgewisseld … Hij heeft je zeker heel wat onzin over me verteld? Als ik even weg ben, ziet hij altijd zijn kans schoon om mooie meisjes te versieren … Helemaal niet, ik heb Jade juist verteld dat jij met je grote intelligentie net zo goed bent in het zoeken naar moleculen als in het spelen van Skrjabin. Maar van champagne serveren heb je geen benul. Laat mij dat maar doen … Jade veegde lachend de tafel droog. Het was de eerste keer dat ze bij Rajiv thuis was. Ze zaten in een grote, rommelige kamer, met overal boeken en een enorm bed bedekt met Indiase kussens, die eruitzag als het appartement van een willekeurige single van een jaar of twintig. Yaron hield ineens zijn mond en staarde naar een stapel kleren en papieren die in een hoek van de kamer op een zwartgelakt meubelstuk lagen …

'Heb je weer een piano gekocht?'

'Nee, ik heb mijn oude opgehaald, die zolang bij een vriend stond die nu is verhuisd … Maak je geen illusies …'

En terwijl hij zich naar haar toekeerde alsof hij haar een verklaring schuldig was, legde Rajiv haar uit dat hij na het opgeven van zijn muzikale carrière het instrument dat hem zo na aan het hart lag een tijdlang niet meer wilde zien.

'De beslissing op zichzelf was niet moeilijk, maar omdat ik altijd speelde, moest ik af van die gewoonte om achter de piano te gaan zitten, en in plaats daarvan aan tafel gaan studeren. In het begin vertoonde ik met mijn instrument hetzelfde gedrag als een ander met sigaretten. Het was de deur nog niet uit, of ik was in staat om midden in de nacht de bars in de buurt af te struinen op zoek naar een piano. Zo heb ik een keer de nocturnes van Chopin gespeeld in een hoerentent op Pigalle. Over een ontwenningskuur gesproken! Het is nu vier jaar later en ik ben genezen! Ik kan aan de piano gaan zitten wanneer ik daar zin in heb, of er maandenlang niet naar omkijken.'

Jade was onder de indruk van zijn keuze. En ondanks zijn geplaag leek Yaron veel respect te hebben voor de weg die zijn vriend was ingeslagen. Even later brachten ze de grappigste quatre-mains ten gehore die ze ooit had gehoord. Daarna trok Yaron zich discreet terug onder het voorwendsel dat hij een afspraak had met zijn vriendin, en van achter zijn glimlach begon Rajiv haar te observeren. Hij keek haar aan met zijn grote zwarte ogen, die de waarheid over ondoorgrondelijke mysteries leken te bevatten. Dit soort leuterpraat, dacht Jade, is het onomstotelijke bewijs dat ik in een kritieke staat van verliefdheid verkeer!

'Een paar weken voor die befaamde dag waarop ik met de metro ging, wist ik al dat ik je zeer binnenkort zou ontmoeten', fluisterde Rajiv haar toe.

'Hoe wist je dat dan?'

'O, heel eenvoudig. Wanneer je gewend bent te luisteren, dan hoor je veel. Ik herkende je meteen toen ik je zag ... Ik weet ook dat je onder aan je rug een moedervlekje hebt.'

'Maar ... Hoe ...?'

Met dit soort verklaringen, die Jade aanvankelijk niet serieus nam, verstond Rajiv de kunst haar uit haar evenwicht te brengen en tegelijkertijd de sceptica in haar te prikkelen. Wat hij zegt betekent iets omdat Mamoune bestaat, dacht Jade, zonder goed te weten waarom. Het was bijna twee uur in de nacht en ze dacht aan haar grootmoeder, alleen in haar appartement ...

Maar als ik toch zeg dat ik het niet kan ... Dat type begon haar op haar zenuwen te werken met zijn gedram dat ze piano moest spelen omdat ze in het verleden kennelijk een paar lessen had gehad, en ook nog die bel die maar bleef gaan ... Was er niemand die open kon doen? Ja, ik kom al, riep Jade in haar slaap. Het was haar eigen stem die haar uit haar muzikale nachtmerrie haalde. Ze struikelde over haar pumps, die midden in haar werkkamer lagen, en liep op de tast naar de voordeur. Waar was Mamoune eigenlijk gebleven?

'O jee, ik wist niet dat ik je om half twaalf nog wakker zou maken …'

Haar jeugdvriend Gaël stond voor de deur, met een bos bloemen, in jeans en wit T-shirt. Op de deur hing een wit papier met de mededeling van haar grootmoeder dat ze boodschappen was gaan doen.

'Je hebt me niet wakker gemaakt. Ik heb alleen een beetje … Het feestje gisteravond …'

'Ik zie het … Als je koffie wilt, en brood, dan maak ik dat alvast voor je, terwijl jij je aankleedt …'

Jade schoot in de lach toen ze zag dat ze in haar slip in de deuropening stond. Koffie is goed, sterk graag, riep ze en ze verdween naar de badkamer. Ik ben over twee minuten bij je.

'Zo snel hoeft niet. Neem de tijd. Ik ken de weg niet in je keuken en ben waarschijnlijk net zo lang bezig als jij.'

Een kwartier later dacht Jade bij zichzelf dat er maar één Gaël was. Ze bekeek uitvoerig zijn kortgeknipte, donkere haar, waarmee hij eruitzag als een braaf jongetje, zijn groene ogen, zijn onregelmatige maar toch charmante gezicht, en terwijl ze in haar boterham met honing beet, vroeg ze zich af of hij knap was. Hij had wat je noemt een karakteristieke kop. Ze zou niet kunnen zeggen of hij knap of lelijk was, omdat ze elkaar al hun hele leven kenden. Hij hoorde bij het soort mannen op wie ze nooit was gevallen, met wie ze overal over kon praten, eerlijk, zonder toneel te spelen, kortom, zonder valse schijn, omdat ze vrienden waren. Ze had hem over de vorige avond verteld en probeerde te omschrijven hoe bijzonder haar relatie met Rajiv was.

'Ik geloof dat er gebieden zijn in ons lichaam waar we niets van weten. Je kunt ze weliswaar zien en aanraken, maar we weten gewoonweg niet dat ze bestaan en dat ze ernaar verlangen om aangeraakt, zelfs wakker gemaakt, te worden. Zeg, je kijkt of je me uit zit te lachen!'

'Jade, ik ken je al vanaf school. En je bent sindsdien al zo vaak verliefd geweest. Ik heb al een serenade van je gekregen over lichamen die in brand staan, zielen die elkaar in grote passie ontmoeten, over de man van je leven … Dat eeuwige enthousiasme van je amuseert me. Maar als ik het goed begrijp, ben je dus nog niet bij die Rajiv blijven slapen?'

'Nog niet, nee. Na een massage, of liever gezegd feest van strelingen van minstens twee uur, dat eindigde bij mijn knieen en me volkomen gek had gemaakt, ben ik braaf naar huis gegaan …'

'Heeft hij je niet eens gekust?'

'Zeker wel! De binnenkant van mijn polsen, minutenlang … Dat was goddelijk …'

'Ik weet niet of hij je tot het uiterste zal brengen, maar het belooft een hartaanval te worden, dat gedoe!'

'Ik verbied je om het gedoe te noemen! Het is een fantastische relatie en hij heeft me er echt niet mee overrompeld … Voor de massage heeft hij me gewaarschuwd … "Ik ga tot aan uw knieholten, Jade …"'

'Zegt hij ook nog "u" tegen je?'

'Welnee! Nou ja, soms, voor de grap of om me te verleiden. Dat begrijp je toch niet. Ik had al wel zo'n vermoeden dat ik ergens in mijn lichaam een geheim plekje had, maar wat ik heb ontdekt, is veel kostbaarder. Elk stukje oppervlak van mijn been, hoe onbeduidend ook, bevat een ontelbare hoeveelheid gevoelige punten. Het is gewoon onfatsoenlijk. We zouden lange rokken moeten dragen …'

'Die tijd is al geweest, schoonheid, langgeleden …'

'En dan te bedenken dat het begonnen is toen ik vroeg of hij een stukje piano voor me wilde spelen …'

'Dat zal je leren de behendigheid van een ex-toekomstig pianist in twijfel te trekken ...'

'Hij zou fantastisch geweest zijn!'

'Dat was hij nu duidelijk ook!'

Jade was zo blij met het onverwachte bezoek van Gaël dat ze haar moeizame ontwaken erdoor vergat en zijn sarcastische opmerkingen naast zich neerlegde. Ze moest gewoonweg praten over dit liefdevolle en zinnelijke avontuur, met iemand die haar goed kende. Toch leek haar vriend de strekking van wat ze vertelde niet helemaal te beseffen. Het was zo moeilijk om niet in clichés te vervallen, om deze ontmoeting, waarvan ze zelf niet wist wat ze ervan moest denken, aan een ander uit te leggen.

'Sorry, Jade, dat ik het zo direct vraag, maar was jouw relatie met Julien zuiver platonisch?'

De voordeur ging open en Jade legde een vinger op haar mond. Mamoune kwam stralend binnen. Ze had een bos bloemen in haar arm en trok een karretje achter zich aan, dat vol zat met groente en fruit.

'Je bent wakker, zie ik, liefje ... Hemeltjelief, ben jij dat, Gaël? Wat ben je groot geworden. Ik heb je denk ik voor het laatst gezien toen je vijftien was. Ik weet nu echt niet meer of ik u of jij tegen je moet zeggen ... Woon je hier in de buurt?'

'Twee haltes met de metro, een grotere afstand kan mijn vriendschap met Jade niet verdragen, maar zegt u alstublieft gewoon jij tegen me, Mamoune. U was ook altijd een beetje mijn grootmoeder. Ik ben zo vaak bij u geweest toen ik klein was.'

'Geef me een kus, kinderen! Ik heb druiven en vijgen gekocht. Je bent zeker laat thuisgekomen, Jade, want ik heb je niet meer gehoord. Toen je vanochtend nog sliep, heb ik maar niet op je gewacht en ben een paar boodschapjes gaan halen.'

Jade kapittelde haar grootmoeder over het feit dat ze alleen had lopen sjouwen, maar haar grootmoeder was niet van zins om naar haar te luisteren. Ze was druk bezig de bloemen in een vaas te zetten. Kijk eens, de tulpen passen goed bij de prachtige irissen die je hebt meegebracht, zei ze tegen Gaël, die haar een samenzweerderig knipoogje gaf.

Daarna trok ze zich met haar boodschappen terug in de keuken met de mededeling dat de jongelui elkaar vast van alles te vertellen hadden en dat zij het vlees ging braden.

Mamoune

Ik geloof dat ik vorderingen begin te maken. Ik begrijp nu dat dit duivelse zoekinstrument dat internet heet, werkt als een matroesjka. Wie het waagt een site te openen, wordt onmiddellijk doorgesluisd naar de volgende, van waar hij wordt meegelokt naar een andere, die hem weer verder leidt, om ten slotte heel erg anders uit te komen. Ik moet systematisch en zorgvuldig te werk gaan bij mijn zoektocht, om niet die tunnel van websites in te worden gezogen die me van mijn oorspronkelijke plan afleidt. Omdat ik nog niet erg handig ben, weet ik soms niet meer hoe ik terug moet gaan naar de pagina's waar ik misschien het antwoord op mijn vragen kan vinden. Na veel omwegen heb ik uiteindelijk een lijst samengesteld van uitgeverijen die Jades roman volgens mij in ontvangst zouden kunnen nemen, als hij tenminste in een verbeterde versie wordt aangeboden. Ik vergelijk de manier waarop ze zich presenteren, de zorg, of het gebrek daaraan, waarmee ze auteurs uitnodigen hun manuscripten in te sturen. Voor Jade schrijf ik een paar zinnen over van hun websites die me amuseerden.

'Waaraan herkent men tegenwoordig een goede uitgeverij? Aan het niveau waarop zij zich verbonden voelt met de literaire waarden en normen die leidend waren bij de oprichting.'

Goed. Een ander zegt: 'Wij publiceren werken die inzicht geven in het huidige tijdsgewricht en een beeld scheppen van de wereld van morgen ...' Een derde waarschuwt: 'Hoe geef je een eerste roman uit? Met veel moed! Van de vijfhonderd manuscripten per maand blijven er maar vijf over.' Zo, nu zijn we al bij de cijfers aanbeland!

Van de bescheidener huizen is er een dat mijn aandacht trekt. Uitgeverij En Lieu Sûr.* Het is een klein huis van kwaliteit dat onderdeel is van een groep. De site opent met een citaat van Alberto Manguel: 'Ik ben ervan overtuigd dat wij zullen blijven lezen zolang wij doorgaan met het benoemen van de wereld die ons omringt.' Hier wordt eerst over de lezers gesproken in plaats van over de auteurs. Ik lees dus verder.

In de rubriek 'Over het insturen van een manuscript' staat een welkomstbrief van Albert Couvin, de oprichter, die, hoewel zijn huis verbonden is aan een grote uitgeverij, zijn eigen identiteit behouden lijkt te hebben.

Hij zegt dat men nooit ophoudt met ontdekken, met zichzelf te ontdekken bij het schrijven van boeken, bij het uitgeven. Wat een interessante man, deze uitgever, die zichzelf ziet als een schakel in een ketting en zich richt tot toekomstige auteurs of hen die dat graag willen worden. En hij lijkt daarin oprecht en trots op zijn persoonlijke opvattingen ... *Het is niet goed mogelijk u te vertellen welke criteria ik aanleg bij het lezen van uw manuscript, zonder de waarheid geweld aan te doen. De enige garantie die ik u kan bieden, is mijn passie om het te lezen, en me voor te stellen dat zich onder het omslag van de tekst een schrijver bevindt ...* Hij vermeldt ook dat de retourbrieven door verschillende fondsdirecteuren van de uitgeverij ondertekend worden en dat elk manuscript uitgebreid

---

* En Lieu Sûr: op een veilige plaats.

188

van commentaar wordt voorzien. Een stukje verder geeft hij een aantal verstandige adviezen: Men moet de lauwerkransen, het strovuur van de erkenning, de mediahype om het sterrendom, het geklets over de literatuur vergeten ... Net als *bestsellers, waarvan de miljoenen verkochte exemplaren niets zeggen, behalve cijfers* ... En hij besluit zijn brief: *Geniet van het schrijven als zodanig, meer dan van het idee een schrijver te zijn. En als u, zoals het oude spreekwoord wil, honderdmaal opnieuw bent begonnen, stuur me dan vol trots wat u hebt geweven. Uw wellicht toekomstige uitgever, maar bovenal respectvolle lezer ...*

Het kostte me een uur om bij te komen van deze brief, die zowel uitdrukt wat ik bij het lezen van Jades roman voelde, als wat ik mijn hele leven als lezeres heb ervaren. Ik was erg aangedaan na het bezoek aan deze site! Ik kreeg het gevoel dat deze tekst voor ons was bestemd. Deze man, die over het schrijven zegt wat ik over de literatuur denk, zou ik maar wat graag ontmoeten. De handtekening van de oprichter van het huis En Lieu Sûr staat onder aan de brief, waarnaast een klein envelopje is afgebeeld. Het is wederom een teken dat hij zijn uitgeverij hartstochtelijk is toegedaan. Hij verkeert niet in onbereikbare sferen. Je kunt hem schrijven, maar ... Ik weet niet hoe ik dat moet doen! Ik wil wel, maar omdat ik een onwetend oud mens ben, kan ik nu niet verder. Ik weet niet hoe ik een brief moet versturen via het internet. Terwijl ik toch elke dag zie dat mijn kleindochter haar elektronische post bekijkt. In het begin duurde het even voordat ik doorhad waarom ze steeds achter de computer ging zitten als ze zei dat ze haar post ging lezen. Ik zal op Jade moeten wachten om, voor het eerst in mijn lange leven, een brief te versturen of op te halen zonder bij het postkantoor langs te gaan.

Omdat ik er meer van wil weten, ga ik wat uitzoeken over

deze man, die ik nu al als geroepen, en waarom niet, als de toekomstige uitgever van mijn kleindochter beschouw. Laten we eens kijken. Ik probeer te doen wat Jade me heeft geleerd en tot mijn grote verbazing red ik me er aardig uit. We zijn van hetzelfde jaar. 1927. Hij was uitgever in de Verenigde Staten, daarna vertaler in Japan, voordat hij in Frankrijk zijn uitgeverij oprichtte. Schijnbaar genoot hij bekendheid vanwege zijn niet-aflatende betrokkenheid bij studie en vorming en is hij daarom een week lang minister van Cultuur geweest. Langer had hij niet nodig om te beseffen dat er van zijn hervormingen niets zou terechtkomen en dat hij nooit met compromissen zou kunnen leven. Uit de gevonden artikelen maak ik op dat de anderen ook niet meer tijd nodig hadden om zich te realiseren dat het moeilijk is een man naast je te hebben die geen holle frasen bezigt. Hij was ook de eerste die boeken die verpulpt moesten worden opzijlegde om bibliotheken voor daklozen te stichten. Dat is het portret dat ik op internet over deze ongewone en gepassioneerde man vind. Als ik in een artikel zijn foto aantref, slaak ik een kreet van verrassing. Hij lijkt op mijn oude vriend Henri. Als ik hem beter bekijk, ziet hij er heel anders uit, maar het is zijn gestalte en die grijze krans haar die me aanvankelijk opvielen. Hij heeft grote ogen, die de wereld lijken te verslinden ... De wereld die inmiddels binnen het bereik ligt van de grijze muis die ik zelf ben en van de muis die ik bedien sinds de herhaalde inspanningen van Jade de poorten van de cultuur aan huis voor me hebben geopend.

Het is heerlijk om te ontdekken dat deze tijd, die zo weinig afgestemd lijkt te zijn op de oude vrouw die ik nu ben, voordelen heeft waarvan ik het bestaan niet kende. Als je op een bepaalde leeftijd komt, kost alles moeite. Ik heb veel te laat geleerd dat je helemaal geen moed nodig hebt om jong te zijn. Geestdrift, beweging, snelheid. Alles wordt je op natuurlijke wijze geschonken, zonder pijn. Maar deze machine, zoals ik de computer noem, past bij mijn traagheid en dwingt me niet om voort te gaan met pijn in een of ander gewricht waarvan ik zelfs niet wist dat het bestond. Natuurlijk weet ik dat deze stoel slecht is voor mijn houding, maar voor het ogenblik beleef ik alleen maar plezier aan deze dagelijkse oefening die mijn geheugen laat werken, en al kan ik niet wedijveren met dat van de computer, ik ben in elk geval voortdurend bezig met een zeer stimulerende hersentraining. En na deze cerebrale marathon ben ik zo uitgeput dat ik na het eten onmiddellijk wegzak in Morpheus' armen. Slechts met moeite lees ik nog een paar bladzijden voordat ik inslaap. Na een nacht vol dromen, die niet altijd even rustig verlopen en waarin ik de draaikolk van mijn nasporingen in word gezogen, kom ik in de vroege ochtend zonder al te veel stijfheid weer bij mijn positieven.

De reflex om de luiken open te gooien en naar de tuin te kijken die ik bijna drie maanden geleden heb achtergelaten, is verdwenen. Ik heb het gevoel dat ik mijn huis tien jaar geleden al heb verlaten, zo niet langer. Ik vermijd de spiegel, ik wil hem niet de gelegenheid geven te weerspreken wat ik van binnen voel. Dat is iets wat je moet leren als je ouder wordt. Alles heeft een betekenis ... Maar zonder spiegel. Mijn buurvrouw zei altijd, hoewel ik niet geloof dat ze de draagwijdte van haar woorden besefte: Vanaf een bepaalde leeftijd begon ik te merken dat mijn spiegel te veel reflecteerde.

Het was de eerste keer dat Jade Rajiv in een traditioneel kostuum zag. Hij had onverwacht bij haar aangebeld en gevraagd of ze hem wilde vergezellen naar een Indiase ceremonie. Niets in het gedrag van deze man leek op wat ze van anderen kende. Toen ze hem zo zag, helemaal in het wit gekleed, zag hij er werkelijk uit als een vreemde. Hij leek niet erg zeker van zichzelf. Maar Jade dacht niet na over zijn verlegenheid toen hij in de deuropening op haar antwoord wachtte. Ze vroeg zich af welke plaats ze in zijn leven innam. Zo beheerst als hij naar buiten toe was, zo vurig was hij als ze samen waren. Hij leek haar het hof te maken, meer dan dat hij haar versierde, een woord dat in zijn geval volstrekt misplaatst was. Een simpele streling over Jades arm werd onder zijn vingers een voorbode van een orgasme, zijn stem bezorgde haar knikkende knieen en deed haar aan andere dingen denken dan aan wat hij zei. Als ze bij hem was, gedroeg ze zich met bovenmenselijke inspanning als een bezadigde vriendin, om te verbergen dat ze niet wist welke houding ze zich moest geven. Alsof Rajivs vreemd-zijn op haar oversloeg.

'Ik dacht dat je het misschien interessant zou vinden om aan een *Puja* deel te nemen. Het is in een straat net achter jouw huis, in een tempel waar de hindoes een aantal keren per dag hun godheden aanbidden.'

'Waarom niet?' (Met hem zou ze overal naartoe gaan …)

'Geef me twee minuten om iets anders aan te trekken.'

Jade schreef snel een briefje voor Mamoune waar ze was, terwijl ze haar hart zo voelde bonzen dat ze dacht dat het uit haar borst zou springen. Daarna rende ze naar haar kamer om zich om te kleden. Het was de eerste keer dat Rajiv bij haar thuis kwam. En als Mamoune niet elk ogenblik terug kon komen van haar wandeling, zouden ze dan ook naar die plechtigheid zijn gegaan? Daar kon ze maar beter niet aan denken …

'Ik wist niet dat er een tempel zo vlak in de buurt was', zei ze tegen Rajiv, toen ze met dansende passen naar hem toe liep. Ze legde het briefje voor Mamoune duidelijk zichtbaar op de tafel en voordat ze het appartement verlieten, snoof ze nog even haar viooltjesgeur op.

'Van buiten zie je er niets van, maar zodra je over de drempel van dit typisch Parijse pand bent gestapt, waan je je in een Bollywoodfilm.'

'Nee, van buiten zie je er niets van ...' mompelde Jade.

'Moet ik iets doen of zeggen tijdens de ceremonie? Weet je zeker dat het geen probleem is dat ik erbij ben?'

'Maak je geen zorgen. Ik zal voor je vertalen wat er gebeurt. Als ik het zelf begrijp, tenminste', voegde hij er lachend aan toe.

'Ik dacht dat je Hindi sprak?' vroeg ze verbaasd, terwijl ze haar pas naar de zijne regelde.

'Ja, maar het hangt van de priester af. Van de zestienhonderd talen die er in India bestaan, is er weleens een bij die ik minder goed kan volgen ...'

Rajivs manier van grappen maken bevatte altijd een grond van ernst, die haar van de wijs bracht. Alleen zijn ogen verraadden zijn scherts.

'Weet je, zelf ben ik niet erg religieus. Ik neem deel aan enkele rituelen, als een Engelse Indiër die slecht is opgevoed in de tradities ... Maar ik voel me thuis in deze gemeenschap', voegde hij er nadenkend aan toe.

Toen ze de tempel betraden, was Jade blij dat ze een wat langere, beige jurk had aangetrokken om Rajiv te vergezellen. De Indiërs begroetten haar met die onnavolgbare neiging van hun hoofd, waarvan je nooit wist of die positief of negatief was, als er niet die glimlach was die ermee gepaard ging.

Tijdens de ceremonie vertaalde Rajiv een paar brokstukken van de heilige woorden voor haar, fluisterde dat de Puja een soort verbond was tussen de goden en de mensen. Terwijl hij sprak, boog hij zich naar haar toe en beroerde haar hals met zijn lippen. Hij had zich tijdens de ceremonie niet bij de mannen gevoegd. Ze bleven aan de zijkant, als gasten. En Rajiv had gelijk gehad: binnen in deze tempel, die met houtsnijwerk, kleurrijke stoffen en vergulde decoraties was versierd, kon je je overal in India wanen.

Een uur later liepen ze langs het Canal Saint-Martin en vertelde Rajiv haar wat meer over zijn eerste reis naar zijn land van herkomst. Ze probeerde het te begrijpen.

'Maar je had toch weleens documentaires gezien? Die zendt de BBC regelmatig uit. Zo verrast kon je dan toch niet zijn …'

'Ik was net zo'n Europeaan als jij. De Indiase wijk in Londen heeft niets te maken met India. Van een stad als Pondicherry had ik me geen voorstelling kunnen maken voordat ik er was geweest en er een tijdje had gewoond. Tweehonderdduizend fietsen en duizenden andere voertuigen, maar vooral die mensenmassa, mannen en vrouwen, die dezelfde kleur hebben als ik en die toch met één blik zagen dat ik buitenlander was. En daarbij kwam dan nog de vochtige hitte en de stank …' Plotseling stopte hij met praten, als om de stroom herinneringen terug te halen. In het begin vond ik die stank onverdraaglijk. Ik schaamde me. Ik was bang voor de ellende, het kastenstelsel. Hier zijn het mensen die je op straat ziet, individuen, zelfs in een menigte. Maar daarginds heb je de hele dag het gevoel dat je de hele mensheid beschouwt. Deze reis is een aaneenschakeling geweest van aardschokken, en al op het moment dat ze me overkwamen, wist ik dat zodra ze voorbij waren, ik nooit meer dezelfde zou zijn. Toen ontmoette ik een yogameester … Ik begon te leren wie ik was. Mijn hele leven kantelde. Ik had naar dit land verlangd, maar kon het niet bevatten; maar dat was niet meer zo belangrijk. Uiteindelijk begreep ik dat alleen Europeanen alles willen begrijpen … En dat het daar niet om gaat …

Hij zweeg en boog zich over het water van het kanaal, keek naar de weerspiegeling van het gebladerte. Jade had haar hand in zijn nek gelegd en streelde hem zacht. Als ik er goed over nadenk, voegde hij eraan toe, sta ik dichter bij jou dan bij willekeurig welke Indiër, en toch word ik bezeten door dit land ... Zoals daarvoor door de muziek ... Zoals een vrouw een man een leven lang kan bezitten.

Jade durfde haar ogen niet meer op te slaan. Ze voelde hoe zijn brandende blik haar doorboorde. Waarom dit voorbeeld en niet het omgekeerde? Kon een man niet het hart van een vrouw bezitten? Het was belachelijk dat ze zich op haar dertigste nog zo voelde. Met die emoties van een puber, die wordt meegesleept door de gevoelens van een eerste keer. Ze sloot haar ogen om beter de zachtheid van zijn lippen op de hare te voelen.

Op een bepaalde manier was Rajivs komst in haar leven het antwoord op haar verlangen het banale af te wijzen. Telkens als ze een poging had ondernomen om erover te praten, dachten haar vrienden dat ze tijdelijk in een depressieve bui verkeerde. Ik wil niet leven zonder me bewust te zijn dat ik leef, zei ze tegen hen. Dat ging wel weer over, kreeg ze dan te horen. Maar ze wilde niet dat het 'overging'. Het was een groot geschenk als je erin kon geloven dat een leven vol passie echt mogelijk was, en niet alleen in een droom. Het verlangen dat haar hart verteerde, wilde Jade werkelijkheid laten worden. De zachte en ruwe kanten die ze van het leven verwachtte, lagen binnen handbereik. Ze probeerde zichzelf voor te houden dat je iets waar je erg naar verlangde uiteindelijk ook zou krijgen, maar geloven deed ze het niet helemaal. Het leek haar onverdraaglijk dat ze op een dag zou kunnen inslapen en haar bevlogen dromen zou vergeten. Ze voelde dat ze deze angsten en verlangens met elkaar in evenwicht moest brengen. Ze was dertig jaar, alles lag nog voor haar en de krachtige stimulans van het schrijven dreef haar voort. Maar toch had ze het gevoel dat ze elke dag op de rand van de afgrond balanceerde. En soms werd ze achtervolgd door een onverwachte stortvloed van vragen over de zinloosheid van het leven. Ze waren machtig, de geheimzinnige demonen die haar naar de andere wereld wilden lokken.

Ze had ten slotte toch niet met Mamoune over de dood gesproken. Ze had er geen tijd voor gehad, of niet gedurfd … Altijd weer die dwaze vrees dat ze niet zorgeloos genoeg was voor haar leeftijd! Als ze naar de toekomst keek, zag ze dat men altijd de moeilijkste weg koos, de smartelijkste, de verwarrendste, en waarom?

Misschien om je lichaam met heel je ziel te bewonen en met hartstocht te verlangen. Of om iets wezenlijks te ontvangen en door te geven … En hoorde ze niet iets van Mamoune doorklinken in deze gedachten? Kom er maar eens achter hoe je wordt wie je bent, dacht ze, terwijl ze haar schouders ophaalde … Maar wat Jade wel wist, was dat ze wilde ontsnappen aan dat verraderlijke moment waarop ze niets meer zou ervaren, omdat ze één was geworden met de anderen. En de oplossing ervoor was niet de dood, maar een andere manier van leven, je vast te houden aan deze zekerheid: dat alles zijn tijd nodig had, dat ondanks het feit dat het leven van de mensen vanzelf sneller was geworden, wegsijpelend in het niets, er in wezen niets was veranderd in deze wereld. Je moest bereid zijn te blijven luisteren, en dat vereiste zeer veel wilskracht en kritisch vermogen in het geraas van de gemoderniseerde, onherkenbaar geworden, doelloze wereld.

Maar had ze dat als eenvoudig journaliste kunnen zeggen? Was daar niet de zachte mantel van de fictie voor nodig, om die waarheid acceptabel te maken?

Mamoune

Na drie dagen heeft Denise nog altijd mijn eerste e-mail niet beantwoord. Het maakt Jade woedend en ze zegt dat haar tante gewoon niet geschikt is voor dit soort snelle apparatuur. Het zal wel, ik ben geneigd te denken dat al die moderne machines gevaarlijke tirannen zijn die ons tot slavernij brengen. En dat werd vandaag door Jade zelf bevestigd, toen ze me toevertrouwde hoe ergerlijk ze het vond als iemand haar op haar mobiele telefoon belde en het gesprek begon met de onvermijdelijke vraag: Waar ben je? Aan de andere kant van de lijn, antwoordt ze dan, om elke discussie daarover de kop in te drukken. Het is juist het voordeel van die telefoons dat anderen je niét kunnen lokaliseren, klaagt ze ... Ik heb helemaal geen aansluiting meer en toch gaat het niet slechter met me, dacht ik bij mezelf. Ik krijg vaak de indruk dat Jade met haar mobiele telefoon een hele telefooncentrale met zich meezeult. Het zorgt ervoor dat ze de nodige keren per dag haar tas moet leeghalen om hem te vinden, bij voorkeur scheldend omdat hij maar blijft overgaan.

Vanochtend ook weer, toen begon het al vroeg. Jade sprong op: Een moment, Mamoune, ik zet hem even op stil en dan kom ik je brioches eten ... Wat voor mij, die er nog nooit ook maar aan heeft gedacht om iets op stil te zetten, een enorme ontdekking is. Ik heb het gevoel dat ik uit een andere wereld kom met mijn brioches, die ze niettemin verslindt als een kind van vier! Terwijl ze op een hoek van de tafel zit, neem ik dit korte moment te baat om haar te vragen hoe belangrijk het schrijven eigenlijk is voor haar. Ze fronst, stopt met het dopen van haar brioche in de chocola.

'Sinds mijn dertigste denk ik steeds dat ik misschien al over de helft van mijn leven ben', legt mijn kleindochter me uit. (In dat geval, dacht ik, zou ik mijn limiet allang overschreden hebben.) 'En als de tweede helft net zo snel voorbijgaat als de eerste, ben ik snel klaar met mijn leven. Het zijn vragen die me altijd hebben beziggehouden. Zelfs toen ik klein was. Verder lijkt niemand anders zich voor zulke dwaze gedachten te interesseren … Maar ik geloof dat mijn verlangen om te schrijven voortkomt uit die gedachten. Ergens in de schaduw is er iets wat me dwingt om de bladzijden te vullen met beelden, gevoelens en vragen die niemand horen wil, maar die de mensen lezen in de fictieve levens van de romanfiguren …'

'Je bedoelt dat die angsten, die lotsbeschikkingen, die levens zich ergens in de ruimte bevinden, waar schrijvers ze ophalen om ons erover te vertellen? Je hoort dus stemmen, liefje?' vroeg ik aan Jade.

'Ja, een soort geheime stemmen. En ik voel het als een plicht om ze op schrijven. Ik zie de dingen ook nooit zoals anderen … Maar wat ik nu zeg, is voor mezelf ook niet helemaal duidelijk.'

'Het is in ieder geval een mooie reden om te schrijven. Toen ik zo naar je luisterde, vroeg ik me af of ik het zou hebben geaccepteerd als iemand me zou vertellen dat alles wat ik in boeken heb gelezen, echt waar is, zoals kinderen zeggen …'

'Weet je, Mamoune, wat ik lees wordt mijn waarheid door de fictie. Maar de woorden om haar te beschrijven zijn niet meer dezelfde.'

Na dit gesprek met Jade heb ik een reden te meer om mijn brief aan die meneer Couvin te schrijven.

Vanmiddag wandel ik op een kerkhof in de buurt en zoals altijd heb ik daarna het gevoel weer op het nippertje ontsnapt te zijn. Ik weet niet waarom, maar als ik aan mijn dood denk, zie ik altijd voor me hoe ik mijn eerste kind een luier omdoe, vlak na de geboorte. Vervolgens gaat die gedachte zijn eigen weg en kom ik weer bij mijn verstand; maar het laatste wordt minder sinds ik hier woon. Waarom zou ik juist nu sterven, nu ik nog zo veel te doen heb? O nee, Jeanne, geen medelijden, geen uitvluchten meer, laten we die – hoe heet dat ook alweer? – die e-mail gaan schrijven waar we zo bang voor zijn ... Al die nieuwe woorden ook.

Nadat ik zijn brief aan de auteurs die hem misschien een roman willen toesturen had gelezen, wist ik ook waarom ik bij de boeken die bij deze Albert Couvin verschenen het gevoel had dat er een draad werd gesponnen tussen de verschillende werken die hij publiceert. Dat vertel ik hem als begin van mijn brief. *Door uw enthousiasme voor nieuwe ontdekkingen krijg ik de indruk dat mijn kleindochter bij u op een aandachtig oog mag rekenen voor haar eerste roman.* Daarna leg ik kort uit waarom ik sinds een paar weken bij haar woon. Ik schrijf dat ik een geheime lezeres ben ... *Daar u volgens uw biografie dezelfde leeftijd hebt als ik, hoef ik u niet uit te leggen dat het in sommige milieus niet te pas kwam om te lezen, zeker niet voor een vrouw* ... Even zien. Ik moet ook niet vergeten te vermelden dat ik in mijn bescheiden hoedanigheid van gepassioneerd lezeres Jade mijn hulp heb aangeboden bij het verbeteren van haar roman. Zal ik de moeilijkheden aanroeren die ik bij deze taak ondervind? Waarom niet ...

... Maar het is één ding om te lezen, en een ander om de au-

*teur over die lectuur verslag uit te brengen. Nadat ik de roman
had gelezen, heb ik openhartig met haar gesproken en ik weet
niet zeker of ik voor de moeilijke rol waarin ik me nu bevind
wel de vereiste competenties heb.* Zal hij, nu ik mijn twijfels heb
geuit, begrijpen dat ik graag zag dat een redacteur verdergaat
met wat ik zelf niet kan?

Ik heb veel tijd besteed aan het vinden van de juiste woorden,
de goede opbouw, het corrigeren en het bedenken van wat ik
hem precies wilde zeggen. Dankzij deze brief aan een uitgever
ervaar ik nu zelf hoeveel werk het voor een schrijver kan zijn
om, al tastend en zoekend, goed begrepen te worden. Aan het
eind van mijn schrijven verzoek ik hem nog om verontschul-
diging, omdat ik maar een eenvoudige vrouw van het platteland ben en nooit iets anders heb geschreven dan brieven aan
de belastingdienst of de verzekeringsmaatschappij. Daarmee
is mijn gezoek nog niet voorbij; als ik besluit om het allemaal
naar de brievenmap van de machine over te brengen, krijg
ik met de nodige technische problemen te maken. En als ik
dan eindelijk, min of meer tevreden over het resultaat, op de
knop 'verzenden' druk, gebeurt er niets. Ik durf nergens aan
te komen uit angst dat mijn brief verdwijnt. Ik kijk naar het
beeldscherm en herinner me weer wat Jade heeft gezegd over
mijn adres. Jeannef, dan de *a* in het zeepbelletje, en daarach-
ter de naam die ik aldoor vergeet van dat steeds wisselende
postkantoor dat als reisbureau voor mijn brieven fungeert.
Ik staar een tijdlang naar het venster en onderzoek het nauwkeurig. En dan zie ik ten slotte de melding dat ik vergeten
ben het adres van de ontvanger in te vullen.

Ik vind het vreselijk te moeten vechten met een weer-
spannige machine die niet over menselijke logica beschikt.
In het dagelijks leven moet ik allerlei raadsels oplossen, en
mijn denkvermogen en mijn gezonde verstand, mijn boeren-

verstand zoals mijn moeder het noemde, laten me nooit in de steek. In mijn hele leven heb ik nog nooit een uur in de tuin of in de keuken doorgebracht en me zo verslagen gevoeld door mijn eigen onbekwaamheid. Zelfs in moeilijke en onbekende boeken wist ik dat er een geheim was dat ik moest doorgronden, maar die verwachting gaf meer voldoening omdat in zo'n geval mijn geest werd uitgedaagd. Wat een vreemde wereld is dit toch, waarin een aan het ingewikkelde menselijk brein ontsproten machine daar verder vanaf staat dan het primitiefste werktuig.

Ik ben een oude zeurpiet geworden, maar de verschillen tussen de wereld zoals ik die kende en die van tegenwoordig liggen volgens mij niet zozeer aan de wereld, maar aan zijn snelheid. Ik denk niet dat ik Jade iets kan meegeven uit de tijd die de mijne was. Zelf luister ik daarentegen altijd gretig naar haar raadgevingen over hoe ik het best kan leven in haar wereld en in haar ritme. En dat is geen eenvoudige opgave! Als ik aan mijn moeder denk, die altijd zei dat het beroep van vroedvrouw het enige was dat altijd hetzelfde zou blijven, denk ik dat ze zich in haar graf zou omdraaien als ze de documentaire over het moderne moederschap had gezien waar ik twee dagen geleden naar heb gekeken. Geen enkel partikeltje van de mens is nog onaantastbaar, en er zijn zelfs dagen dat ik bij mezelf denk dat ik maar beter snel kan doodgaan, voordat ze een of andere duivelse waanzin bedenken en toepassen om oude mensen in een bovennatuurlijke staat te laten voortbestaan.

Hoor ik daar stemmen in de gang? Zou Jade al terug zijn? Ik vertel haar nog niets over mijn brief aan die uitgever. Ik wacht eerst een paar dagen zijn antwoord af. Op zulk enthousiasme kan toch geen zwijgen volgen ... Ik hoor ook nog een mannenstem naast die van Jade. Ze roept me! En ik zie er niet zo slordig uit ... Vooropgesteld dat ik het goed hoor ...

Ik heb me niet vergist, het was inderdaad een mannenstem die ik hoorde. Jade had het goede idee om hier thuis nog een kop koffie te drinken om me haar Indiase vriend Rajiv voor te stellen. Wat een respectvolle en hoffelijke jongeman. Zijn hele wezen drukt openheid uit en Jade had gelijk: zijn glimlach is als een zon die om hem heen straalt. Om zijn nieuwsgierigheid te bevredigen graaf ik in mijn herinnering en vertel dat wij vroeger op klompen naar school liepen en dat we niet zeurden over vijf kilometer heen 's ochtends en weer vijf terug 's avonds. De thermometer wees bij ons in de bergen vaak twintig graden onder nul aan, temperaturen die verleden tijd lijken te zijn. De winters waren toen veel strenger en de zomers veel warmer. Mannen, vrouwen en kinderen waren volgens datzelfde patroon geweven; niet zo lauw als tegenwoordig. Jade en Rajiv zijn verbluft als ik ze vertel wat de reactie was van de huisarts in het dorp van mijn grootmoeder toen daar de eerste auto arriveerde.

'Tien kilometer per uur, dat is waanzin, dat houdt het hart nooit vol …'

Dan, via een of andere omweg, komen we over geweld te spreken en Jade en Rajiv vragen zich af welke rol het speelde in ons dagelijks leven. Ze denken waarschijnlijk dat het leven vroeger vriendelijker was, vergeleken met het harde leven van nu. Maar wij leefden in een tijd waarin er elke twintig jaar een oorlog was en nooit eerder waren de gruwelijkheden zo groot geweest. Nooit eerder hadden onze grootouders zo'n blinde vernietigingsdrang meegemaakt. Maar heeft het geweld dat wij in de oorlog meemaakten ervoor gezorgd dat wij het dagelijks leven dat zij in vredestijd kennen niet als hard ervaren? En hebben wij, afgezien van de oorlogen, uiteindelijk een aangenamer leven gehad dan zij? Ik zou er geen eed op durven doen … Steeds als ik het vertel, vraag ik me af waar dit verleden vandaan komt, dat zo helemaal niet op het mijne lijkt. Het is alsof ik mezelf hoor liegen. Ik maak me kwaad bij de gedachte dat het belangrijkste misschien verloren gaat. Dat alleen de anekdotes blijven.

'Kinderen,' zeg ik, 'ik kan de tijd waarin jullie leven en die ik elke dag opnieuw probeer te begrijpen, niet meer bijbenen. Welke sleutels kun je meegeven aan iemand van dertig van wie het leven bol staat van de veranderingen waar wij ons zelfs geen voorstelling van kunnen maken? Ik ben bang dat het sleutels zijn voor deuren die niet meer bestaan.'

Rajiv en Jade protesteren. Hij maakt van de gelegenheid gebruik om te vragen of hij me Mamoune mag noemen, wat hem een verbaasde blik van mijn kleindochter oplevert.

Een ogenblik luister ik niet naar wat ze zeggen, omdat ik wil zien hoe goed ze bij elkaar passen. Ik denk een glimp te ontwaren van de jaren die ze zij aan zij zullen doorbrengen en waarvan ze zelf nog niets weten. De eensgezindheid die ze onbewust uitstralen vervult me met vreugde. Misschien hebben ze gelijk. Wij, de ouderen, hebben nog zo veel waardevolle herinneringen die we kunnen doorgeven, zodat zij in de ene hand het vertrouwen in de toekomst houden, en in de andere een spoor van het verleden.

Zes maanden nadat Mamoune bij haar was ingetrokken, was Jades vrees geheel verdwenen. Het was niet allemaal eenvoudig en sommige details van het dagelijks leven waren ronduit gecompliceerd. Het kostte haar bijvoorbeeld elke ochtend opnieuw de nodige tijd om alle ramen die Mamoune wijd open had gezet, weer dicht te doen. Haar grootmoeder was een vrouw van de bergen, had het niet snel koud, was gewend aan frisse lucht en of het nu regende of waaide, de ramen gingen open. Jade haatte de kou, vooral 's ochtends bij het opstaan, en bovendien had ze haar al heel vaak proberen uit te leggen dat het geen goed idee was om te luchten tijdens de ochtendspits. Maar die kleine huishoudelijke zaken waren onbelangrijk vergeleken met wat Jade beleefde als ze Mamoune meenam naar een museum of een film, op de dagen dat ze niet te moe was. Jade vertrouwde haar enthousiasme niet, haar wens om Jades leven niet te belasten en dat van zichzelf op te vrolijken. Mamoune zei vaak met kinderlijke onverschilligheid: 'Pff, tachtig jaar. Dat ben ik ja, en wat dan nog? Ik voel me veel beter dan op mijn zestigste, toen ik nog gewend was om als een dartele geit rond te springen en meteen begon te mekkeren zodra het raderwerk in mijn lichaam even haperde. In die tijd ongeveer ontdekte ik spieren, zenuwen en gewrichten waarvan ik zelfs geen vermoeden had. Waarschijnlijk voelden ze zich beledigd door mijn onwetendheid en wilden ze me op deze manier te kennen geven wat voor pijntjes ze eventueel nog meer voor me in petto hadden.'

Mamoune speelde het slim, met haar uithoudingsvermogen, maar in de loop van de tijd had Jade aan kleine tekens leren herkennen wanneer ze haar even niets moest voorstellen. Aan de manier waarop ze liep, ging zitten of met haar ogen knipperde. Aan haar hele manier van doen, waaruit de fut verdween als ze dacht dat Jade niet naar haar keek. Ze zou overal mee instemmen om maar niet te tonen hoe moe ze was en volgde het gezegde dat je actief moet blijven zolang je leeft, want wie niet meer actief is, die is dood.

Door haar elke dag zo te observeren, werd haar kleindochter zich ervan bewust hoe snel de tijd voorbijging … Maar nee, Mamoune zei dat de formule andersom was en ze vergeleek het leven met koffie. Wij zijn het water, zei ze, wij lopen door het poeder heen en worden er voorgoed door veranderd: soms te bitter, soms te slap en maar heel zelden … precies goed. Jade had ook begrepen dat je ouderdom kon afmeten aan het trager wordende lichaam en dat dat het onbarmhartigst was. Ze was er ook door schade en schande achter gekomen dat ze haar enthousiasme moest temperen wanneer ze haar iets over de computer uitlegde. Wat voor haar logisch was, was dat beslist niet voor Mamoune, die begon te mokken omdat ze zich geblokkeerd voelde door Jades ongeduldige gedrag en tegelijkertijd boos werd omdat ze het niet sneller begreep. Meer dan eens had het maar een haar gescheeld, zoals haar grootmoeder zei, of ze hadden ruzie gekregen. Haar ideaalbeeld van een Mamoune die een en al liefde was en zich nooit ergens over opwond, had een aantal deuken opgelopen. Achter de computer gedroeg haar grootmoeder zich als sommige automobilisten achter het stuur: ongewoon en bereid om te doden …

Op een avond had Mamoune haar beschroomd gevraagd of ze het erg vervelend vond om met haar mee te gaan naar een lingeriewinkel en Jade schaamde zich diep dat ze er niet aan had gedacht het zelf voor te stellen. Alsof ze wilde ontkennen dat ook een ouder wordend lichaam kleding nodig had en dat ook een vrouw die niet meer de leeftijd had om te verleiden, niet zonder onderkleding kon. Voor vrouwen van Jades leeftijd bestonden die kledingstukken uit zijde, kant, ruches en pikantere zaken, gekozen voor haar en voor hem ...

Hoewel Mamoune er een erezaak van maakte om haar nooit ergens om te vragen, bood Jade haar toch vaak haar hulp aan als ze in bad ging. Zo had ze bijvoorbeeld de gewoonte aangenomen om haar haar te föhnen of haar te helpen als ze een erg vermoeide indruk maakte. Ze waren overeengekomen dat Jade een keer per maand een afspraak voor haar zou maken bij de kapper en daar was Mamoune mee akkoord gegaan op voorwaarde dat zij het zelf zou betalen en haar kleindochter zo nu en dan mocht trakteren.

Dankzij Mamoune was Jade zuinig geworden. Bang om alles te verbrassen wat ze verdiende, hield ze haar uitgaven nauwgezet bij en gaf veel minder geld uit dan vroeger. Of liever gezegd: ze controleerde die uitgaven voor het eerst van haar leven. Ze ging minder vaak uit en omdat Mamoune deelde in de kosten, hoorde Jade haar bankier niet meer klagen dat ze geen lopende rekening bij hem had, maar een leeglopende.

Het was een gedenkwaardige dag, de dag waarop ze Mamounes garderobe vernieuwden. Jade hielp haar enkele blouses uitzoeken en liet haar meteen wat kanten spulletjes passen die ze haar nog nooit had zien dragen.

'Je bent niet meer op het platteland. Je bent nu een kleine Parisienne.'

Haar grootmoeder antwoordde dat een jarretelle nog geen

danseres maakte. Jade voelde hoe gelukkig ze was en bedacht met een lichte ontroering dat elke vrouw, tot aan haar dood, een spoortje koketterie, hoe klein ook, in zich droeg. Tussen het winkelen door gingen ze theedrinken zodat Mamoune kon uitrusten, waarbij Jade haar verzekerde dat ze zelf ook wilde pauzeren, omdat ze even genoeg had van al het gedrang.

'Geloof me, Mamoune, voor mij is het net zo vermoeiend om alle winkels af te lopen. Ik ga veel liever tussendoor ergens met jou zitten en praten, zodat we daarna met plezier weer samen verder kunnen shoppen. En ook luister ik graag naar de herinneringen die bij je boven komen tijdens onze uitstapjes ...'

Lachend begon Mamoune te vertellen. Over haar trouwjurk, die was gemaakt door haar tante, die wol in de voering had genaaid om haar tegen de kou te beschermen, want ze was in de winter getrouwd. De jeuk die Mamoune moest verduren tijdens de ceremonie zorgde ervoor dat ze wenste dat de huwelijksnacht niet zozeer een inwijding in de lichamelijke liefde zou zijn, maar een krabfestijn om haar allergie te verlichten. Jade genoot ook erg van het verhaal over de kasteelvrouwe van het dorp, wier jonge echtgenoot ergens in een vergeten hoek van het kasteel een kuisheidsgordel had gevonden. Voor de grap had hij zijn vrouw gevraagd het ding eens om te doen. Wat ze vergaten? Dat ze er geen sleutel van hadden. Jeanne en haar man werden midden in de nacht te hulp geroepen. Het manusje-van-alles van het kasteel dacht dat grootvader Jean wel een stuk gereedschap zou hebben om de jonge vrouw te bevrijden en dat vooral door de legendarische zwijgzaamheid van Mamoune het alom bekende stel de spotternij van het dorp bespaard zou blijven.

Het was een dag geworden waarop Mamoune enerzijds vertoefde in haar herinneringen, waarmee ze Jade amuseerde, en anderzijds in een lichaam waarover ze minder bereidwillig liet beschikken dan over haar geheugen. Ze had er geen bezwaar tegen om zich steeds om te kleden, maar, verlegen als ze was, weigerde ze achter het pasgordijn vandaan te komen om het effect op grotere afstand in de spiegel te beoordelen. In sommige winkels kregen ze te maken met verwaande nesten die vonden dat een vrouw van boven de vijftig jaar en de zestig kilo zich maar via een postorderbedrijf moest kleden, alsof ze haar gelastten zich met haar lichaam vooral niet buitenshuis te begeven. In de praktische zorgen van Mamoune herkende Jade de opvattingen van haar tijd. Zuinig zijn, letten op de kwaliteit en de samenstelling van de stoffen, zeker zijn van de levensduur van het product. Maar toen ze over haar mantel begon, die er na twintig jaar nog als nieuw uitzag, stak Jade de gek met haar.

'Gelijk heb je. Als ik je over twintig jaar uitnodig om uit eten te gaan, moet je mantel er nog wel als nieuw uitzien, anders laat ik je mooi thuis!'

Mamoune begon te lachen en zei dat ze een wreed kind was. Ze moesten een ongewoon koppel vormen, de tachtigjarige en de dertigjarige, die elkaar cadeaus gaven en zich naar hartelust overgaven aan het kopen van overbodige kledingstukken, dat realiseerde Jade zich wel. Door zich dag in, dag uit in de gedachten van de ander te verplaatsen, hadden ze geleerd om samen te genieten van de kleine geluksmomenten die het leven hun bood en ze voor altijd te koesteren. Boeken, schoonheidscrèmes, een zijden blouse: Jade schonk Mamoune die dag een luxe die ze nooit gekend had, die ze zelfs nooit gewenst had. En zij werd op haar beurt ook verwend: mooie pennen, nieuwe schriften en een warme, zachte ochtendjas, die haar grootmoeder voor haar had uitgezocht. Om je 's morgens tegen mijn geopende ramen te beschermen, zei ze plagend.

De volgende avond nodigde Jade haar grootmoeder uit om

naar de schouwburg te gaan. En Mamoune, die nooit naar de televisie had durven kijken als er klassieke stukken werden uitgezonden, ontdekte eindelijk, op een stoel een paar meter van het toneel af, het verschil tussen tekst die wordt gelezen en de vertolking ervan. Vol bewondering sprak ze dagenlang over Alceste, zo zuiver van hart, en zijn frivole Célimène, die nu eindelijk voor haar ogen door echte acteurs tot leven waren gebracht. En ze voegde er de curieuze opmerking aan toe dat het geweldig geweest moest zijn om zo'n stuk te schrijven!

Mamoune

Beste Jeanne Coudray, Blij verrast en verheugd heb ik uw e-mail ontvangen ... Het moet toch niet gekker worden, nu zit ik verdorie met bonzend hart achter de computer. Hij heeft zo snel geantwoord. Er is nauwelijks een dag verstreken sinds ik hem geschreven heb. In de eerste plaats is hij nieuwsgierig naar Jades roman. Dat stelt me alvast gerust. Ik heb me dus niet vergist, deze uitgever is een integer mens en wat een mooie zinswendingen gebruikt hij om zijn gedachten onder woorden te brengen:

Heeft de roman iets nieuws en essentieels te zeggen? En wordt het goed gezegd? In de juiste stijl, het juiste tempo, het juiste ritme en ... op het juiste moment? Deze fundamentele vragen worden tegenwoordig vaak vervangen door andere, die vooral gericht zijn op de verkoopmogelijkheden van een werk ... Dat was mijzelf ook al opgevallen. Vervolgens heeft hij het over het onvermogen van auteurs om hun werk kritisch over te lezen. Hij beschrijft hoezeer auteurs, en lang niet altijd de minste, de speelbal van hun schrijven worden. Dan is er nog een groot deel van de jonge schrijvers – en bij deze groep rekent hij ook degenen die pas na hun zestigste met schrijven beginnen – die de afstand tot hun tekst verkeerd inschatten ... *Er gaapt soms een afgrond tussen wat zij denken dat ze geschreven*

*hebben en dat wat wij lezen. De oude rotten in het schrijversvak
zijn beducht voor deze valkuilen en plaatsen bij elke cruciale fase
van hun roman wachters om zich te behoeden voor deze zins-
begoocheling, die niet ophoudt als men ouder wordt, maar zich
gemakkelijker laat traceren als men haar streken kent …*

In deze brief geeft hij veel raadgevingen die voor mij als Jades begeleidster erg nuttig zijn. Hij schrijft dat het leven van
een uitgever een aaneenschakeling is van kleine wonderen,
ontmoetingen, toevallige gebeurtenissen – die dat in werkelijkheid nooit blijken te zijn – opwellingen, en onverklaarbare koppigheid. Bij de volgende zin in de brief frons ik mijn
wenkbrauwen en ik lees hem nog een keer over, om er zeker
van te zijn dat ik me niet vergis: … *Ik wil u ook graag zeggen,
beste Jeanne, dat uw geschiedenis van geheime lezeres mijn uit-
gevershart en dat van de schrijver in mij erg heeft bekoord. Als
mijn verzoek u niet ongepast voorkomt, dan zou ik het een grote
eer vinden om daar samen met u nog eens over door te praten bij
een kop koffie of, als ik nog wat langer beslag op uw tijd zou mogen leggen, bij een lunch, want ik ben zeer nieuwsgierig geworden naar de lezeres en haar lectuur en zou graag meer van haar
willen weten …* Wat moet ik hem daar nu op antwoorden?
Deze hoffelijke uitnodiging brengt me in grote verlegenheid.
Mijn god, een stukje verder vraagt hij of ik zelf niet schrijf
en complimenteert hij me met de zorgvuldigheid waarmee ik
Jades roman begeleid … Maar de genadeslag krijg ik pas in
het postscriptum, met de vraag: *Hebt u weleens in de Haute-
Savoie gewoond?* Wat heb ik in hemelsnaam gezegd waarmee
ik mijn afkomst heb verraden?

Als ik me ooit had kunnen voorstellen dat ik op een dag
naar een uitgever zou schrijven en nog wel naar die van een
huis als En Lieu Sûr, dan had ik mezelf voor gek verklaard!
Toen ik hem die e-mail stuurde, heb ik daar niet bij stilge-
staan. Beneveld door het gemak waarmee mijn brief, met één

klikje, in minder dan geen tijd de wereld in werd gestuurd, vergat ik wat ik eigenlijk aan het doen was ... Pas nu ik zijn antwoord heb gekregen, sta ik versteld van mijn eigen durf. Terwijl ik in mijn dagelijkse doen altijd zo weifelmoedig ben, ben ik nu mooi in de aap gelogeerd! De hele ochtend word ik door de brief achtervolgd. Ik kan niets doen zonder dat bepaalde zinsneden me door het hoofd spelen.

Wat een vriendelijke, hoffelijke man is dit! Ik probeer te bedenken wat ik misschien allemaal heb gemist door me zo hardnekkig in mijn diepste verlangens te blijven verbergen, zoals in mijn bergen. En als iemand me het nu ter plekke zou vragen, zou ik het dan, ondanks mijn leeftijd, durven toegeven? Ik mis niet wat ik denk te zijn maar niet meer ben, maar ik mis wat ik niet geworden ben.

De tijd was nog niet rijp en ik was te verlegen of te jong, of allebei. Waarom hebben sommige mensen hun hele leven nodig om daar te komen waar anderen al vanaf hun geboorte zijn zonder er iets voor te hoeven doen?

Wat doet het ertoe, deze brief is een goudbaar in mijn leven. Het woord is vluchtig, maar het avontuur is even zwaar als flonkerend en van onschatbare waarde. Ik lees hem nog een paar keer over, terwijl ik aan de vele wonderen denk. Bovenal de redding, toen Jade me kwam halen, en ik probeer er alles aan te doen dat ze er geen spijt van zal krijgen. Nu pas besef ik dat ik hier bij haar mijn levenslust en opgewektheid weer heb teruggekregen, waarvan ik niet eens wist dat ik ze was kwijtgeraakt. Ik zou snel dood zijn gegaan in dat verzorgingshuis, of beter gezegd hospice, ook al wordt het anders genoemd zodat het minder erg lijkt. Er waren genoeg redenen om er te gaan wonen, om te beginnen dat ik door mijn familie in de steek werd gelaten. En nu ben ik nota bene in gesprek met een schrijver-vertaler, en uitgever bovendien, die met me over literatuur wil praten. Volgens mij heb ik in het verleden een of twee boeken van hem gelezen. Mijn vriend Henri had ze me aanbevolen. Ik ga nu meteen in mijn schrift nazoeken of ik er misschien citaten van hem in heb overgeschreven.

Maar waarom vraagt hij me verdorie of ik in de Haute-Savoie heb gewoond? Ik heb mijn e-mail nog eens nauwkeurig doorgelezen, maar ik heb niets gevonden waaruit hij zou kunnen afleiden waar ik vandaan kom. Daarmee heb ik meteen een goede reden om hem te antwoorden en te bedanken voor zijn vriendelijke reactie; in die e-mail kan ik dan mijn vraag stellen. Maar wat een heer is deze man, zo iemand kom je niet vaak tegen! We hebben maar zo zelden de gelegenheid echte brieven te lezen of iemand goed Frans te horen spreken.

Ik heb vaak gedacht dat de taal niet alleen verbonden is met een land, een plek waar ze gesproken wordt, maar dat ze ook een plaats heeft in de tijd. Zelfs bij ons thuis, waar het onderwijs rudimentair was en vermengd met patois, werd het Frans beter gesproken dan door sommige televisiepresentatoren tegenwoordig. Het lijkt wel een zigeunertaaltje, zou mijn moeder gezegd hebben. Hun woorden hebben soms geen betekenis, we zijn eraan gewend geraakt de gedachte erachter te raden, maar uitgesproken wordt zij niet. De taal hoort dus bij een tijd, zoals zij bij een streek hoort. Ik denk dat de levensduur van de mensen, met alle ontwikkelingen die gaande zijn, steeds verder verlengd zal worden, maar dat wij, als we de woorden niet dezelfde betekenis geven, ons hart moeten vasthouden of wij als kinderen van een en hetzelfde land maar van verschillende generaties, die zowel in leeftijd als in taal steeds verder van elkaar verwijderd raken, elkaar nog wel blijven begrijpen.

Jade had Mamoune nooit verteld wat ze voor Rajiv voelde. Het was nog zo vaag. Ze had wel over hem verteld, over India en wat ze ontdekte in zijn bijzijn, maar geen intimiteiten. Ze zou niet weten hoe ze de betovering aan haar grootmoeder zou moeten uitleggen. Dankzij Rajiv had Jade het gevoel dat ze meer over haar eigen lichaam en zijn subtiele verbindingen met haar ziel ontdekte. Ze voer met volle zeilen op een oceaan van extase, waar de woorden sinds lang vertrokken waren. Het was een vreemde reis, die niets gemeen had met wat ze ooit eerder had beleefd. Via haar huidoppervlak ontstak Rajiv met zijn handen geheime circuits in haar lichaam, die haar met hun eindeloze vertakkingen bij elke liefkozing onbekende werelden openbaarden. Soms vroeg Jade zich af waar deze race, die haar in een toestand van magische afhankelijkheid bracht, zou eindigen. Ze vroeg zich af of ze daar zelf nog wel iets over te zeggen had: het was zo kostbaar wat ze beleefde ... Het was onrechtvaardig, ze wist niet meer of ze nu van hém hield, of van die volkomen nieuwe, bijna dierlijke vibraties die hij haar liet ontdekken. Toen ze het daar gekscherend met hem over had, stelde hij haar lachend gerust. Duizenden Indiërs en mensen van andere nationaliteiten praktiseerden de tao, hadden dezelfde kennis als hij en nog veel uitgebreider ... Nee, dank je, dit is meer dan genoeg, antwoordde ze. Ze nam zich voor haar gevoelens te ordenen, die volkomen ontregeld waren door de kracht en de energie die uit deze geweldige ontmoetingen voortkwamen. Ze durfde er geen naam aan te geven, maar het kwam behoorlijk dicht in de buurt van ... Van de extatische liefde? Maar wat was dat, liefde? En extase? Bovendien had Rajiv haar toegefluisterd dat hij, hoewel er duizenden waren die de wegen van de tao perfect beheersten, voor zover hij wist de enige Indiër, pianist en moleculair onderzoeker was en smoorverliefd op ene Jade, die met haar grootmoeder samenwoonde. Het enige wat Jade van deze zin onthield, was 'smoorverliefd'; niet dat hij zuinig was met dat soort verklaringen, maar ditmaal leek hij zijn woorden weloverwogen te kiezen. Als je wilt weten waarom de uren die wij samen doorbrengen een grote toekomst hebben, moet je hier eens naar luisteren, zei hij die dag. Dicht tegen elkaar aan, en terwijl hun hartslag rustiger werd, las hij:

'De kunst van het liefdesspel openbaart de som van de menselijke gevoelens en wijst de hoogste weg. Zo zal hij die zijn vleselijke lust weet te reguleren, vrede kennen en een hoge ouderdom bereiken.'

Jade dacht vluchtig aan Mamoune en zei bij zichzelf dat er beslist nog andere manieren waren om een hoge leeftijd te bereiken. Maar tegelijkertijd schaamde ze zich een beetje: wat gaf haar het recht daarover te oordelen, terwijl ze niets wist van het intieme leven van haar grootmoeder en er niets van wilde weten ook? Ze besloot dat er in de orkaan die haar meesleurde zonder Mamounes levensgeheimen al meer dan genoeg gedachten door haar heen gingen ... Om haar angst in te tomen, probeerde ze zichzelf voor te houden dat je op het hoogtepunt van het genot niet alles hoefde te weten. Daar was haar oude beroepsdeformatie weer, om altijd een verklaring te willen vinden voor het onverklaarbare. En waarom zou ze zich los willen rukken van iets wat haar zo in vervoering bracht en zo aangenaam was? Ja, waarom, want ze was immers weer een zorgeloos mens, stralend, vrolijk en vol plannen? Het was maar goed dat ze Mamoune met haar nuchtere boerenverstand elke dag om zich heen had!

'Mamoune, heb je zin om mee te gaan naar een vriendin, die net met haar baby uit de kraamkliniek gekomen is?' Jade had die zaterdag een bezoek gepland bij haar vriendin Pauline, die niet ver weg woonde en haar eerste kind had gekregen. Ze had het goed ingeschat: bij het vooruitzicht een pasgeboren kindje te zien, begonnen Mamounes ogen te stralen.

Onderweg vertrouwde Jade haar grootmoeder toe dat haar vriendin, toen ze haar de vorige dag aan de telefoon had, nogal somber had geklonken, alsof ze de situatie na de geboorte van haar dochter niet aankon.

Pauline, die net zo oud was als Jade, was lang en slank en had een blond pagekopje, een betoverende en bekoorlijke vrouw, naar wie menigeen zich nog eens omdraaide. Maar toen ze die dag de deur opendeed, herkende Jade haar nauwelijks. Onverzorgd in een lichtblauw joggingpak, met ongekamd haar en kringen van vermoeidheid onder haar ogen, maakte ze een afwezige indruk. Is de gelukkige vader er niet? vroeg Jade. Die is gaan sporten, zuchtte Pauline. Maar in de minuten die volgden, was Jade getuige van een opmerkelijke metamorfose, teweeggebracht door Mamoune. Helemaal vertederd bekeek haar grootmoeder eerst de baby. Ze stond over de wieg gebogen en voerde een soort geluidloos gesprek met haar. Daarna nam ze Pauline in haar armen, wiegde haar en noemde haar 'mijn lieverdje'. Ze vertelde dat dit pasgeboren meisje haar zelf wel duidelijk wist te maken wat ze nodig had, dat ze alleen maar naar haar hoefde te luisteren. Met liefdevolle gebaren en adviezen, maar zonder belerend te zijn, zorgde Mamoune ervoor dat Pauline vertrouwen kreeg in haar moederlijke vaardigheden, die, zo verzekerde ze haar, allemaal aanwezig waren. Ze hoefde ze alleen maar aan te spreken. Twee uur later verlieten ze een lachende Pauline, die zich had opgemaakt en een spijkerbroek had aangetrokken met daarop een laag uitgesneden blouse over een triomfantelijke borst, waaraan een klein meisje, tevreden door de zoetheid van de voorbije ogenblikken, zich vastklemde.

Op de terugweg vroeg Jade naar haar geheim en bij wijze van antwoord vertelde Mamoune een verhaal over moeders uit een heel andere tijd.

Probeer je een ogenblik ons leven voor te stellen. We waren de hele dag bezig met alle onaangename taken die we moesten vervullen. We waren ouderwets. Ik herinner me nog dat we dagenlang bezig waren met het uitkoken van katoenen luiers die nooit wilden drogen, terwijl onze baby's ze in een hoog tempo vies bleven maken. Voeg daar nog het huishouden en de vaat aan toe en je hebt een aardig beeld van de idiote dagen waarop we onze kinderen op onze rug vastbonden, of in een schommelwieg, en van tijd tot tijd controleerden of ze al sliepen. We hadden geen tijd om te zien hoe ze leefden, sliepen of huilden. Soms gingen we zelfs nog door met ons naaiwerk of het sokken stoppen terwijl we ze de borst gaven.

Mamoune stopte om adem te halen. Nu ik er met je over praat, lijkt het wel of ik dat slopende werk weer opnieuw doe! Laten we bij Ahmed even pauzeren.

Mamoune stapte een kruidenierszaak binnen en liep als een vaste bezoekster naar achteren. Jade volgde haar perplex. Hoe gaat het met u, Jeanne? vroeg een oude man, die Jade nog nooit had gezien. Net als met u, Ahmed, dus goed als je bedenkt dat ik de jongste niet meer ben, antwoordde Mamoune, terwijl ze op hem toe liep. Dit is Jade, mijn kleindochter. Ah, is dat nu uw kleine Jade? Bonjour, mademoiselle Jade; u hebt geluk dat u samen met een grootmoeder als Jeanne mag leven! Mag ik u een kopje muntthee aanbieden? Ze namen plaats aan een kleine ronde tafel. Mamoune keek naar Jade, die er nog steeds even verbaasd uitzag. Ahmed was weggegaan om zijn klanten te bedienen.

Kijk niet zo, ik ken tegenwoordig al aardig wat mensen in de wijk. Maar om mijn verhaal af te maken, onze baby's zagen niet hoe wij met een angstig gezicht over hun wieg gebogen stonden. Ze sliepen dwars door onze herrie en ons gezang heen. We zongen veel, vooral in het washok. We waren vrolijk en saamhorig. Dat is tegenwoordig heel anders. Als een van de jongere vrouwen zich ongerust maakte wanneer haar kind een beetje verhoging had of huilde, wisten de anderen meteen raad en namen haar werk over, zodat ze het kind even in haar armen kon nemen. We stelden ons geen vragen over het moederschap en het werk. Je moest het maar zien te redden. Degenen die in de fabriek werkten, moesten evengoed het huishoudelijk werk nog doen. Zij zagen maar weinig van hun kinderen, die opgevoed werden door grootmoeders, die daardoor geen last maar juist onontbeerlijk voor hun familie waren.

Een donkerharige vrouw van een jaar of veertig kwam naar hen toe en zette een theepot op tafel. Ze had gehoord wat Mamoune vertelde en omhelsde haar hartelijk. Bij ons in het dorp leven de vrouwen nog steeds zo, zei ze. Maar ook daar begint alles te veranderen. De meisjes willen naar de stad. Maar er zijn in ieder geval nog geen tehuizen voor de ouderen, zei ze met een knipoogje. Mamoune heeft me verteld hoe u haar heeft gered, voegde ze eraan toe, terwijl ze met een vriendelijk gebaar Jades schouder aanraakte. Ik ben Souad, de dochter van Ahmed. Ze gaf Mamoune een in krantenpapier gewikkelde fles. Ik heb wat arganolie voor u bewaard, dezelfde als die u vorige keer in mijn salade hebt geproefd. Probeert u het maar en vergeet niet wat ik heb gezegd: de olie is ook goed voor de huid. Mamoune bedankte haar en wilde haar betalen. Houd uw geld maar, Mamoune, de volgende fles mag u betalen.

Jade en haar grootmoeder vervolgden hun weg huiswaarts. Bij het steile gedeelte van de straat nam Mamoune Jades arm. Zo nu en dan mag ik graag even bij hen gaan uitrusten, zei ze. We zijn bevriend geraakt toen ik er op een dag olijven heb gekocht. Als ik erlangs kom, ga ik altijd een praatje maken en drinken we een kopje muntthee. Ze hebben een grote familie, en wist je dat hun kruidenierszaak vierentwintig uur per dag open is?

Dat is heel gewoon in Parijs, zuchtte Jade. Haar grootmoeder maakte een korzelig gebaar. Ja, ik weet wel dat jij je nergens over verbaast, maar het is ontzettend veel werk! Mamoune zweeg, vervolgde toen haar gedachtegang hardop.

Kleindochter van me, ik geloof niet dat zwaar werk voor jou hetzelfde betekent als voor mij. De vrouwen van jouw generatie hebben ongelofelijk veel geluk met al die machines die wassen en drogen, en het saaie werk voor hen doen. Al die materiële zaken lijken onbelangrijk, maar de vrouwen van tegenwoordig hebben nu ruimte in hun leven om na te denken, te filosoferen, om beroepen te kiezen die minder handarbeid vergen. In mijn tijd was dat voorbehouden aan een zeer select groepje vrouwen. Ik kon die ondankbare taken gelukkig afwisselen met het lezen van literatuur, maar ik verzeker je dat ik de hemel dank dat ik lang genoeg ben blijven leven om deze huishoudelijke revolutie nog mee te maken. Tegen de tijd dat je zo oud bent als ik, zul je lang zo moe niet zijn, dat zul je wel merken. Jade trok een wenkbrauw op. Daar heb ik nog nooit over nagedacht, Mamoune. Ik weet niet beter of ... Studeren was voor mij een vanzelfsprekende zaak. Wanneer heb jij je eerste huishoudelijke apparaat gekregen?

Eens even denken … Jean heeft ervoor gezorgd dat we in de jaren zeventig stroom kregen. Van de ene op de andere dag belandden we in de moderne tijd, zoals dat heet. Een wasmachine, een televisie … Nou ja, de televisie was voornamelijk voor hem. Jade verbaasde zich: Keek jij er dan niet naar? Nee, ik verveelde me voor dat scherm. Maar denk je eens in, voor de oppaskinderen was die huishoudelijke revolutie een zegen. Ik kon me nu met hen bezighouden, tuinieren, ze de namen van de bloemen leren als we in de bergen wandelden, of ze chocoladetaart laten maken. Al die dingen die ik niet met je tantes en je vader heb kunnen doen. Daarom spijt het me dat die apparaten er toen niet waren, want ik had er een aangenamer leven door kunnen hebben, zonder al dat gesloof!

Later die dag dacht Jade terug aan Mamounes zachtmoedigheid, aan wat ze haar vriendin gegeven had, alleen maar door zich om haar te bekommeren. Ze vroeg zich af wat Paulines partner wel niet gedacht moest hebben toen hij zijn vrouw zo veranderd terugvond. Ze ging bij Mamounes voeten zitten, nadat die zich in een van de fauteuils in de salon had geïnstalleerd. Je was geweldig voor Pauline … Ik vraag me af of wij al die moederdingen net zo goed kunnen als de vrouwen van jouw generatie. Mamoune legde de roman neer die ze net had opengeslagen. Het hangt er helemaal van af wat je hebt meegekregen, wat je hebt geleerd. Jij bijvoorbeeld hebt me zo vaak met kinderen bezig gezien, dat ik ervan overtuigd ben dat die herinnering weer bij je boven komt als je ze zelf krijgt. Je zult geen kat in een vreemd pakhuis zijn …

Verbaasd over het feit dat haar grootmoeder haar al in een moederrol zag, iets waar ze zelf nog nooit aan had gedacht, trok Jade een weifelend, zelfs vijandig gezicht. Mamoune bespiedde haar glimlachend vanuit een ooghoek. Jade veranderde van onderwerp. Heb ik je al verteld dat Rajiv me heeft uitgenodigd om de volgende vakantie met hem in India door te brengen? Uit de plagerige blik van haar grootmoeder begreep Jade dat ze deze link naar Rajiv geenszins als toevallig beschouwde.

Mamoune

Wat moet ik, die nog nooit met een man heb afgesproken, nu toch van deze ontmoeting denken? Toen wij jong waren zeiden we, bij het dansen, in het veld en 's zomers op de alpenweiden, dat je 'omgang had' met iemand; je kende elkaar al, van school of uit een van de dalen. We kenden elke familie in de streek, de zoon van x, de dochter van y, en ook hun duistere familieverhalen. Uit een buurdorp kwam niets onverwachts. Dat had niet die bekoring van een toevallige ontmoeting. Het was niet te vergelijken met het verhaal van twee mensen die elkaar voor het eerst zien en in de ogen van de ander een levensweg lezen, geweven uit echo's en herinneringen.

Als ik op een dag mijn geheugen verlies, dat ik sinds enige tijd bewaak alsof het een zwak vlammetje is, hoop ik dat de momenten die ik nu beleef, bewaard blijven. In mijn tweede minutenbrief – zo noem ik die e-mails, om te vergeten hoeveel tijd het me kost om ze te typen, in tegenstelling tot de tijd die het kost om ze te verzenden – heb ik Albert Couvin een antwoord gestuurd en bevestigd dat ik inderdaad afkomstig ben uit de Haute-Savoie. Daarop nodigde hij me op zeer hoffelijke wijze uit om met hem te gaan lunchen en wekte mijn nieuwsgierigheid door te spreken van een bijzonder verhaal waar hij met me over wilde praten, maar dat een brief of de telefoon daar niet de geschikte middelen voor waren, omdat het zo persoonlijk was, zei hij, dat hij het me niet wilde vertellen zonder me daarbij in de ogen te kunnen kijken.

Hij had een eenvoudig restaurant uitgezocht, in een klein straatje in de wijk Saint-Germain, vlak bij zijn uitgeverij. De eerste minuten die we samen doorbrachten, voelde ik me niet erg op mijn gemak. De gelijkenis tussen Albert en Henri, die ik al had opgemerkt toen ik zijn foto zag, was opmerkelijk, zowel in zijn gebaren als in zijn gelaatsuitdrukkingen. Het verwarde me, maar het duurde niet lang voordat hij me de reden onthulde.

Henri was zijn halfbroer. Hijzelf was de zoon van de zonde en een mooi kamermeisje, niet officieel erkend door de graaf, maar hij was wel op het kasteel opgegroeid en had dezelfde opvoeding gekregen als de erfgenaam, wiens speelkameraad en grote vriend hij werd. Na zijn studie had Albert geen voet meer in de Haute-Savoie gezet. Henri, die achttien jaar ouder was dan hij, had hem een aantal jaren geleden, tijdens een van zijn trips naar Parijs, verteld over een lezende vriendin. Hij zou deze vrouw, die de literatuur als minnaar had genomen, graag aan zijn broer-uitgever voorstellen.

Het verwonderde me een beetje dat Henri deze broer, om wie hij toch leek te geven, voor me verborgen had gehouden, maar ik zei er niets over. Hij had hem overigens niet helemaal verborgen gehouden. Hij had me twee boeken laten lezen van Albert Couvin, van wie ik de naam weliswaar was vergeten, maar niet de teksten, waarvan ik citaten had teruggevonden in mijn huishoudboekje.

Na dit relaas was mijn angst verdwenen. Ik liet me toch zeker niet intimideren door het jongere broertje van Henri! Praten over deze voortreffelijke man, van wie we beiden hadden gehouden, maakte dat we ons vreemd vertrouwd voelden met elkaar. Tot nu toe was er niemand geweest met wie ik de mooie momenten die ik met Henri had beleefd, kon delen. Een gezellig gesprek was niet afdoende om het gemis te verzachten. Ik ontdekte hoe noodzakelijk het was om steun te zoeken bij elkaar als tijdens het herdenken van geliefde en gestorven personen onze gevoelens en onze herinneringen weer bij ons bovenkomen.

In de loop van het gesprek, dat gevuld werd met verhalen over ons leven, de boeken waar we van hielden en de taalperikelen die Albert in zijn anekdotes aanhaalde, ontdekten we dat onze partners op dezelfde dag overleden waren. Zo hadden we dus, vele kilometers van elkaar en een paar jaar voordat we elkaar ontmoetten, gelijktijdig om het verlies van een deel van onze ziel getreurd. Ik vond het heerlijk om van hem te leren en probeerde mijn onwetendheid te verbergen, maar in deze vreugdevolle ogenblikken vergat ik mijn angst. De vier uren die we met elkaar bleven praten alsof we het leven niet achter ons, maar voor ons hadden, zoals hij opmerkte, leken in mijn ogen niet meer dan vier minuten en tegelijkertijd een eeuwigheid van geluk, waarvan ik meerdere dagen zou moeten bijkomen.

Bij mijn terugkeer trof ik Jade aan, over haar toeren en woest dat die lunch zo lang had geduurd. Ik wist niet hoe ik haar tot bedaren moest brengen. Ik had een taxi genomen naar het restaurant en ook weer terug, dus veel kon me niet gebeuren. Maar ze had zich ik-weet-niet-wat voor narigheid in haar hoofd gehaald en stond op het punt de politie en het leger in te schakelen om naar me op zoek te gaan. Ik zweefde zo hoog op mijn roze wolk dat het me niet lukte het schuldbewuste gezicht te trekken dat bij haar woede paste. Pas na een woedende preek werd ze zich ervan bewust dat we niet op dezelfde golflengte zaten. Met een stralend humeur vertelde ik haar over de lunch van de tachtigjarigen en benadrukte alle toevalligheden, zonder in te gaan op wat ervan zou kunnen komen. Dat laatste was verspilde moeite! Midden in haar woede-uitbarsting viel ze plotseling stil en keek me stomverbaasd aan:

'Mamoune, je bent verliefd!'

Ik protesteerde natuurlijk. Grappig hoe de woorden, als ze eenmaal zijn uitgesproken, onomwonden de ware gevoelens onthullen. Niet op mijn leeftijd, liefje. Dat is voorbij. Jade protesteerde en waagde zich aan een ingewikkelde uiteenzetting. De liefde stoort zich niet aan een biologische klok, Mamoune. Je kunt op elke leeftijd verliefd worden! Als je de menselijke liefde beperkt tot het gevoel, en het lichaam erbuiten laat, dacht ik stilletjes, anders kon de klok nog weleens flink achterlopen! Maar ik moet toegeven dat ik maar met een half oor naar haar luisterde. In gedachten beleefde ik nog steeds de uren die ik met Albert had doorgebracht, en ik wilde niet horen dat mijn hart sprongen maakte, zich gedroeg als een dartele geit en sterk leek op wat Jade over dat verliefd zijn zei. Binnen in mij hoorde ik een heel zwak stemmetje. Dat van het gezonde verstand, ongetwijfeld: 'Mijn arme Jeanne,' zei het, 'je bent pathetisch, je haalt je veel meer in je hoofd dan er is gebeurd …' Totdat ik het bericht van Albert vond … dat hij na ons afscheid, meteen toen hij terug was op zijn kantoor, geschreven moest hebben. *Lieve Jeanne, zeg me dat ik belachelijk ben, en ik smeek u, laat me het niet nog meer worden als ik u verklaar dat ik sinds onze gezamenlijke lunch gevoelens koester die ik niet onder woorden durf te brengen. In een recent verschenen studie over wensen en plannen wordt gesteld dat hartstocht en vurigheid privileges zijn die zijn voorbehouden aan de jongeren. Maar wat moeten we dan doen met die vurigheid en die hartstocht op de eerbiedwaardige leeftijd die wij hebben bereikt, als de schaduw van de dood ons duidelijk maakt dat de dingen gezegd en gedaan moeten worden voordat het te laat is? Het zij zo, ik ben gek, en zo gelukkig dat ik het ben van-*

avond, na de buitengewoon aangename lunch, die, naarmate de uren verstreken, een genieting werd die ik graag had voortgezet in een diner, als ik het had aangedurfd u te ontvoeren ... U ziet, ik ben nog niet zo oud. Ik geloof dat ik nog tijd heb. Vergeef me deze dwaasheid. Dank u dat u bestaat, Jeanne, u die ik graag vaak wil weerzien. Met de meeste hoogachting, uw Albert.

Als ik het heb gelezen ben ik sprakeloos en draai me onmiddellijk om, als een schuldige, om te zien of Jade niet over mijn schouder meekijkt.

Vanavond strek ik me uit in bed en ik word begroet door duizend verdachte pijntjes. Ik zucht en ontspan mijn oude lichaam, waarvan ik me een moment bevrijd voelde. Maar wat maakt het uit ... Ik vraag me af wie ik voor dit zoete avontuur kan bedanken, want ik ben min of meer atheïste geworden in de loop der jaren. Ik geloof dat ik met een glimlach zal inslapen.

Jade kon er niet bij dat Mamoune, haar tachtigjarige grootmoeder, verliefd was geworden tijdens haar zoektocht naar
een uitgever voor haar. Op wie deed er overigens niet toe, het
feit zelf verontrustte haar meer dan de persoon. Ze had Mamoune ingebed in een moederrol. Ze had haar teruggebracht
tot de liefdevolle verstandhouding met haar grootvader Jean,
die nog geslotener was geweest dan zij. In haar hart was zij
onveranderlijk, als een icoon van tederheid, zachtmoedig en
zonder passie. Met haar verbazingwekkende verhaal van geheime lezeres had Mamoune Jades zekerheden al enigszins
onderuitgehaald. Maar dit, dit ging toch alle perken te buiten! Als ze zich de jeugd van haar grootmoeder voorstelde,
dacht ze terug aan haar verhalen over het platteland, waar de
kinderen hun vakantie begonnen met hooien, en na de wijn-
oogst weer naar school terugkeerden, en zo drie maanden op
het veld doorbrachten. In dat besloten kader stond ze haar
een paar dwaasheden toe, een paar zoenen achter een hooi-
schelf … Maar dat Mamoune ging lunchen met een onbekende die haar via de mail had uitgenodigd, dat was te veel
voor Jade. Ze weet toch bijna niets over die man, had ze gedacht, maar niet durven zeggen. Hij zegt wel dat hij uitgever
is en mijn manuscript wil lezen, maar toch, op haar leeftijd …

De grootste schok was echter dat Mamoune pas vier uur later van die lunch terugkwam en eruitzag als een smachtende bakvis. Het scheelde weinig of Jade had haar ervan beschuldigd dat ze op klaarlichte dag ergens buiten de deur was gaan slapen. Haar woede en haar ongerustheid smolten echter weg toen ze ontdekte wat zo vanzelfsprekend was: je kon tot het eind van je leven verliefd worden. Misschien vertelde dat feit zelfs nog wel meer over de geschiedenis van een mens. Zolang er nog een sprankje leven was, was er liefde mogelijk, flirtend met het lot, vervuld van dezelfde kracht, dezelfde onbezonnen zorgeloosheid, dezelfde dwaasheden. En als ze Mamoune zo gadesloeg, moest ze toegeven dat die vanzelfsprekende liefde het op haar leeftijd leek af te kunnen zonder die onrust, die kwellingen die het hart van elk verliefd mens vermalen. Zou het kunnen dat de liefde later anders was? Alleen een serene passie, zonder spelletjes of uitvluchten ... Hoe dan ook, Mamounes avontuur, dat alles in zich had om mooi en waardevol te zijn, had Jade met geluk moeten vervullen. Maar in plaats daarvan ergerde alles aan deze geschiedenis haar juist en ze kon niet bedenken waarom. Ik ben haar kleindochter en ik heb niet veel zin om haar aan de voordeur op te wachten alsof ik haar moeder ben, hield ze zichzelf voor. Of misschien was ik boos omdat ze binnen een paar dagen het beeld omver heeft gehaald van wat ik van de liefde dacht te weten. Of, erger nog, ik ben jaloers ...

Mamoune leek niets te merken van de tegenstrijdige gedachten die haar kleindochter kwelden. En de liefde, dat was ook het lichaam, en hoewel de gedachte bij Jade opkwam, weigerde ze het zich af te vragen: wat deed je met je lichaam als je tachtig was en verliefd op een man van dezelfde leeftijd? Ze voelde zich in het nauw gedreven door deze vragen zonder antwoord, door de angst en de weerzin die ze bij haar opriepen. Jade hield van Mamounes huid, die zacht en fijn was, maar desondanks hinderde het haar als ze zich een voorstelling maakte van oude, gerimpelde lichamen, verstrengeld in een omhelzing. Ze schaamde zich dat ze het niet kon laten bij alleen de gevoelens, bij het mooie van deze ontmoeting, bij de discretie, die haar ingaf dat ze zich verre moest houden van deze intieme wegen. Ze wist heel goed dat ze die beelden niet moest oproepen, dat ze het recht er niet toe had, maar zij was zelf ook verliefd. En zij was dertig! Zij was in de volle kracht van de jeugd, van haar verliefde, juichende lichaam en nu bracht Mamoune haar helemaal van slag met haar confronterende vragen, die de bladen, waar Jade voor werkte, stelselmatig ter zijde schoven. Hoe kun je op een goede manier ouder worden, in harmonie met je lichaam? Wat blijft er nog over van de genoegens van het leven, en die van het vlees, als alles achter je lijkt te liggen, in een min of meer ver verleden? Hoe moet je weerstand bieden aan de verleiding om de tijd schaakmat te zetten met allerlei gecompliceerde, esthetische operaties? Jade kende ze, de actrices die meer dan twintig jaar ouder waren dan zij, over twintig jaar nog steeds ouder zouden zijn, maar er nu uitzagen als haar zusters en over een poosje als haar dochters … Achter het masker van hun vele facelifts toonden ze hun verstarde gezicht op de glossy pagina's van de vrouwenbladen. En ze verborgen hun handen, die hun werkelijke leeftijd verraadden. In dat licht bezien was het mooie, gerimpelde gezicht van Mamoune, de uitstraling van oude Indiaanse die ze had als Jade 's avonds haar dikke grijze haar vlocht, van een zeldzame schoonheid. Een schoonheid die ze nooit had bezeten toen ze nog jonger was. Vanuit dat oogpunt kon je Mamounes liefdesgeschiedenis als een wonder beschouwen. Toen ze zich dat realiseerde, betreurde Jade haar eerdere gedachten en nam zich voor een nieuwe, zijden jurk voor haar te kopen voor haar volgende etentje met … haar toekomstige uitgever? Zolang die man mijn boek maar niet neemt uit liefde voor mijn grootmoeder! dacht ze glimlachend.

Hij leek inderdaad ook van haar te houden, dat heerschap! Hij had haar zelfs meteen geschreven na hun etentje. Blozend als een debutante had Mamoune het haar opgebiecht. Dit verhaal had ze nooit aan een tijdschrift kunnen verkopen, dacht Jade bij zichzelf, want niemand zou het geloven. Maar ze zou wat graag een muisje zijn en ze tijdens het eten gadeslaan, om eindelijk antwoord te kunnen geven op die cruciale vraag: Is er leven na de jeugd? Op zich was Mamounes avontuur al een subliem antwoord. Het samenwonen met Jade was voldoende geweest om andere interesses te vinden en het leven zonder Jean, waar ze zich al drie jaar zo goed mogelijk doorheen probeerde te slaan, achter zich te laten. Mamoune had koppig volgehouden, ze wilde de wereld begrijpen waarin Jade haar had meegenomen. Het had haar opgemonterd. Ze was zo goed als klaar om een nieuw leven te beginnen.

Jade dacht terug aan haar eerste reis naar Colombia, aan de verrukking die ze had ervaren tijdens de paar dagen die ze bij de Kogi-indianen had doorgebracht. De sjamanen waren *Mamu's*. Oud en wijs, leidden zij de stam nadat ze achttien jaar in het donker hadden doorgebracht. Het was de taak van de mannen om katoenen stoffen te maken. Ze hadden haar onthuld dat hun gedachten werden geweven terwijl ze met hun vaardige vingers de katoendraden in elkaar vlochten. Ze was in een opwelling op reportage gegaan, nadat ze een documentaire had gezien waarin een van deze indianen, die grote indruk maakte, haar recht in de ogen leek te kijken en tegen haar zei: 'Wat doet u met de aarde? Zij leeft en u bent bezig haar te doden. Waarom?'

Jade had, net als vandaag, gevoeld dat het de goede vraag was. Waarom? Waarom moest alles steeds sneller, waarom willen we zo snel mogelijk vergeten dat ons een hoge ouderdom is voorspeld, waarom willen we de toekomst ontkennen en blindelings in het heden leven uit angst door het verleden te worden ingehaald? Ja, waarom? De absurditeit van het leven waardoor ze werd meegesleept joeg haar angst aan. Een enkele blik van Mamoune vervulde haar met een ongekende rust, wierp een dam op tegen de domheid en de onwetendheid. Een enkele blik van Mamoune gaf zin aan het verlangen te weten waarom men de dingen deed.

Mamoune was genezen ... Ze was nooit ziek geweest. Ze zou nooit zeggen, zoals die heldere gepensioneerde met wie ze had gesproken toen ze een van die nachtmerries bezocht voor mensen aan het eind van hun leven: Weet u, mademoiselle, we worden hier goed behandeld, maar u zult zich dodelijk vervelen, want er hangt hier een sfeer als op een kerkhof. Haar grootmoeder hoefde niet meer in angst en beven te zitten om weer een flauwte te krijgen, want Jade had haar beloofd: gezond of niet, ze kon bij haar blijven zo lang ze wilde. Zij zou haar een dergelijk afscheid besparen. In haar hoofd schoof alles in elkaar. Ze had veel ellendige oorden bezocht op haar reportages, maar nooit zo goed begrepen als vandaag wat die ene vrouw op die dag bedoelde, toen ze haar handen pakte om haar te bedanken dat ze met haar had gesproken.

Mens zijn, dat was niet alleen het verzamelen en doorgeven van getuigenissen, zoals haar beroep dat vereiste. Het was ook die uitwisseling, in het besef in leeftijd en leed elkaars gelijke te zijn. Het was zich deel voelen van die mensheid en haar beschouwen als een kostbaar bezit.

Om haar ideeën weer helder te krijgen voor zichzelf besloot Jade Albert Londres nog eens te lezen. Per slot van rekening vond ze het wel aardig dat de uitgever die haar grootmoeder had gevonden en die de gecorrigeerde versie zou lezen, Albert heette. Maar eerst moest ze zich in haar correcties verdiepen, die haar in de war brachten en van twijfel vervulden over haar schrijfkunst, waarvan ze altijd had gedacht dat die aangeboren was en die volgens die idiote overtuiging moeiteloos uit de cocon van haar verbeelding tevoorschijn had moeten komen.

Mamoune

Sinds onze eerste lunchafspraak, waarop er nog meer volgden, schrijven we elkaar verscheidene keren per dag. Ik heb
hem niet verteld hoe fijn ik het steeds weer vind om tegenover hem te zitten in een van die restaurants, waar hij altijd
als een stamgast wordt begroet. Met Jean heb ik nooit in een
restaurant geluncht of gedineerd, en ook niet met een andere
man. Er zijn zo veel dingen die ik nooit heb gedaan en ik heb
nog maar zo weinig tijd om ze te ontdekken.

Albert heeft de sluier over het schandelijke verleden van
zijn vader opgelicht, waar Henri nooit een woord over heeft
losgelaten. Het verbaasde hem niet, toen ik zei dat ik niets
van zijn bestaan afwist. Of hij wilde niet laten blijken dat hij
het zich aantrok. Mijn vriendschap met zijn broer was gebaseerd op onze wederzijdse liefde voor de literatuur, over ons
leven hebben we eigenlijk maar weinig gesproken. Twee- of
driemaal heeft Henri zijn spijt erover beleden dat hij geen
grote liefde heeft gekend. Over zijn kindertijd heeft hij het
nooit gehad. En nu ik Albert hun gemeenschappelijke geschiedenis hoor vertellen, kost het me geen moeite me het ge-
roddel voor te stellen in de tijd dat hij met zijn moeder op het
kasteel woonde. Het geadopteerde kind leek te veel op zijn
oudere broer. De moeder was erg jong en Henri was bijna

negentien toen Albert werd geboren. Boze tongen beweerden zelfs dat Henri de vader van de jongen was.

Toen maakte Albert een merkwaardige opmerking. Hij vergeleek het zwijgen van zijn moeder en haar zelfverloochening met mijn verborgen leven. Daar heb ik onmiddellijk tegen geprotesteerd. Ik heb me niet verborgen. Ik ging naar het kasteel, ik bezocht Henri en de kleine Clémentine, die inmiddels groter was geworden. Ik verzekerde hem dat mijn man Jean wist dat ik een vriendin van de familie was geworden. Eerlijk gezegd ging ik vriendschappelijk om met de meeste ouders van wie ik op de kinderen had gepast. Bij sommigen had ik zelfs een eigen plaats in de familie. Er stak niets kwaads in mijn vriendschap met Henri, en Jean zag wel aan me af dat ik hem nooit bedroog als ik voor uren achtereen verdween. Weer aan het rondzwerven geweest in je bergen? vroeg hij lachend als ik weer thuiskwam. In mijn boekenberg, dacht ik dan bij mezelf. Wat bent u mooi, Jeanne, zei Albert ineens, terwijl ik hem mijn herinneringen vertelde. Daar was ik zo van ondersteboven dat ik een beetje dom lachte. Neem me niet kwalijk, Albert, maar ik ben nooit mooi geweest, en op mijn tachtigste zal dat ook niet meer gebeuren. Dus dat moet je niet meer zeggen en vooral niet denken, of ik ga nog geloven dat je kinds bent.

Maar hij is verre van kinds als hij heel helder vertelt hoe zijn moeder koos voor het kasteel en daarmee haar leven opofferde door ongehuwde moeder te blijven, zodat hij zich op een dag kon ontplooien. Toentertijd was dat geen kleinigheid. Alleen de rijken konden doen wat ze wilden. Het beste voor je kind willen betekende dat je moest zwijgen en afzien van een leven als getrouwde boerin. Later, vertelde hij me, heb ik gepoogd haar uit te horen, erachter te komen of ze er spijt van had, maar dat was vergeefse moeite.

Heeft ze u niets verteld?

O, jawel! Ze beantwoordde mijn vragen met een tegenvraag: Wat zou ik ermee gewonnen hebben, zei ze tegen me, als ik je een arme vader had gegeven die noch zijn vrouw, noch zijn zoon had kunnen onderhouden? Ik heb geen opleiding gehad, mijn kleine Albert, maar ik ben niet gek. Arm of rijk, de mensen worden door dezelfde duivels bezocht. De graaf heeft zijn driften bevredigd, maar zijn schat heeft hij mij nagelaten. En mijn schat, dat ben jij. Je zult gelukkiger zijn dan je vader en fortuinlijker dan zijn echte zoon, die de erfenis heeft gekregen, met de zorgen die erbij horen. Jij, mijn engel, zult vrij zijn en ontwikkeld, gevoed en gevormd, door zijn vrees voor schuldgevoel.

Op dat moment begreep ik de dubbele betekenis van de naam van zijn uitgeverij, En Lieu Sûr ... Het was de titel van een roman van de Amerikaanse schrijver Wallace Stegner*. Maar de naam draagt vooral de herinnering in zich aan deze moeder, die hem voor altijd zekerheid heeft gegeven in ruil voor haar zwijgen en het opofferen van haar eigen leven, in dat kasteel waarnaar hij nooit meer is teruggekeerd.

Wat zal Henri zijn broer benijd hebben, omdat die zijn eigen leven kon inrichten, zijn dromen kon omzetten in projecten en ze vervolgens verwezenlijkte.

Daarna vertelde ik Albert op mijn beurt over het leven dat Henri leidde op het kasteel. Zijn langzame doodsstrijd naast een vrouw die hij niet haatte, naar hij zei, omdat ze niet verantwoordelijk was voor de verveling die ze om zichzelf en hem heen verspreidde. Tijdens het vertellen beleefde ik opnieuw die gelukkige ogenblikken van onze gesprekken over Diderot, Montaigne of Joyce. Albert ontdekte dat zijn broer mij had ingewijd in de Amerikaanse schrijvers die hij interes-

---

* *Crossing to Safety* (1987).

sant vond en die mij onbekend waren. Wat een schurk! riep hij, en tegen mij zeggen dat hij ze niet wilde lezen, toen ik boeken voor hem meebracht van de groten van de overkant.

De laatste keer dat wij elkaar spraken, nam Albert mijn handen in de zijne en vroeg me of het niet te pijnlijk voor me zou zijn om hem over mijn laatste ontmoeting met Henri te vertellen, enkele uren voor zijn dood. Albert was in het buitenland en had bij terugkeer in Parijs vernomen dat zijn broer was overleden. Lange tijd heeft hij de bewoners van het kasteel ervan verdacht dat zij de ernst van zijn toestand wel-bewust voor hem hadden verzwegen, om te voorkomen dat hij hem op zijn ziekbed zou bezoeken. Ik kon hem dat ver-haal niet weigeren, temeer daar het in mijn geheugen stond gegrift, en veel gedetailleerder dan ik had gedacht.

Henri stond erop dat een van de bedienden van het kasteel me naar huis begeleidde met een kist, die de gehele eerste edi-tie van de *Encyclopédie* bevatte. Als ik eraan denk dat hij nog altijd op dezelfde plek staat in mijn huis … Ik heb hem bij de ingang gezet, onder een grote plant, die hem al die jaren aan het oog heeft onttrokken. Ik geloof dat ik huilde toen ik Henri smeekte om de spreektijd aan iets anders te besteden dan aan het vermaken van boeken aan mij, maar hij kreeg pas rust toen hij er zeker van was dat ik met zijn afscheidsca-deau in de auto naar huis zou gaan. Met zijn staalblauwe ogen keek hij diep in de mijne en zei: Ik weet dat u mijn lichaam nooit aantrekkelijk heeft gevonden en ik had u daarom graag mijn geest laten houden, want die is het minst ziek, maar de twee zijn onlosmakelijk verbonden, vrees ik, en hebben wei-nig op met dergelijke fantasieën. Ik probeerde te protesteren toen hij dat zei, maar hij pakte mijn hand en ik wist dat hij te intelligent was om niet te merken dat de vriendschap die ik voor hem koesterde weliswaar diepgaand, maar zuiver gees-telijk was. Protesteer maar niet, lieve vriendin, zei hij, alleen vrouwen kunnen zo'n vreselijke en onschuldige vriendschap onderhouden. Ik ken geen man die niet op een bepaald moment, hoe vluchtig ook, de vrouw wil bezitten wier geest hij bewondert. Maar zonder gekheid, ik zal niet sterven voor ik het weet: Hebt u een beetje van me gehouden, Jeanne? Ja, Henri, antwoordde ik, ik hou van u en ik bewonder u. Ik kan u niet vertellen wat u al die jaren voor mij heeft betekend. Ik herinner het me nog goed, maar deze liefdesbekentenis heb ik voor Albert verzwegen. Ik ben te verlegen om het hem te vertellen. En ook over Henri's antwoord heb ik niets gezegd. U zou een bewonderenswaardige weduwe geweest zijn, Jeanne, maar wie weet, met u zou ik misschien niet sterven? Na dit gesprek vertrok Henri's glimlach in een grimas van pijn en hij kneep in mijn hand, terwijl hij zijn hoofd achterover op het met kant afgezette witte kussen liet vallen. Ik dacht aan zijn vrouw, die drie maanden eerder was overleden, aan een zeldzame, op dementie gelijkende ziekte. Ik wilde me terugtrekken. Rust maar uit. Morgen kom ik opnieuw. Hij pakte mijn hand. Alstublieft, Jeanne, ik heb u nooit voor niets laten komen. Laten we daar nu ook niet mee beginnen. Hij is 's nachts overleden, aan de alvleesklierkanker waar hij al maanden aan leed.

'Dank u wel, Jeanne, dat u deze pijnlijke herinneringen voor me hebt willen ophalen. Ik vind het een troostende gedachte dat u bij hem was.'

Zijn handen lieten de mijne geen moment los toen ik mijn verhaal deed en ze wisten de enkele tranen weg die over mijn wangen rolden.

'Jeanne, weet u waarom tranen zout zijn?'

'Om niet te vergeten dat de oceaan een zee van verdriet is? Ik heb geen idee, ik zeg maar wat. Wat weet ik nu van zout water, ik heb zelfs de zee nog nooit gezien! Maar vraag me iets over bergmeren, dan heb ik genoeg te vertellen! Die kent u echter net zo goed als ik.'

'Wat zegt u nu, dat meent u toch niet? Wilt u me wijsmaken dat u nog nooit van uw leven de zee hebt gezien? Dat bestaat niet.'

'Ik kan het niet verzwijgen, nu we zo openhartig met elkaar spreken. We zijn in dezelfde streek opgegroeid, maar ik ben er nooit, of bijna nooit, uit vandaan geweest ... Ik ben een paar keer naar Parijs gekomen, ik heb Zwitserland bezocht, maar de zee, die ik tijdens mijn huwelijksreis zou gaan zien, is altijd ver uit zicht gebleven. Later zou ik mijn kinderen er opzoeken, maar het leven loopt altijd anders, het kwam nooit uit ... Kortom, telkens als ik naar zee zou gaan, kwam er iets tussen.'

Ik voelde dat hij ontroerd was, en het niet kon geloven. Hij hield mijn handen nog steeds vast en was waarschijnlijk allang vergeten dat hij me zou uitleggen waarom tranen zout waren. Hij leek na te denken. Ook mijn gedachten dwaalden af. Ik realiseerde me dat we op dezelfde grond geboren waren, van dezelfde hemel hadden gehouden, dezelfde lente hadden opgesnoven, geroerd waren geweest door dezelfde mooie herfstkleuren, slechts twee valleien van elkaar verwijderd. Wat zat het leven toch vol verrassingen! Coups de théâtre, schaduwen van personen die elkaar rakelings passeerden; wat had ik graag in de coulissen van de werkelijkheid gestaan, een beetje als een lezeres in de boeken.

'Hebt u het komende weekend iets te doen, Jeanne?'

Met deze vraag haalde Albert me uit mijn gemijmer. Alsof ik op mijn leeftijd de volle agenda van een minister had.

'Wat had u in gedachten voor mijn weekend, Albert?'

'Ik wil u uitnodigen om naar de zee te komen! Dan hoeft u alleen het hek van mijn tuin nog maar door om hem te zien. We gaan naar La Croix-Valmer, op het schiereiland van Saint-Tropez, waar mijn huis staat, van mij en niet van die illustere familie waar ik nooit deel van heb uitgemaakt. En daar zult u dan samen met mij uw eerste passen in het zand zetten.'

Ik wist niet wat ik moest antwoorden. Dat ik Jade om toestemming moest vragen? Maar dat was belachelijk. Ik was overgelukkig, en wist niet goed welke betekenis ik aan dat woord moest geven. Ik was me er zo sterk van bewust dat wat ik beleefde nu aan het beleven was, dat ik me zelfs afvroeg of ik niet aan het lezen was! Er schoot me een zin te binnen uit de roman *Le rouge et le noir* van Stendhal... 'Omdat Madame de Rênal nooit een roman had gelezen, waren alle stadia van het geluk nieuw voor haar ...'

Voor het eerst van haar leven had Jade niet het gevoel dat ze iets miste. Ze voelde zich helemaal tevreden met haar bestaan. Dat was nieuw en het stemde haar vrolijk. Er had altijd een waas van verdriet en onvoldaanheid over haar ziel gelegen. Ze was nu hele dagen bezig met haar roman. Nadat ze hem had gehaat omdat hij zo slecht weergaf wat ze hem wilde laten zeggen, nam ze hem nu weer in bezit en ze ervoer een gevoel van geluk nu ze dat eruit haalde waarvan ze hoopte dat het het beste was. Een haven van geluk, dankzij Mamoune: zo kon haar nieuwe werk wel worden samengevat. Van deze werklust kon ze vooralsnog niet bestaan, maar hij had wel het voordeel dat het haar afleidde van de teleurstellingen in het beroep dat ze met zo veel passie had uitgeoefend. Maar de enorme verkwisting van artikelen die op het laatste moment werden geschrapt, gevoegd bij de bedragen die de bladen haar nog verschuldigd waren, hadden haar enthousiasme de laatste tijd danig bekoeld. Ze begon haar dag met het opeisen van haar geld in korte, vriendelijke berichtjes, die, zo was de bedoeling, na verloop van tijd harder van toon zouden worden. Ze had zich voorgenomen ze murw te maken. Daarna zette ze muziek op, de *Goldbergvariaties* of de cellosuites van Bach, of de gezangen van het kamerkoor Accentus, waar Mamoune zo van hield. Jade genoot ervan haar grootmoeder de klassie-ke muziek te laten ontdekken. 's Ochtends ging Mamoune in de keuken zitten, in de oranje fauteuil die ze zich had toege-eigend, en staarde in het niets, een kop koffie in de hand, het hoofd in een soort vervoering opzij gebogen. Daarna ontbe-ten ze samen, voordat Jade zich aan het corrigeren van haar boek zette. Ze had het gevoel dat ze een coupeuse was die een jurk wilde inkorten, maar uiteindelijk besloot er een baljurk van te maken! Dat vereiste het nodige denkwerk en nieuwe stof, maar daar was ze nu niet meer bang voor.

Toen ze de weg overzag die ze had afgelegd, en daar was het nu het goede moment voor, want ze wilde immers een andere inslaan, bedacht ze dat ze haar sterke verlangen naar dat es-sentiële iets, dat ze niet kon benoemen, met zich had mee-gesleept totdat ze met schrijven begon. Toen had ze gedaan alsof ze er afstand van had genomen, onder het voorwend-sel dat ze het niet meer nodig had. Ze had de zijige taal van de tijdschriften verward met literatuur. En omdat de huidige tijd geen behoefte meer leek te hebben aan de veeleisende pen waarmee de geesten vroeger werden gescherpt, had ze zich tevredengesteld met de middelmaat. Ze had haar stukken ge-schreven binnen het keurige kader van de journalistiek, dat, in plaats van haar de vrije hand te geven bij haar onderzoe-kingen, haar juist de handboeien omdeed, waarmee ze even-goed nog probeerde een aantal bladzijden te vullen. Ze wist niet welke gebeurtenis alles op losse schroeven had gezet: de ontmoeting met Rajiv, het samenwonen met Mamoune of de moeilijkheden die ze ondervond toen ze rebelleerde tegen de heersende opvattingen binnen de huidige journalistiek. Mis-schien wel alle drie samen.

De hele dag had ze aan haar boek gewerkt, met in haar achterhoofd de gedachte dat ze Rajiv over een paar uur weer zou zien. Maar ze moest de beelden van hun verstrengelde lichamen verjagen, zodat ze zich kon concentreren ... zonder er helemaal in te slagen het kwellende gemurmel in haar buik te onderdrukken. Die dag had Jade de hele weg naar hem toe te voet afgelegd. Het was heerlijk om haar rug, stiff geworden door de slechte houding waarin ze aan haar werktafel zat, te ontspannen en ze genoot van deze momenten voor het weerzien. Ze hadden elkaar al vier dagen niet gezien. Een eeuwigheid! Ze was wat vroeg. Ze ging koffiedrinken, stootte onhandig tegen het kopje en morste de inhoud op het schoteltje, onder de geamuseerde blik van de kelner. Het was niet te missen: de wazigheid, de vaagheid van haar blik. Nog voordat ze bij Rajiv was, sloeg haar hart al op hol. Het werd steeds erger. Eindelijk dan, de grote, roodhouten deur, de code, haar hand uitstrekken naar de bel. Ze wist dat hij haar met zijn vrolijke lach zou verwelkomen, maar, met haar hoofd tegen de deur geleund, hield ze haar hand nog even tegen, totdat het stuk dat hij aan het spelen was, was afgelopen. Een vluchtige zoen op haar wang. Hij bood haar een kop thee aan en nam haar toen weer in zijn armen. Jade was verrast. Bij elk weerzien was Rajiv zo afstandelijk, dat ze steeds dacht dat ze hun vorige omhelzing alleen maar had gedroomd, het gevoel had dat er nog niets tussen hen was gebeurd.

Jade, mompelde hij met die stem waar ze zo van hield, terwijl hij zijn handen om haar gezicht legde. Hij zag er zo ernstig uit. Weet je wel wat jouw voornaam betekent? Hij sprak woorden uit die ze niet begreep. Het is Chinees, verklaarde hij. Dat vermoedde ik al, dacht ze ... De poorten van Jade. Rajivs hand gleed naar beneden, naar haar dijen, en was duidelijk voelbaar door de zijden stof van haar rok. Ze bood hem haar lippen om zijn intense blik te ontwijken. Maar nadat hij even licht haar mond had beroerd, gleden zijn lippen naar haar oor en terwijl hij haar de geheime betekenissen van haar voornaam influisterde, probeerde Jade de rillingen en de begeerte die haar overspoelden in toom te houden. Met gloeiende wangen en een angstknoop in haar buik, bevend en hijgend van lust, stak ze haar handen voor zich uit om steun te zoeken. Hij bleef doorgaan met het opnoemen van de erotische vertalingen van haar voornaam, met haar lichaam in nieuwe liefkozingen te omvatten. Ze had nooit kunnen denken dat de vier letters die haar naam vormden zo veel slaapkamergeheimen bevatten. In de golven van wellust werd ze een slechte leerlinge, hoorde niet meer wat hij zei en luisterde alleen nog naar zijn gebaren. Het hoorcollege werd practicum.

Later, maar waar was de tijd in deze ogenblikken, nog trillend en naakt, haar knieën opgetrokken tot haar borst, lag ze te kijken hoe hij de thee serveerde. Hij lachte haar spottend toe.

'Ik moet weer van voor af aan beginnen, want je hebt niet goed opgelet bij mijn uitleg over je voornaam!'

'Ik ben niet zo snel van begrip! Het was te veel informatie ineens. Ik had aantekeningen moeten maken ...'

'Vreemd, ik dacht nog wel dat een professioneel journaliste ...'

Lachend greep hij de bh die ze in zijn gezicht smeet.

Toen Jade terugliep naar de metro, had ze het gevoel dat ze op een wolk zweefde. Op het beeldscherm van haar gedachten trokken de woorden voorbij. Spelen met jade, *nong yu*, de liefde bedrijven, fellatio, jadefluit, *xiao yu*, parels van jade, wat was dat ook alweer? Verdorie, ze was de helft vergeten ... En nog steeds liepen er rillingen over haar rug naar haar nek. Het maakte niet uit, Jade, Yu, bekeek zichzelf voortaan met andere ogen! Ze moest terugdenken aan Rajivs raadselachtige glimlach toen hij haar bij hun eerste afspraak had gevraagd hoe de poorten van Jade geopend konden worden, een uitdrukking die hij bij die gelegenheid wijselijk niet had uitgelegd.

Onder haar arm had ze twee boeken die Rajiv haar had geleend, *Ananga Ranga* en *De welriekende tuin*, en neuriënd liep ze de straat uit. Met de eigenaardigheden van de taal konden zo veel emoties worden opgeroepen … Ze had het gevoel dat ze alles opnieuw ontdekte, dat ze zag hoe het tapijt van de jaren die nog kwamen zich nu voor haar uitrolde.

Mamoune

Ik wist niet dat een mens zich op zijn dertigste al zo veel zorgen kon maken over zijn leeftijd. Ik heb net een gesprek gehad met Jade, dat me nogal van mijn stuk heeft gebracht.
Wat ik op die leeftijd dacht, herinner ik me niet meer, maar
volgens mij ging ik helemaal op in mijn leven van het moment zelf, zonder me om de rest te bekommeren.

Eens zien, het was 1957, twaalf jaar na de oorlog en we begonnen de spookbeelden ervan langzaam achter ons te laten.
Mijn jongste was vijf, de oudste elf en de twee anderen negen
en zeven jaar. De lange, uitputtende tijd van kleine kinderen
hebben liep ten einde en ik voelde me jong en vol energie
sinds zij minder aan mijn rokken hingen, die niet meer opbol-
den vanwege mijn opeenvolgende zwangerschappen. Ik begon
al voorzichtig met het passen op andere kinderen, zodat we
een beetje meer geld binnenkregen, maar vooral omdat het
werk was waarbij ik rustig thuis bij mijn gezin kon blijven.
In het dorp werd ik 'het kleine moedertje' genoemd. Ik had
al verzoeken gekregen om door te gaan met wat uiteindelijk
mijn bestemming zou worden: vervangende moeder zijn.

Het leven was goed. En nu ik deze herinneringen terug-
roep, zie ik Jades leven in een ander daglicht. Ze heeft net
de man verlaten die ze als haar levensgezel beschouwde. Ze

werkt, en als ik het goed heb begrepen, is het altijd een heel gevecht om haar artikelen verkocht te krijgen. Hoewel ze nog even de tijd heeft, vermoed ik dat ze zich al wel bezig-houdt met de belangrijke vragen over het moederschap, met dat vage verlangen dat voortdurend wordt bedreigd door een onverbiddelijke biologische klok: wat is de kritische leeftijd om je eerste kind op de wereld te zetten? Arme Jade, die zich druk maakt om haar toekomst en niets in het ongewisse laat. En dan wordt ze door haar leven met mij samen ook nog met haar toekomstige ouderdom geconfronteerd. Elke dag heeft ze het beeld voor ogen van een grootmoeder die onder-weg opgevangen moest worden! Even stel ik me de gedach-ten voor die in haar om moeten gaan en haar in onzekerheid dompelen over haar tijd en haar leven. Ik hecht veel belang aan wat ze me vanochtend heeft verteld, want ze is zowel een goed voorbeeld van haar generatie als de erfgename van een innerlijke onrust, die ze niet aankan en die haar achtervolgt, zelfs als ze een man, kinderen en materiële welstand zou heb-ben, waar ze geloof ik erg naar verlangt.

Als ik de storm van vragen zie die door Jade heen raast, krijg ik sterk het gevoel dat ik met een van die gekwelde zielen van doen heb waaruit boeken, schilderijen of muziek voortkomen.

Gisteren heeft ze me voor het eerst iets over haar beroep verteld, omdat ze me er graag de regels van wilde uitleggen en ik vatte die ontboezemingen op als een bewijs van ver-trouwen. Misschien ziet ze me niet als een grootmoeder die te oud of te onwetend is om haar te begrijpen? Ze legde me uit dat bij het schrijven van een artikel de situatie altijd centraal moet staan, dat dat het basisprincipe is in de journalistiek zoals ze dat op school heeft geleerd. In de eerste regels van elke reportage moet te vinden zijn: wie, wat, waar, wanneer, waarom, hoe, met wie en hoelang? Dat is grappig, dacht ik, zonder haar te onderbreken, dat zijn precies de vragen die elke mens zich zou moeten stellen, de vragen die we meestal uit de weg proberen te gaan.

Wat doe ik hier, waarom zou ik hier blijven, met wie, waar is de uitweg? Hoeveel tijd heb ik nog?

Ineens begreep ik waarom Jade haar beroep zo fascinerend vond. En ik begrijp haar verontwaardiging over het doodzwijgen van zaken die men als onbetekenend aanmerkt, zodat er niet over gesproken hoeft te worden. Angst voor vragen die niet worden gesteld, verbergt geestelijke armoede. Ik heb nooit geschreven, maar ik geloof dat ik op de drempel van de dood niet veel verder ben gekomen dan Jade, die nog aan het begin van haar leven als vrouw staat. Op haar leeftijd was ik al een weg ingeslagen die onomkeerbaar was.

Ik ben een oude vrouw, die gepoogd heeft een beetje cultuur bij elkaar te scharrelen, maar ik kom van het land, van de bergen, waar zelfs de diepste wanhoop slechts wordt teruggekaatst door de echo van de wind. Tijdens de oorlog heb ik gezinnen gekend waarvan de kinderen hun ouders op hun knieën smeekten om niet ... weg te gaan – ik kan zelfs niet aan het woord 'zelfmoord' denken, zozeer stuit het me tegen de borst – om aan de ellende en de wanhoop te ontsnappen. Tegenwoordig komen dergelijke situaties niet meer voor op het platteland, maar het wonder kwam van het antwoord dat het bos hun bood. Het weelderige groen en de stralende hemel, die met hun lieflijkheid en hun schoonheid de harten beroerden en er niets voor terugvroegen. Het gebeurde vrij vaak dat een van deze wanhopigen door de bergen liep en dat zijn wens om te sterven verdween. Ik vraag me af wat stadsbewoners doen als het slecht met ze gaat. Geen liefhebbend gezicht dat zich naar hen overbuigt, geen natuur die hun met haar volheid rust kan brengen. Ik veronderstel dat het een genade van de ouderdom is dat ik er nog ben, nadat ik de berg heb verlaten waar ik sinds mijn kinderjaren heb gewoond. Gevormd als ik was, zou ik veel lijden onbegrijpelijk hebben gevonden als ik niet enige tijd in de hoofdstad had gewoond. Het is niet zozeer dat die arm of achtergesteld lijkt. Het is meer dat het menselijk leed en de eenzaamheid hier meer opvallen en bij mij een luisterend oor vinden. Ik dank het aan Jade dat ik niet doodga zonder dat ontdekt te hebben, evenals hetgeen ermee samenhangt: de nederigheid om te willen leren, hoe oud je ook bent, het vermogen te hebben om nog in opstand te komen tegen onrecht en dat ook te verkondigen, al is het met een stem die geen geluid meer voortbrengt en met gedachten die vervliegen. Dat zei Albert tegen me tijdens ons laatste etentje: Het is niet belangrijk hoe je die gedachten uit. Als er iets in ons hart wordt geschreven, zelfs in het geheim, klinkt die uiting mee in het reservoir van woorden waar de scheppers uit putten. Dat is zijn theorie. En ik stel ontroerd vast, zonder daarvan iets tegen Albert te zeggen, dat zij overeenkomt met wat Jade ervaart als zij schrijft. In de abstracte ruimte van de tijd ontstaan de verhalen die doorgegeven moeten worden. In een taal die altijd in ontwikkeling is, worden avonturen beschreven en de essentie ervan vindt een vervolg in de boeken die nog gaan komen …

Zo vormen de geschriften, om niet te zeggen de schrijvers, een *farandole* die ons leven laat dansen en ons helpt te begrijpen, voort te gaan en soms te sterven. Maar wat is hij charmant, deze man, als hij mij aan tafel, enthousiast en bevlogen, onbewust datgene vertelt wat ik nog niet had begrepen vanuit mijn liefde voor de literatuur. Ik las met mijn rug geleund tegen het werkelijke leven, ik las uit protest tegen iets wat ik niet wilde. Wat ik het beste weet had ik uit de boeken geleerd, zo dacht ik, maar daar ben ik nu niet meer zo zeker van.

Er gaan zo veel verloren en wellicht door deze of gene teruggevonden gedachten rond in mijn oude hoofd! Maar wat kan ik anders op mijn leeftijd dan de verborgen wegen volgen van mijn eeuwige hersenspinsels? Vaak denk ik dat ik in een bepaalde richting ga, maar dan ontstaat er een nieuwe gedachte, die niet altijd de route volgt die ik haar graag zag gaan.

Om het hoofd te bieden aan de verwoestingen van de hoge ouderdom en omdat ik doodsbenauwd ben om in één klap zowel mijn hoofd als mijn geest te verliezen, train ik mijn geheugen. Maar soms vraag ik me af waarom. Om valse hoop te wekken, ongetwijfeld, maar het gaat goed met me en ik besef dat het mijn verhuizing en het dagelijks leven met Jade zijn geweest die de versufte vrouw die ik was, die al met een been in het graf stond, weer tot leven hebben gewekt.

Als ik bij het wonder van mijn nieuwe bestaan nog de diepe vriendschap optel die is ontstaan uit de ontmoeting met Albert, dan lijk ik wel zo'n wufte vrouw, die geprikkeld wordt door een voorbijlopende deugniet.

Overigens, Jade met haar sombere gemoedstoestand heeft mijn enthousiasme wel getemperd en ik heb haar nog niet durven opbiechten dat ik met Albert meega naar zijn huis aan de Middellandse Zee. Nu verkeer ik in de dwaze situatie dat ik me er verlegen mee voel om mijn kleindochter te vertellen dat ik haar behaaglijke appartement ga verlaten voor een uitstapje van een paar dagen. Nog even en ik vraag haar om toestemming, met de angst in mijn hart dat ze me die weigert. Maar nee, Jade heeft bijna de nieuwe versie af van haar roman en ik geloof dat ze nu popelt van ongeduld om te horen wat Albert ervan vindt. Verwacht ze dat hij haar zal bevoordelen? Als dat het geval is en haar dat nerveus maakt, dan moet ik niet vergeten te onderstrepen dat de uitgever zijn vriendschap voor de grootmoeder opzij zal schuiven en zich vrij zal voelen om haar boek van het commentaar te voorzien dat hem goeddunkt. Ik ben zelf net zo zenuwachtig als zij en voel me verantwoordelijk voor de eventuele beoordelingsfouten in mijn raadgevingen aan haar. Eenstemmig hebben we besloten dat ik haar roman niet zal overlezen voordat zij hem aan Albert heeft gegeven. Ik zal er voorzichtig een blik aan wagen als hij hem aan het lezen is, dan heb ik het gevoel de tekst tegelijkertijd met hem te doorlopen. Maar als ik lees, zou ik nooit zijn blik op mij kunnen verdragen. Ik herinner me nog die keer dat Henri me in de tuin van het kasteel verraste en lange tijd naar me heeft staan kijken voordat ik me van zijn aanwezigheid bewust werd. Ik had me ondergedompeld in *Anna Karenina* en toen ik eindelijk merkte dat ik werd gadegeslagen, voelde het alsof ik erop werd betrapt dat ik midden in de zomer wellustig een bad nam in het koele water.

Sinds ik Albert heb ontmoet, heb ik iets teruggekregen wat ik met Jeans dood had verloren. Dat heel bijzondere opbloeien, dat je door de blik van de ander ervaart. In zo'n blik heb je geen leeftijd, je hebt alleen het geluk erdoor overspoeld te worden met tederheid. Spiegels hebben geen enkele betekenis als je lange tijd in de verliefde blik woont van een mens die je door en door kent. Het verval merk je pas als je onverhoeds tegenover dat spiegelglas komt te staan dat je hebt genegeerd en dat die zelfverloochening nu lijkt terug te kaatsen. In een paar minuten voltrekt zich een gedaanteverwisseling, zoals in *The Picture of Dorian Gray*, wanneer hij zijn werkelijke leeftijd terugkrijgt. Het resultaat is niet altijd zo lelijk, maar met die blik waarmee je zonder de lankmoedigheid van die ander naar jezelf kijkt, ziet het eigen gezicht, dat je besluit onder de loep te nemen, er ineens gerimpeld uit.

'De boeken vormen een stenen pad voor mijn vragen. Ze zijn de antwoorden. Hoe kom je daar waar ons iets wacht? Wat kost het geluk ...?' 'Alle wegen leiden naar de dood. Alle licht schijnt zonder glans, zonder zijn naam te zeggen. In het duister gaan de zoekenden met tastende vingers voort ... En ten slotte, aan het einde van deze reis waarin wij weinig zijn veranderd maar veel hebben geleerd, zijn wij, in onze ogen en in die van anderen, zonder vragen, de opsomming van deze simpele woorden: leven, geluk, mededogen, pijn, levenskracht. Alles is één. Als een kern van het universum in ons, als een deel van ons in het universum ...'

Jade las de bladzijden vluchtig door, bleef bij sommige passages steken. Ze was verbijsterd. Dat had zij niet geschreven! Dat kon zij niet geschreven hebben! Deze tekst kwam haar vreemd voor. Toch herinnerde ze zich dat ze vroeg in de ochtend was thuisgekomen, nadat ze een hele nacht met Rajiv had doorgebracht. Ze zag weer voor zich hoe ze, dronken van liefde en vermoeidheid, als een magneet werd aangetrokken door het bureau in haar kamer. Ze was er, vlak voor het slapengaan, naakt achter gaan zitten. Haar borsten op het houten bureaublad gedrukt, had ze pen en papier gepakt en was gaan schrijven, voordat ze zich op bed had laten vallen en het open schrift met de pen die er dwars overheen lag, vergat. En nu was ze bereid om deze tekst te loochenen, alleen maar omdat ze hem niet begreep en hij haar bang maakte. Geschreven woorden bezaten toverkracht, maar konden zij onder invloed van de liefde veranderen? Deze mens, die ze nog maar kort kende, maar die ze aanbad, had haar iets geopenbaard waar ze tot nu toe geen weet van had, namelijk zelfvergetelheid, het verlangen om op te lossen en alle controle te verliezen. Rajiv ontsnapte haar terwijl hij haar zichzelf liet ontdekken. Ze voelde zich bevangen door een soort waanzin, die haar echter niet genoeg angst aanjoeg om deze man te beletten haar mee te voeren naar een onbekende: een vrouw die zij in zich droeg en die hij geboren liet worden. In gedachten zag ze zich weer schreeuwen, huilen, kreunen, volledig overgeleverd aan het genot, aan de diepe onderdompeling in een bijna ondraaglijke roes. Toen ze daarna naar huis liep, was ze bang dat alles nog van haar gezicht afstraalde. Ze geloofde in de ogen van de passanten te zien dat ze in haar lazen als in een open boek. Ze keken haar aan, indringend, alsof ze wilden weten waarom ze door haar, naar zij hoopte ontwijkende, blik werden vastgehouden. Maar ze hadden gelijk, ze keek niet weg. Ze keek hen aan vanuit haar diepste innerlijk, waarin ze zojuist voor het eerst was afgedaald en nog maar nauwelijks van was teruggekeerd, en de liefde die ze daarvandaan meebracht was oneindig, hartstochtelijk en bestemd voor eenieder.

Jade keek door het raam naar het druilerige, grijze weer. Ze dacht aan Mamoune, die op stap was met haar uitgever, die misschien op een dag ook de hare zou zijn. Op de keukentafel had haar grootmoeder een lief briefje, een vruchtencake, bloemen en aanwijzingen voor het verzorgen van de planten op het balkon achtergelaten. Jade vond dat alles op deze vroege ochtend een sterke aanwezigheid had. Het leven, het verhaal van Mamoune, haar vertrek, het paartje Vlaamse gaaien in de vensterbank aan de overkant. Op deze ochtend – die dat niet was, want het was al bijna twee uur in de middag toen ze ontwaakte uit de diepe slaap zoals alleen een slapeloze nacht die teweeg kan brengen. Ze had kokosthee gezet, haar lievelingsdrankje uit haar studententijd. Ze keek naar de herfst en bepeinsde dat ze erg mooie momenten met Mamoune had beleefd, dat de tijd aan haar zijde veel sneller voorbij was gegaan dan ze had gedacht en dat haar tantes zich er weinig aan gelegen lieten liggen of het goed ging met hun moeder. Van tijd tot tijd belden ze op, maar kwamen niet op het idee haar een berichtje te sturen. Terwijl Jade ze toch had gemeld dat hun moeder 'online' was en over een e-mailadres beschikte.

'Ze zijn te oud!' had ze met een knipoog tegen Mamoune gezegd, terwijl ze dacht: Waarom zijn ze zo onverschillig? Serge, Jades vader, schreef een paar keer per week. Hij stuurde hun muziek, foto's en gedichten. Alles wat zijn moeder en zijn dochter dichter bij zijn leven op het eiland met zijn vrouw en zijn zoons kon brengen. Ze belden vaak met elkaar via het internet en Jade was vertederd als ze zag dat Mamoune haar haren kamde, voordat ze het harige gezicht opmerkte van haar zoon, die met vertraging lachte en blij was dat zij samenleefden en gelukkig waren.

Aan dat alles dacht Jade, om te verhinderen dat haar geest afdwaalde naar de man die ze nu al miste … Naar het verlangen hem te bellen, naar hem toe te gaan, haar lichaam tegen het zijne te vlijen. De gedachte aan de organisatie die het zou kosten als zij een nacht wegbleef en Mamoune alleen liet, schoof ze van zich af. Ook wist ze niet hoe ze deze liefde moest beleven onder hetzelfde dak als haar grootmoeder. Iets hinderde haar bij het idee om Rajiv uit te nodigen de nacht bij haar door te brengen.

Mamoune was voor ongeveer een week vertrokken en wist niet precies hoelang haar korte, geïmproviseerde vakantie zou duren. Bij haar vertrek had ze een gelukkige indruk gemaakt op Jade, hoewel een beetje opgewonden door dit onverwachte avontuur, waarbij de zee gaan zien een mooi excuus vormde om de man, die haar zo dadelijk met een taxi op kwam halen om met haar naar het station te gaan, een arm te geven. Ze hadden samen Mamounes garderobe doorgenomen en haar koffer gepakt, waarbij Jade haar had verteld over de mistral, die in dit jaargetijde nogal hevig kon zijn, de frisse avonden en de heerlijke herfstzon in de middag, waarin een luchtige blouse voldoende was. Ze voelde dat haar grootmoeder gespannen was. Blijven we, hoe oud we ook zijn, altijd angst houden voor wat ons aantrekt? vroeg Jade zich af, maar ze durfde het haar niet te vragen. En toch had Mamoune ja gezegd tegen dit weekend, dat, door een plotselinge opwelling van Albert, een week was geworden. Hij had haar de dag ervoor opgebeld en Mamoune had zijn voorstel hardop herhaald: Weet u zeker, Albert, dat een week ... Als om Jades mening te peilen, die haar goedkeurend toelachte. Voor het eerst van haar leven nam Jade een zekere behaagzucht waar bij haar grootmoeder, die dat snel bagatelliseerde door hoog tegen haar op te geven over de kwaliteit of de warmte van een stof.

Hoe Jade ook bij zichzelf te rade ging, ze wist niet hoe Mamoune en zijzelf dit verlangen van hun juichende hart moesten beleven. Toch wist ze dat hun liefdesgeschiedenis, met een verschil van vele jaren, maar parallel lopend, de verbondenheid tussen hen eens te meer bezegelde. Schroom en stiltes begeleidden hun sprekende blikken. Naar het beeld van hun leven, lazen ze romantische verhalen. Mamoune herlas *Madame Bovary* en Jade had zich op haar advies ondergedompeld in *Le rouge et le noir*. Ze hadden samen besloten het gehele oeuvre van Irène Némirovsky te kopen, dat Jade zojuist had ontdekt en van wie Mamoune vroeger een paar boeken had gelezen op aanraden van Henri. Urenlang spraken ze over de boeken waarvan ze hielden. Soms waren ze het niet met elkaar eens en verdedigden ze hartstochtelijk hun eigen opvattingen. Tijdens hun verhitte discussies in het restaurant trokken ze de aandacht van de gasten aan de tafeltjes naast hen. Mamoune roemde de Amerikaanse schrijvers en hield daar halsstarrig aan vast, wilde niets van de hedendaagse schrijvers lezen. Jade sprak vol passie over bepaalde boeken in een poging haar belangstelling te wekken. Tevergeefs, haar grootmoeder bleef bij haar standpunt, volgens haar waren ze allemaal te somber en hadden ze niet genoeg talent. Jade wierp tegen dat heel wat van de schrijvers waar zij van hield, ook geen adembenemende vrolijkheid tentoonspreidden ... Maar ze beschrijven hun tegenspoed met zo veel allure! gaf Mamoune terug, die vond dat een verhaal niet alleen maar een afspiegeling van het leven kon zijn, want dan kon je net zo goed aan het raam gaan staan. 'Hé, hallo, jij hier, ja ik, kom je morgen weer?'

Dat soort dialogen, waarin de woorden alleen de dagelijkse banaliteiten weergeven, verveelt me, zei ze tegen Jade. Zelfs in de stilte, die de menselijke betrekkingen inzichtelijk moet maken, staan de woorden voorop. Dat verweet Mamoune de hedendaagse literatuur. Een zeker gebrek aan betovering. Op het laatst begreep Jade dat haar grootmoeder, als kind van haar tijd, een verklaard tegenstandster was van het medelijden. Bij de navelstaarderige gemoedstoestanden van veel nog in leven zijnde schrijvers hief ze haar handen, zodat ze boeken die zij toch al nooit had willen lezen, liet vallen. Ze had haar kleindochter de boeken gegeven van de gezusters Brontë, die zij nooit had gelezen. Door hen ontdekte Jade hoe de schoonheid, de melancholie of het verraad werd ontvouwd, hoe de woorden die over het leven van extravagante personages gingen, aan elkaar werden gebreid. Ze leerde literatuur onderscheiden van een aardig verhaal. Ze begreep ook dat sommigen die zichzelf al te graag hoorden praten over hun werk, niet zagen hoe hun verhaal verdween achter de ijzige schoonheid van een geciseleerde, maar tot op het bot uitgeklede stijl. Tot aan het klaarmaken van de koffer voor Mamounes vertrek hadden ze hun enthousiasme voor de boeken en hun geheimpjes met elkaar gedeeld. Op mijn leeftijd, vertrouwde haar grootmoeder haar toe, terwijl ze haar koffer sloot, heb je bij elke keer dat je vertrekt het gevoel dat je niet meer terugkomt. En ze wreef in haar ogen, terwijl ze zich afvroeg wat ze nog was vergeten. Voordat ze naar beneden ging, drukte Mamoune Jade tegen zich aan en fluisterde haar in: Kijk ons nu eens, met onze liefdesgeschiedenissen, jij de toekomstige oude en ik de ex-jonge vrouw! En toen Jade haar zachte wang kuste, sloot ze haar ogen om beter de geur van rozen en viooltjes in te ademen.

Het was voor het eerst sinds lange tijd dat Jade alleen in haar appartement was. Ze was gewend geraakt aan Mamounes rustige aanwezigheid, en vanochtend, toen ze zich oprolde in de fauteuil waarin Mamoune gewoonlijk zat, merkte ze dat ze haar geur miste. Genietend van de eenzaamheid, waar ze na haar nacht met Rajiv naar verlangde, dwaalde ze op zoek naar sporen van haar grootmoeder door haar appartement, dat nu van hen samen was.

Zorgvuldig gaf ze haar planten water, ze proefde haar cake, keek even rond in haar slaapkamer onder het voorwendsel er haar jasje terug te leggen. Jade keek tegenwoordig met andere ogen naar Mamoune ... alsof ze een andere vrouw had ontmoet. Om haar aan het lachen te maken had ze op een avond tegen haar gezegd: Ik kende Mamoune en nu heb ik ook Jeanne ontmoet. En deze Jeanne was voor haar veel meer dan alleen haar grootmoeder geworden. Een vrouw van wie ze hield vanwege haar geschiedenis, haar lectuur, haar liefdes en haar verborgen kracht, die haar diep ontroerde. De ontmoeting met Jeanne had haar vrijgemaakt van de liefde die zij als kleindochter voor Mamoune voelde, maar had haar het beste deel, de herinnering aan haar kindertijd, laten houden. Het was een onschatbaar cadeau. Jade dacht aan Mamoune met haar tachtigjarige geliefde, die haar de zee zou laten zien, en ze moest erkennen dat ze een beetje jaloers was dat ze er niet bij kon zijn om te zien hoe het schouwspel haar in vervoering zou brengen. Op de tafel lag nog een laatste briefje van haar grootmoeder, gehecht aan Jades manuscript.

In het leven kun je ervoor kiezen alleen het schuim te zien, zonder ooit onder te duiken in de diepten die de stromingen aan het oppervlak veroorzaken, maar een echt boek geeft je die keuze niet. Het is in één ruk door zwemmen aan het oppervlak, onderduiken in de grote diepten, het is schaduw en licht in voortdurende afwisseling, totdat je buiten adem bent.

Jade vroeg zich een ogenblik lang af of niet haar grootmoeder degene was die had moeten schrijven.

Mamoune

Het gevoel van urgentie is vermoeiend. Wat zou ik graag weer
leven zoals vroeger, toen ik wist, of in elk geval aannam, dat
er nog tijd was en ik me vooral die vraag nooit stelde. Maar
heb ik dat gevoel niet altijd al gehad, tijdens de oorlog, toen
ik Jean ontmoette, en later, bij de geboorte van de kinderen? Ik was bang dat hun iets zou overkomen, dat we door
iets onafwendbaars gescheiden zouden worden. Het was vermoeiend om aldoor in angst te leven en uiteindelijk kwam er
een zekere mate van berusting over me. Toch is deze voortdurende waakzaamheid geen belemmering om van het leven
te genieten, ze versterkt dat vermogen zelfs. Alles wordt een
wonder, een voortbestaan, gewonnen punten; en tussen de
tragedies waaraan wij ternauwernood ontkomen door, glijden de jaren geruisloos voorbij. En zelfs wanneer het lichaam
ons plaagt, is de vreugde om te handelen en te zijn altijd het
sterkst.

Op dit moment, in de trein die Albert en mij naar het
zuiden voert, ben ik, geloof ik, ongeveer vijfentwintig jaar.
Jonger dan Jade ... De gedachte doet me glimlachen. Ze is zo
edelmoedig, die kleine. Ik wens haar zo veel geluk. Ik hoop
dat ze eens de vrouw zal worden die zich nu al in haar afte-
kent, maar die ze nog niet zien kan.

'U bent zo in gedachten, Jeanne, ik hoop dat u het mij niet al te zeer kwalijk neemt dat ik u zo onverwacht en brutaal met me heb meegenomen?'

'Ik heb uw uitnodiging geaccepteerd, Albert, u hebt me niet ontvoerd!'

'Toch wel, een beetje, laat me dat op zijn minst geloven. Maar het is uw eigen schuld. U hebt me ertoe aangezet, toen u vertelde dat u de zee nog nooit had gezien! En nu we het daar toch over hebben, hebt u *De stilte van de zee* gelezen?'

'O, Vercors met zijn fijnzinnigheid! Ik heb er natuurlijk om gehuild. Dat weet ik nog, omdat ik er in de bibliotheek in las en het wel moest lenen, zodat ik er, alleen in mijn bergen, nog meer tranen om kon vergieten.'

'Ik heb nog eens over uw geheime leven nagedacht, over die bijzondere band die u met boeken heeft, maar toen stuitte ik op een probleem. Ik vroeg me af wat u hebt gedaan om niet onder de eenzaamheid te lijden die uw geheim met zich meebracht. U bent een vrouw die haar leven graag met anderen deelt, dat zie je en dat voel je. U had Henri, dat weet ik, maar u hebt ook voor en na hem gelezen.'

'Ik geloof dat ik er niet, zoals u, aan gewend was om de boeken waarvan ik hield in woorden te beschrijven. Lezen vervulde me vooral met een soort innerlijke zang. Ik bezat niet het niveau dat het me mogelijk maakte over mijn lectuur te discussiëren. Mijn eenzaamheid diende als dekmantel. Ik las veel boeken, maar hoe had ik erover kunnen praten? Mijn leven als dorpelinge bestond uit kletspraatjes en mijn leven als lezeres uit zwijgen. Dat was een goede balans, vindt u niet?'

'Och, Jeanne, u hebt geloof ik geen idee. We kennen elkaar nu twee maanden. Luister, als ik bijvoorbeeld tegen u zeg: mogelijkheidszin en werkelijkheidszin en mogelijke werkelijkheidszin, aan wie denkt u dan?'

'Dat is een gebied dat me fascineert en me al boeide toen

ik *De man zonder eigenschappen* ontdekte. Dan denk ik natuurlijk aan Musil.'

Ik kan niet beschrijven hoe Albert keek op dat moment in ons gesprek. Ik dacht al dat ik iets doms had gezegd, maar toen stak hij van wal met een reeks warrige verklaringen en complimenten, of zo kwam het op me over. Ik begrijp niet wat er zo buitengewoon was aan wat ik tegen hem had gezegd; ik had net zo goed Don Quichot kunnen noemen, die ook geen slechte werkelijkheidszin heeft! Ik vind het zo heerlijk om naar hem te luisteren en deze man, die een levend boek is, tegen me te horen praten in zinnen die me betoveren. Op het laatst laat ik me wiegen op zijn melodie. Ik mag dan een hekel hebben aan boeken waarin de dialogen een regelrecht afschrift zijn van het dagelijks leven, ik hou van mensen die zich uitdrukken in zorgvuldig gekozen bewoordingen. Het lijkt wel alsof Albert put uit een mand waarin her en der de woorden en de zinswendingen liggen die ik het liefste hoor. Ik ben toch wel een dom wezen. Het is treurig als je zelfs voor jezelf een dergelijk kinderlijk enthousiasme niet kunt verbergen. Maar waarom zou ik het ook verbergen als ik het toch zo ervaar, en wat is het heerlijk te weten dat er zo'n man bestaat, en dat hij eerder dan ikzelf wist dat ik door de aanblik van de zee betoverd zou raken.

Nadat ik die zo vaak op de televisie en op foto's had gezien, was hij voor mij niet anders dan een groot meer. Ik geloofde niet echt dat ik erdoor overrompeld zou worden. Toch had Albert het me voorspeld. U zult zien, Jeanne, als je de zee pas laat ontmoet, fluistert hij je in dat je zonder hem een verweesde was …

Hij pakte mijn hand en samen liepen we door de met pijnbomen, eiken en mimosa's begroeide tuin, we gingen door de kleine poort die op het strand uitkwam en plotseling lag er aan mijn voeten een onmetelijke watervlakte, die deinde en glinsterde in de zon. Het is een zee van diamanten, een onschatbaar cadeau, waarvan de omvang met niets in mijn leven te vergelijken is, want de onmetelijkheid van de bergen is me zo vertrouwd, dat zij geen enkele verwondering meer in me wekt. Ik ben net zo betoverd als dankbaar dat Albert zich deze late ontmoeting kon indenken en haar met oneindige fijngevoeligheid mogelijk heeft gemaakt. Hij helpt me mijn schoenen uit te trekken en zegt dat de doop van mijn voeten in het zand en in het water onontbeerlijk zijn op dit unieke moment. Ik rol mijn broekspijpen op en hij de zijne. We lijken wel zo'n gravure van vissers in Bretagne, die we in onze jeugd als ansichtkaarten verstuurden. Ik begin ons koddig te vinden, temeer daar Albert me uitnodigt om eens te proeven hoe zout het water is, terwijl het maar tot halverwege mijn kuiten komt!

'Deze avond is het te laat, u zou kouvatten, maar morgen gaan we zwemmen.'

Ik protesteer.

'Nee, Albert, ik kan helemaal niet zwemmen. Er was genoeg water bij ons in de bergen, rivieren, meren, maar ik bleef niet drijven.'

'Wat zegt u nu? Iedereen blijft drijven!'

'Nee, ik niet. Ik zonk naar de bodem. En daar wachtte ik, met open ogen, gesloten mond en zonder te ademen, tot ze me kwamen halen. Ik was niet bang, ik kon mijn adem inhouden en slikte geen water in ...'

Lachend verzekert Albert me dat hij nog nooit een dergelijk verhaal heeft gehoord.

'En toch verzin ik het niet. De hele familie heeft zich ermee bemoeid, maar het is niemand gelukt me te leren zwemmen. Dat is nooit veranderd en ik vertelde maar dat mijn botten te zwaar waren ... Ik ging zelfs het water in met de kinderen, want ik was niet bang. Van mij leerden ze de eerste beginselen en daarna nam Jean ze mee om in het diepe water, waar ze niet meer konden staan, te gaan zwemmen.'

Aan het eind van de middag zit ik naast Albert op het strand, kijk naar de zonsondergang en voel tranen over mijn wangen rollen. Met een liefkozend gebaar wist Albert ze weg en geeft me een zakdoek. Ik voel me opgelaten. Het is dwaas. Hij schudt zijn hoofd. Nee, Jeanne, verontschuldig u niet. Ik zou erg beledigd zijn als dit schouwspel u zo koud had gelaten als een gletsjer in onze bergen.

Al de tijd dat ik bij Jade in Parijs woon, heb ik de natuur niet gemist. Maar nu ik hier ben, tussen de bomen en de vogels, is het alsof er een doos met herinneringen is opengegaan. Ik zie weer voor me hoe ik elke ochtend werd omringd door weiden en wolken, door alle schoonheid die de bergen in elk jaargetijde bieden. En vooral zijn mijn longen weer gevuld met lucht.

Als de zon helemaal is verdwenen in het rood spiegelende water, laat Albert me zijn huis zien. Er zijn zo veel boeken, dat er haast geen muur meer vrij is. De plafonds bestaan uit een wirwar van balken en steen. Het is een oud huis, zo oud als onze leeftijden bij elkaar opgeteld. Ik heb de hele linkervleugel aangebouwd zodat we meer kamers kregen, vertelt hij. Albert heeft twee dochters en als hij over ze praat, krijgt hij een bijzondere glans in zijn ogen. Zijn eigen domein is een grote slaapkamer, kantoor en zithoek, in harmonieuze beigetinten en gemeubileerd als de kapiteinshut op een oud zeilschip. Tegenover zijn bed, bijna in een alkoof die je niet direct opmerkt, bevindt zich een kleine open haard. In de kamer ernaast zijn de kleuren veel vrouwelijker, blauw en oudroze voor de geborduurde, barokke wandbekleding, en er staan een kaptafel en een oude reiskast uit de vorige eeuw; een nogal ongewone inrichting voor een strandhuis. Het was de kamer van mijn vrouw. Hier kunt u slapen, Jeanne, u zult zich hier op uw gemak voelen. De toon duldt geen tegen-spraak en ik merk dat hij erover heeft nagedacht waar ik tij-dens mijn verblijf zal slapen.

Later, als we iets drinken, vertelt Albert me dat hij na de dood van zijn vrouw begonnen is met koken. Niet alleen met koken, verduidelijkt hij, maar weten hoe je je handen moet gebruiken in de keuken. Ik wist niets van het huishouden, ik geloof dat ik zelfs nog nooit een ei had gekookt, of een broek had gewassen en gestreken. Op dat gebied had ik twee linker-handen. Maar waarom hebt u dan geen hulp gezocht? Omdat ik alleen wilde zijn, zegt hij. Ik kon niemand in mijn buurt verdragen na Francesca's dood. Een maand lang leefde ik in de herinneringen aan ons leven, en zette ik mijn voetstap-pen in de hare. Door de dagelijkse bezigheden uit te voeren die alleen zij had gedaan, begreep ik wie ze was geweest. Ik heb geleerd nergens aan te denken als ik een mouw streek of toekeek als het eten zachtjes stond te stoven en ik ontdekte de liefde voor de ander die uit deze eenvoudige handelingen sprak. Bijna was ik zelf ook gestorven. Ik zorgde voor mezelf terwijl ik tegen haar praatte. Ik lachte om mijn eigen onhan-digheid, ik riep haar te hulp, ik werd gek. En terwijl ik leerde mijn bestaan weer vorm te geven, geloof ik dat ik ook een soort rouwverwerking in gang heb gezet over ons leven sa-men. Na een maand voelde ik me op een ochtend weer fit genoeg om me met mijn schrijvers bezig te gaan houden, die ik al die tijd had verwaarloosd, en ook was ik toen in staat om alleen terug te gaan naar ons huis, dat mijn toevluchtsoord was geworden, en als een oude zeeman aan boord van zijn schip een bord soep voor mezelf klaar te maken. De vrouw die hier komt helpen is er nooit tegelijk met mij. Voor mijn komst maakt ze het huis in orde. Tijdens mijn verblijf komt ze hier rond het middaguur, als ik weg ben, en zorgt voor de dagelijkse dingen. Behalve mijn dochters is er geen andere vrouw meer in dit huis geweest sinds Francesca's dood. Mijn eten kook ik zelf.

Ik merk dat hij trotser is op deze verworvenheid dan op de beslissingen die hij neemt als uitgever, die vanzelfsprekend voor hem zijn en nooit zo veel concentratie van hem hebben gevergd. En ik begrijp hem zo goed, ik heb zelf immers de tuin van Jean aangepakt en er mijn paradijs van gemaakt. Met mijn ziel kan ik navoelen wat hij in die voor mij zo vertrouwde taken ontdekte. In het vrouwenwerk gaan veel geheimen schuil waar mannen geen weet van hebben en die zo verwant zijn met lezen en schrijven dat ze er het onderliggende stramien voor vormen. Terwijl hun gedachten afdwalen, zijn hun handen druk in de weer; de echte macht ligt bij degene die deze geheimen kent. Albert vertelde me vandaag dat het voornamelijk vrouwen zijn die romans lezen en ik voor mij geloof dat als vrouwen zo veel lezen, dat dat is omdat zij horen wat er niet wordt gezegd en omdat zij nooit bang zijn dat de gevoelens bij hen sporen achterlaten die al in hun hart bestaan.

Albert vond het goed dat ik hem die avond in de keuken kwam helpen. We hebben samen het eten gekookt en kwamen daardoor nog nader tot elkaar. Ik heb altijd voor Jean gezorgd, zoals een vrouw van mijn generatie dat gewoon was, en ik heb nooit naast een man gestaan die de uien hakt terwijl ik de tomaten snijd. U hebt genoeg gehuild voor vanavond, Jeanne, zei hij en hij pakte met een beslist gebaar de bieslook van me af. Het was niet zo koud, maar we hebben een vuur aangemaakt in de open haard omdat het zo plezierig is naar de dansende vlammen te kijken, en ik denk aan Jade. Ik vraag me af wat ze zou zeggen als ze me nu zou zien, met mijn hoofd op Alberts schouder, zo fijn, en mijn blote voeten tegen die van hem onder de zachte fleecedeken die hij over onze benen heeft uitgespreid. We zijn twee oude, verliefde mensen en gelukkig dat te zijn, die elkaar hun hart hebben toevertrouwd in de liefdevolle genegenheid van mensen aan wie zich een wonder heeft voltrokken en die zich vervuld weten van een ongekend samenzijn.

Er zijn nog veel meer gevoelens, verlangens en dwaasheden en ik ben nog niet zo oud dat ik die ben vergeten, maar ik ben ook niet jong genoeg meer om toe te geven dat ze opnieuw bij mijn leven gaan horen. In de liefde, meer nog dan in andere zaken, geldt dat zwijgen de voorkeur heeft boven het gesproken woord. Ik geniet van het ogenblik, ik geniet van de stilte en ik verban de tijd.

Ze hadden warme naan gegeten en de Indiase kruidenthee gedronken die Rajiv had bereid. Zonder het geheim van zijn recept te kennen, noemde ze het een toverdrank. Ze keek naar hem. Hij dronk met kleine teugjes, terwijl ze de langzame beweging van zijn adamsappel gadesloeg. Hij droeg een lang, wit hemd en een zwarte broek. Met zijn vochtige haar en de Indiase kleding zag hij eruit als een prins. Ze bepeinsde dat hij knap was en dat ze alweer naar hem verlangde. Zijn blik gleed even over de piano en Jade meende te zien dat er een schaduw over zijn gezicht trok. Met een beslist gebaar zette hij zijn kopje neer en ging achter het instrument zitten. Met zijn handen op zijn knieën, het hoofd gebogen, wachtte hij zo een tiental seconden en toen klonken de noten op in de stilte. Het was telkens weer een ontdekking, ook al kende Jade de zachte streling van zijn handen, ook al had ze hem al horen spelen. Ze sloot haar ogen om beter te kunnen luisteren naar Rajiv, wiens vingers leken te vliegen. Hij streek over de toetsen of hield akkoorden langer aan, die nooit zwaar waren, wel krachtig. Jade had deze stukken al vele malen gehoord, maar ze had het gevoel dat hij ze voor het eerst zo energiek speelde. Debussy, Ravel, de *Goyescas*, nog nooit had ze een linkerhand gehoord die zo aanwezig was, zonder de rechter te overstemmen. Hij speelde vrij snel, maar de noten waren los van elkaar te horen en werden niet opgeslokt door de volgende. Vaardigheid met gevoel. Hij speelt meerdere tonen in één noot, dacht ze, zonder goed te begrijpen waarom. Of meerdere mensen in één lichaam. Jade was verrukt, overwonnen … als er nog iets te overwinnen viel. Ze voelde zich verward. Terwijl ze naar hem luisterde, besefte ze dat Rajiv concertpianist had moeten worden en dat het opgeven van deze carrière om zich aan zijn onderzoeksproject te kunnen wijden, ook al was het zijn eigen wens, getuigde van een enorme vastberadenheid. Ze hoopte voor hem dat hij zichzelf niet had gekortwiekt en dat hij zijn leven op een dag niet zou beschouwen als dat van een gefnuikt man, maar als van een man die met volle overtuiging een keuze had gemaakt. Toen hij stopte, draaide hij zich naar haar om met een uitdagende glinstering in zijn ogen die ze nog niet eerder bij hem had gezien, maar die spoorloos verdween toen hij haar toelachte. Hij werd weer degene die ze kende. Jade wist niet wat ze tegen hem moest zeggen. Iemand die nergens meer in gelooft kon je moed inblazen, of iemand die twijfelt uitvoerig toespreken, maar wat moest je zeggen tegen iemand die uit zulke edele motieven voor een andere dan deze carrière had gekozen?

'Wat is jouw bestemming? De muziek die ik net heb gehoord was indrukwekkend, maar dat is jouw keuze ook.'

Rajiv stond op om haar te kussen.

'Je bent de eerste die me werkelijk begrijpt. Die geen scheiding aanbrengt …'

'Precies. Heb je er nooit aan gedacht om allebei te doen, dat ze elkaar kunnen aanvullen? Misschien je onderzoek betalen met je concerten?'

Hij verslond haar met zijn ogen, zijn blik straalde. Ja, daar had hij kortgeleden nog over nagedacht. Hij had over een arts gehoord die zijn tijd verdeelde tussen het ziekenhuis en de muziek. Dus waarom geen laboratorium financieren met pianorecitals? Jade kende die arts.

'Als je hem wilt ontmoeten,' zei ze, 'ik ben bevriend met een journaliste die iets over hem heeft geschreven, ze zal zijn gegevens nog wel hebben ...'

'Denk je dat ze me die kan geven? Mijn geval ligt iets anders dan het zijne, ik zou in een laboratorium werken aan generieke geneesmiddelen ... Ik heb nog contacten in de muziekwereld, ik zou privéconcerten kunnen organiseren om het onderzoek te bekostigen. Maar hij is een bekend musicus ...'

Jade las de rest in zijn zwijgen.

'Ik zal je helpen. Ik zal artikelen over je schrijven, ik kan de pr voor je verzorgen ...'

'Zou je met me meegaan naar India?'

Ze durfde niet te zeggen dat ze overal met hem naartoe zou gaan ... Jade wist niets van dat land, maar wat ze wist, was voldoende. Je moest weggaan om lief te hebben, of omgekeerd, dat wist ze niet meer. Spreekwoorden uit allerlei landen schoten haar te binnen. Wie in angst leeft, leeft maar half, de weg van later komt nergens aan. Nee zeggen tegen je diepste levensverlangens is ja zeggen tegen je doodsverlangens. Wat men niet kiest, dat betreurt men niet; men betreurt de kans die men voorbij heeft laten gaan ... En wat riskeerde ze helemaal? Jade dacht aan Julien, aan die lange maanden waarin zij niet had durven zeggen dat ze bij hem weg wilde. Ze dacht aan wat er gebeurd zou zijn als ze bij hem was gebleven, uit lafheid om niet alleen te zijn, aan Rajiv, die op een metroperron op haar had gewacht, zonder te weten of ze die volgende dag wel langs zou komen. Aan wat hem op dit moment door het hoofd speelde. Ze dacht aan het geloof, aan de onbekende verlangens die je voortstuwen of afremmen. Aan de mogelijkheid die iedereen gegeven is om twee of drie keer in zijn leven ja of nee te zeggen, om te protesteren, te berusten, of om de loop van je bestaan te veranderen.

Jade glimlachte, omvatte met haar handen het kopje met de toverdrank en vroeg zich af wat hij in die kruiden gestopt kon hebben. Natuurlijk ging ze met hem mee. Haar beroep kon ze overal uitoefenen, daarginds of ergens anders, ze vond altijd wel iets om over te schrijven, opstanden die ze kon verslaan in woorden, artikelen of boeken … Daarginds … Mamoune … Haar hart trok samen. Maak je geen zorgen om haar, Jade. Rajiv had de schaduwen op haar gezicht gevolgd. We nemen Mamoune mee naar India. Oude mensen worden bij ons geëerd als koningen. Ze zal te midden van mijn familie wonen. Sinds mijn vader uit de politiek is gestapt, wonen mijn ouders niet meer in Londen. Hij is nu met pensioen. Hij woont op het landgoed van onze landerijen. Want zie je, behalve Zweed ben ik ook nog zoiets als een prins!

'Ja, dat zal wel, je neemt me zeker in de maling …'

'Nee, het is echt waar. Je zou er toch een keer achter komen en het heeft ook niet veel te betekenen in een land met zo veel ellende. Maar dan weet je zeker dat er in mijn Indiase familie een plaats is voor Mamoune. Ik heb twee of drie aangetrouwde tantes die net zo oud zijn als zij en die in het grote huis van mijn vader wonen. Ze zijn erg gelukkig en staan in hoog aanzien. Ze zijn de wijzen van onze stam. En om eerlijk te zijn over ons koninkrijk, we hebben geen bezittingen meer. We hebben alleen nog een huis, een stukje grond voor de moestuin, maar als oud vorstenhuis worden we alom gerespecteerd. Zelfs als hij geruïneerd is, blijft een prins daar in hoog aanzien staan …'

Jade luisterde niet meer naar hem. Ze dacht aan Mamoune, aan wat ze zou zeggen als ze wist dat zij achter haar rug om haar toekomst aan het bekokstoven waren. Was het niet te egoïstisch? Zou ze wel weg willen, net nu ze haar geliefde vriend Albert had ontmoet? Ik voel me verantwoordelijk voor haar, dacht ze, en het is ingrijpend om je grootmoeder mee te willen nemen in de droom van een jong mens ... Jade had Mamoune al uit haar bergen ontvoerd en nu wilde ze haar nogmaals verbannen, naar een ver land, met een klimaat dat het tegenovergestelde was van het hare. Toen maakte haar glimlach plaats voor ongerustheid. En als ze daar zou sterven?

Mamoune

Weet je, Jeanne, ik heb altijd gedacht dat ik alleen met een vrouw kon samenleven die ik al van jongs af gekend had. Om redenen die ik nu duister zou noemen, zag ik mijn levensavond met een gezellin wier ouder wordende lichaam ik liefhad omdat ik het had leren kennen toen het jong was. Dezelfde huid, dezelfde geur, dezelfde manier van bewegen. De textuur van de ander heeft geen leeftijd, als ik dat zo mag zeggen, en we zouden samen de tijd van de … afta… van de ouderdom beleven, met de lankmoedigheid of verblinding van de herinnering. (Hij zuchtte en moest zich beheersen om niet cynisch te worden.) Toen mijn vrouw is overleden nam ik, bij gebrek aan beter, de ouderdom tot gezellin. Het was eenzamer, maar niet minder veeleisend!

Ik zeg niets. Ik voel dat Albert begonnen is aan een belangrijke bekentenis over zichzelf. Een monoloog, waarvan ik een stomme getuige ben en die door de geringste zucht verbroken zou worden.

Sinds ik je ken, en misschien moet ik zeggen: sinds ik onbekende kanten in dit herboren verlangen ontdek, zijn alle ideeën die ik had als jonge man overhoopgehaald. Ik vind veel vrouwen betoverend, jongere vrouwen, auteurs, oude vriendinnen, nieuwe kennissen zelfs, en ik heb, zo lijkt het, een zeker succes, maar ik zal nooit mijn leven met hen delen en ik maak me ook geen enkele illusie, de meesten zouden niet verder met me willen gaan dan de charmante luchthartigheid die we in stand houden. Maar jij, Jeanne, jij bent een geschenk uit de hemel, dat op een ochtend zomaar per e-mail arriveerde, met de oprechte wens je kleindochter te helpen bij het publiceren. Je bent de lezeres van mijn hart. Jouw leven is aangrijpend, net als de geestdrift die je bezielt wanneer wij over boeken praten, en sinds we hier in mijn huis zijn en ik je steeds nader kom, kan ik me niet goed voorstellen dat wij niet nog wat langer zullen samenleven.

Hij zwijgt, lijkt na te denken over het vervolg, alsof er een wonderlijke gedachte bij hem is opgekomen. Ik durf niets te zeggen, mijn hart klinkt luider dan de ademhaling die ik inhoud. Hij kijkt me diep in de ogen en gaat dan verder.

Ik had nooit gedacht dat ik nog maar zo kort na Francesca's overlijden iets dergelijks zou zeggen. Maar heden en verleden zijn één, ze vormen een ononderbroken lijn. Ik kon me niet voorstellen dat ik nog eens met iemand zou samenleven, maar nu is alleen de tijd die nog rest van belang, en is de tijd waarin ik mezelf rationele vragen stelde definitief voorbij. En daar heb ik geen seconde spijt van. Het was verloren tijd, nuttige antwoorden vond ik nooit, ik ben blij dat die periode achter me ligt.

Ongelovig luister ik naar alles wat Albert me op die zevende avond van ons samenzijn in zijn huis vertelt. We hebben de dag buiten in de natuur doorgebracht. We zijn vroeg in de ochtend vertrokken voor een wandeling in de bossen, die achter zijn huis beginnen. Daarna hebben we geluncht op zijn terras en de bloeiende mimosa's bewonderd. Toen ik mijn verwondering uitte over deze bloei in oktober, antwoordde hij dat zijn huis allure had en dat de mimosa vanwege mijn komst, wetende dat ik van tuinen hield, deze herfstbloei had bedacht. Albert ziet overal een aanleiding in om dit soort verhalen te vertellen, waarvan ik nooit weet of ze wel of niet waar zijn. Hij pakt mijn hand en neemt me aan boord voor een reis naar Cythera.

Albert is een man van 'Er was eens', en sinds ik hem ken, lijkt mijn leven op dit veelbelovende begin. Hij vertelde dat hij graag een keer mijn kleine chalet in de bergen wilde zien, dat niet anders is dan een herdershut, of mijn boerenhuis in Morzine. Hij wil dat we er samen een paar dagen gaan doorbrengen, en zijn verzoek klonk erg enthousiast. 'Jeanne, laten we een beetje dromen, we verdelen ons leven tussen Parijs, mijn huis in La Croix-Valmer en het jouwe in Morzine. Het is zo lang geleden dat ik voor het laatst in de Haute-Savoie ben geweest. Ondanks alles heb ik er een gelukkige jeugd gehad …' Fijngevoelig als hij is, begrijpt hij dat het me in verlegenheid brengt dat ik bij Jade woon en er ogenschijnlijk met de eerste de beste man die langskomt vandoor ga, ook al kun je deze geschiedenis niet precies zo samenvatten … Ik geloof dat hij weet hoe gevaarlijk het is om op onze leeftijd alleen te leven en ook al praat hij er niet over, ik weet dat hij de mogelijke zwakke plekken in het raderwerk al voelt. Te trots om te berusten, te slim om de ondergang niet aan te zien komen, is hij bedacht op wat komen gaat … Maar in deze rationele balans laat ik het mooiste onvermeld: het kostbare geschenk van een late vriendschap. We hebben liefgehad, natuurlijk, en erg geleden onder de dood van onze partners. We zijn doorgegaan in het besef dat we dit verlies te boven moesten komen en vooral nooit moesten pogen te vervangen wat onvervangbaar was. Afhankelijk van de dag slaagden we er min of meer in om niet weg te zinken in die vreselijke eenzaamheid, ons erover te verheugen dat we anderen niet meer belastten met de smart die ons verstikte. We hebben beiden een karakter om het adagium te bestrijden dat zegt dat je vanaf een zekere leeftijd van de ene ziekte in de andere belandt, en dat je er nooit meer van herstelt voordat je de oever van de dood bereikt. Ik zwijg en bijt mijn kiezen op elkaar, hij raast en tiert; ieder heeft zijn techniek om de vijand te lokaliseren, hem te bestrijden en te verdrijven, wachtend totdat hij ergens anders, met de hardnekkigheid van een lastige vlieg, weer opduikt. Maar niettemin, zolang het hart weer opbloeit en vecht tegen de tand des tijds, is het leven een kostbaar bezit ...

Als oude geliefden zijn we nu als de mimosa's in zijn tuin. Bloeiend in oktober en voor de duur van een lach worden wij verlicht door deze wonderbaarlijke liefde.

Hij heeft karakter en ik ben gevat, nu ik niet meer zwijg. Onze kleine meningsverschillen monden uit in een lach.

Nu moet ik alleen nog met Jade over dit dwaze idee spreken. Niet dat ik denk dat ik haar op enigerlei wijze om toestemming moet vragen, maar we hebben zo'n innige band gekregen, en aan haar dank ik de vrijheid waar ik vandaag over beschik. Ik voel me schuldig dat ik haar verlaat en tegelijkertijd voel ik dat aan de horizon haar leven als vrouw begint te gloren.

Wat zou er van me geworden zijn als Jade me aan mijn trieste lot had overgelaten in een verzorgingshuis? Een eufemisme voor de plaats die, geloof ik, voor altijd zijn klauwen om me heen zou hebben gesloten.

Epiloog

In de spiegel van de woonkamer kom ik mijn eigen blik tegen. Ik heb blauwe kringen onder mijn ogen. Ik herken mezelf niet meer. Al twee maanden heb ik me opgesloten in het huis waar mijn grootmoeder in woonde. Twee maanden, waarin ik dag en nacht geschreven heb. De buurvrouw brengt me maaltijden, of ik eet wat ik tegenkom. Mijn tantes komen langs, ongerust omdat ik me hier heb afgezonderd met mijn schrijfwerk. Mijn enige wandelingen brengen me in de tuin, die als door een wonder weer in bloei staat, zonder dat iemand ervoor zorgt. Sinds ik in haar huis ben komen wonen, is Mamounes kat weer terug en hij is naar haar op zoek. Deze kat leidde me naar de koffer, verstopt onder een plant, waarin ik de *Encyclopédie* van Diderot aantrof. Met in het bijzonder de eerste twee destijds in Frankrijk verboden delen, die een edel heer uit de Savoie veilig in zijn bibliotheek had bewaard. Als ik het me goed herinner, behoorde de Savoie in die tijd niet tot Frankrijk. Om kort te gaan, zijn nazaat schijnt deze schat in zijn geheel aan mijn grootmoeder te hebben nagelaten, vergezeld van deze eenvoudige brief. *Aan u, Jeanne, vertrouw ik dit kostbare werk toe. Ik ben ervan overtuigd dat u, die zich in het geheim de zo subtiele kunst van het lezen heeft eigen gemaakt, dit geschenk op waarde zult weten te schatten. Neem*

het aan als van een vriend, die u, in het geheim, heeft bewonderd
om uw scherpzinnige geest en uw bescheiden houding. Uw toege-
negen Henri de Saint-Firmin.

PS: Mocht u op een dag om lectuur verlegen zitten, aarzel dan
niet om contact op te nemen met mijn broer, die de uitgeverij
En Lieu Sûr leidt. Ik weet zeker dat hij opgetogen zal zijn om
eindelijk de geheime lezeres te leren kennen over wie ik hem zo
vaak heb verteld. Praat met de oude Honorine op het kasteel, zij
zal u de geschiedenis van mijn briljante, maar door mijn vader
niet erkende halfbroer vertellen, die ik u zelf niet heb durven
toevertrouwen.

In de woonkamer heb ik het enorme register gevonden waarin mijn grootmoeder jarenlang alle uitgaven van het huishouden bijhield. Het tweede deel van dit dikke schrift staat vol
met zinnen die uit honderden werken zijn aangehaald. Citaten, korte fragmenten uit romans en gedichten, die zij tijdens
haar leven in haar onbeholpen handschrift heeft overgeschreven, soms met fouten, alsof ze de originele tekst er niet bij
had. Ik ben begonnen dit curieuze boek met citaten te lezen, die dicht op elkaar geschreven staan en steeds zijn ge-
dateerd. Op het laatst geeft het me een opgeblazen gevoel,
als een indigestie van te veel genoten verfijnde literatuur. Auteurs als Victor Hugo of Flaubert worden gevolgd door Faul-
kner, Hemingway of Melville. García Márquez door Musil
en Miguel de Cervantes komt vlak na Pasternak, Conrad en
Dostojevski … Ik was gewoonweg verrukt over haar keuzes,
over de verscheidenheid van haar lectuur.

In dit schrift heb ik een brief gevonden, die ik enkele
maanden geleden aan mijn grootmoeder heb gestuurd. Een
brief waarin ik haar onthulde dat ik een boek had geschreven
en het naar diverse uitgeverijen had opgestuurd, maar dat ik
alleen maar negatieve reacties kreeg. Een brief waarop ze met

potlood de simpele woorden had geschreven: *Ik zou je mis-schien kunnen helpen* ... En ik heb zo gehuild omdat ik deze schat nooit met haar heb kunnen delen.

Mamoune is twee maanden geleden gestorven. Ze stierf eenentwintig weken nadat ze in het tehuis is opgenomen waar ze nooit naartoe had mogen gaan.

Ik draag nu verdriet en spijt in me mee. Het is een open wond die bloedt. Ik had mijn impuls moeten volgen en haar moeten gaan halen. Ik had haar moeten ontvoeren, het be-sluit van mijn tantes moeten trotseren en samen met haar in Parijs moeten gaan wonen. Maar toen ik eindelijk arriveerde, kon ik nog net haar laatste ademtocht opvangen, zag ik nog heel even een flauwe glimlach.

Met een ondeugende blik drukte ze haar bijbel in mijn handen. Toen ik de leren band opensloeg om tussen de pagi-na's haar viooltjesgeur op te snuiven, trof ik in plaats van het heilige boek de roman *De tijd hervonden* van Marcel Proust aan.

Daarna heb ik me opgesloten in haar huis, naar haar stem geluisterd en heb ik ons verhaal geschreven. Ik heb het ge-schreven alsof het van een ander was, om niet levend te ver-branden van schaamte omdat ik Mamoune heb laten vallen.

Morgen ga ik terug naar Parijs, ik zal al mijn schriften ver-nietigen, ik zal tegen Julien zeggen dat ik niet meer met hem wil samenwonen.

Ik kijk naar de grote bos tulpen die Rajiv, mijn minnaar sinds enkele nachten, me heeft gestuurd en ik vraag me af hoe hij achter het adres van dit huis is gekomen. Ik herlees het begeleidende briefje: *Mogen mijn gedachten het verdriet om je geliefde grootmoeder verzachten. Ik wacht vol ongeduld op de terugkeer van de vrouw die ik oneindig liefheb, om haar mee te nemen naar India. We moeten zonder angst onze liefde uitspre-ken en haar beleven, zolang we er zijn.*

Voordat ik met hem vertrek, zal ik het manuscript van *Jade*, dat ik nu af heb, naar Albert Couvin brengen, de uitgever van het huis En Lieu Sûr, in de hoop dat mijn lef …

Parijs, juni 2008

De auteur dankt:

Hubert Nyssen, voor zijn niet-aflatende aandacht en zijn vermogen een uitgever te zijn die de schrijvers van binnen en van buiten kent.

Christine Leboeuf, voor haar hartelijke ontvangst en haar vriendelijkheid.

Jim, Lily-Sara, Jules, Arthur en Antoine, het orkest van het leven, dat de weg van het schrijven heeft begeleid en bezield.

Hélène Curutchet, voor haar humor en haar onwankelbare vriendschap.

Régine Lemeur, voor haar lach en haar adviezen.

Yaron Herman, wiens muziek van het licht het schrijven van deze roman onafgebroken heeft begeleid.

Yves-Marie Maurin, die het manuscript als eerste hardop heeft gelezen.

Alle goede feeën van Actes Sud, die de romans en hun auteurs vol liefde dragen, met aandacht omringen, ondersteunen en begeleiden.

De boekhandels en de lezers, die *La vie d'une autre** hebben gesteund en de auteur het belang van publiceren hebben doen inzien.

---

* Eerdere roman van Frédérique Deghelt.